An Introduction to Newspaper Japanese

by Osamu Mizutani
Nobuko Mizutani

新聞

The Japan Times, Ltd.

ISBN4-7890-0150-4

First edition: July 1981
Third printing: May 1982

Jacket design by Koji Detake
Illustrations by Koji Detake, Atsushi Kayada and Yumiko Sugano

Published by The Japan Times, Ltd.
5-4, Shibaura 4-chome, Minato-ku, Tokyo 108, Japan

Phototype set and printed by Seikosha Printing Co., Ltd.

Printed in Japan

INTRODUCTION

This book is designed to help students read and comprehend newspaper Japanese. Needless to say, newspaper articles cover a very wide range of information concerning daily life. We have chosen basic articles from newspapers published in 1979 and 1980, arranged them in order of difficulty, and provided comprehensive explanations and exercises in structure and vocabulary. We hope that the students will thereby be able to acquire a basic knowledge of sentence structure, and vocabulary—and certain aspects of Japanese life as well. In short, this is a guide book for developing reading comprehension for modern Japapese through the study of newspaper articles.

The book consists of three parts. Part I is designed to train the students so that they will recognize basic *kanji* and *kanji* compounds and understand the basic structure of newspaper Japanese. Part II provides selections from newspaper articles together with vocabulary lists, translations, lists of *kanji* compounds, and exercises. Part III consists of reproductions of newspaper articles and accompanying vocabulary lists for additional practice in reading. In short, Part I serves as the foundation for Part II, and Part III is an application of Parts I and II.

The students will need a basic knowledge of Japanese grammar and the ability to read *hiragana* and *katakana* but will not have to be able to read *kanji* before starting this book. All new *kanji* compounds are given with their readings in *furigana.*

An adequate knowledge of *kanji* and *kanji* compounds is, needless to say, essential for reading newspaper Japanese, and it should be developed as effectively as possible. For this purpose we have selected the most important *kanji* as a core to concentrate on, giving their compounds to help develop the students' vocabulary. Namely, approximately 200 *kanji* and their most important compounds with readings and English equivalents are given in Part I and 500 in Part II. And when any of these compounds appears later in the book, the number of the page where it first appeared is given to reinforce the students' memory.

The total number of *kanji* appearing in these lists of compounds and exercises amounts to approximately 1,400; this covers the major *kanji* in the *toyo* or *joyo* kanji (*kanji* designated for daily use). The selection of *kanji* and *kanji* compounds is based on *Gendai Shinbun-no Kanji* 現代新聞の漢字 (*Kanji in Contemporary Newspapers*) published in 1976 by *Kokuritsu Kokugo Kenkyūjo* 国立国語研究所 (National Language Research Institute), a work based on comprehensive research into the *kanji* compounds appearing in the three major Japanese newspapers during 1966.

The newspaper articles in Part II and Part III are selected as a basis for study; they do not cover all types of newspaper articles, but they serve to show the basic structure of newspaper writing. They are taken from the Mainichi, Nikkei, Asahi, and Yomiuri Newspapers and reprinted with the permission of these newspaper companies.

We wish to express our gratitude to Ms. Janet Ashby for checking the English throughout the book, and to members of the Publications Department of The Japan Times for their fine job of editing.

CONTENTS

PART I

Part I is designed to build and reinforce the reading comprehension of the students. We advise them to go through Part I before reading Part II, although the time and the speed with which they go through Part I will vary depending on the ability of each student.

Part I consists of the following sections;

A. Test in Basic *Kanji*
B. *Kanji* Vocabulary
C. Structure Test
D. Drill in Structure
E. Headlines
F. Map

Sections A and B concern *kanji* and *kanji* compounds. They are designed to check and build the students' reading ability in the most important *kanji* and *kanji* compounds. According to 現代新聞の漢字, the use of around 200 basic *kanji* constitutes more than 50 percent of the total usage of *kanji* in newspapers. This means that it is quite essential to study these 200 *kanji.* Section A consists of 16 sentences containing these *kanji,* and Section B gives their most frequently used compounds. The students should first check to see if they can recognize these *kanji* in Section A, and then go through Section B.

In Section B, the students should try to reinforce their knowledge of *kanji* compounds and learn as many compounds as possible. Those with asterisks will be used in Part II or Part III. The order of listing is as follows: (1) the *on* readings come first and the *kun* and special readings come later; (2) among *on*-reading compounds, the ones that start with that *kanji* come first (for instance, for 〝家〞 家庭, 家族 etc. come first and then 国家 etc. follow); (3) personal names and place names come last.

All compounds are listed in the order of frequency or importance; certain words with a high newspaper-use frequency that are not very important (such as special baseball terms or words temporarily in the news) have been omitted.

English equivalents are given to aid the students' study; since this is not a glossary or a dictionary, these equivalents are not necessarily comprehensive or uniform in style. Only the most basic meanings are given, and these are given in a basic form; that is, such words as 工事 (construction work) and 会合 (gathering) are given as nouns while such as 前進する (go forward) are given as verbs; for compounds that are used both as nouns and *suru* verbs, *suru* is added in parentheses as in 参加 (する) (participation; the verb form would be "to participate."); (な) or (の) shows which is used when the word modifies a noun, as in 自然 (な) (natural), 普通 (の) (ordinary).

Place names and personal names are given together because most of the Japanese place names are also used as family names, as in Yoshida, Nakamura, etc.

Stroke orders are given in this section for each *kanji*. This is to give the students some idea of how *kanji* are composed whether or not they will be required to actually write them themselves.

Sections C and D provide a test and drills in basic grammar. Students with a score of less than 70 percent are advised to review their beginning Japanese. New words are given with their readings in *hiragana* except for words that appeared in Section A. Section D is designed to drill the students in written Japanese and basic grammatical rules that are essential in reading newspapers. For instance, a knowledge of particles is a prerequisite for comprehension, especially for headlines.

Section E is designed to help the students with newspaper headlines; omissions and reverse word order are explained and followed by example sentences to reinforce understanding. New words are given with readings and meanings, but for words already given in Sections A and B, just the page numbers are given; this will enable the students to check their study of these words.

Section F provides a simple map that shows important place names that will appear in Parts II and III. Students can refer to this map when they run across these names.

A．基本漢字(きほんかんじ)テスト (Test in Basic Kanji)

次(つぎ)の漢字(かんじ)を読(よ)みなさい。正解(せいかい)については下段(かだん)を参照(さんしょう)すること。

Read the following sentences and then check your readings and meaning with the answers given on the following page.

1．東京を午前十一時半に出発し、午後二時ごろ京都につく予定。
(1)　(2)　(3)　(4)　(5)　(6)

ときょ　ごぜん　しゅぱつ　ごご　きょと　よてい

2．関西へは行ったことがあるが、東北地方はまだだ。
(7)　(8)　(9)

かんさい　い　とほく　ちほう
region

3．木村さんの店は明治時代にできたそうだ。
(10)　(11)　(12)

~~[illegible]~~ Kimura　みせ　めいじ　じだい

4．ここに住所と氏名を書いてください。
(13)　(14)　(15)

じゅうしょ　しめい　を　かいて　氏

5．合計四千六百五十九万円になります。
(16)　(17)

ごうけい　46,59 0,000 円　3?2320000

6．田中さんは子供が小さいので、今は家にいる。
(18)　(19)ども　(20)　(21)　(22)

たなか　こども　ち

7．電話料金は八分間で七千円以上になった。
(23)　(24)　(25)

でんは　りょうきん　せん　いじょう

8．町で食事をしてから映画を見た。
(26)　(27)　(28)　(29)

まち　~~たべもの~~ しょくじ　えが　み

9．来年大学を出たら新聞記者になりたい。
(30)　(31)　(32)　(33)

らいねん　だいがく　しんずん　きしゃ

Words and phrases

(1) とうきょう (place name, see p.120)

(2) ごぜんじゅういちじはん 11：30 a.m.

(3) <しゅっぱつする leave; start

(4) ごごにじごろ around 2 p.m.

(5) きょうと (place name, see p. 120)

(6) よてい schedule

(7) かんさい (place name, ＝関西地方 see p. 120)

(8) <いく go

(9) とうほくちほう (place name, see p. 120) (地方 district)

(10) きむら (personal name)

(11) みせ shop

(12) めいじじだい (era name)

(13) じゅうしょ one's address

(14) しめい full name

(15) <かく write

(16) ごうけい total

(17) よんせんろっぴゃくごじゅうきゅうまんえん 46,590,000 yen

(18) たなか (personal name)

(19) こども child

(20) ちいさい little

(21) いま now

(22) いえ、うち home

(23) でんわりょうきん telephone charge (料金 charge)

(24) はっぷんかん 8 minutes

(25) ななせんえんいじょう more than 7,000 yen

(26) まち town

(27) しょくじ meal

(28) えいが movie

(29) <みる see

(30) らいねん next year

(31) だいがく college

(32) <そつぎょうする graduate

(33) しんぶんきしゃ newspaper reporter

Sentences

1. I'm scheduled to leave Tokyo at half past eleven in the morning and arrive at Kyoto around two in the afternoon.
2. I have been to the Kansai District, but haven't been to the Tohoku District yet.
3. I hear that Mr. Kimura's shop has been in business since the Meiji Era.
4. Please write your name and address here.
5. The total comes to 46,590,000 yen.
6. Mrs. Tanaka stays home now (doesn't work) because she has a little child.
7. The telephone charge for 8 minutes was more than 7,000 yen.
8. I dined and saw a movie in town.
9. I want to become a newspaper reporter when I graduate from college next year.

10. 先月の選挙の結果、自民党の議員の数は少し増加した。
(34) (35)きょ (36) (37) (38) (39) (40) (41)

せんがつ の せんきょ の けつか, じみんとう の ぎいん の かず は すこし ぞうか

11. 佐藤さんはある株式会社の社長である。
(42) (43) (44)

さとう かぶしき かいしゃ の しゃちょう

12. 自動車産業は現在この国の最も重要な産業になっている。
(45) (46) (47) (48) (49) (50)

じどうしゃ さんぎょう げんざい この くに の もとも じゅうようだ さんぎょう

13. 不正の事実はないと思うが、一度調査してみよう。
(51) (52) (53) (54) (55)

ふせい の じじつ おもう いちどう ちょうさ

14. 結局その問題は解決しなかった。
(56) (57) (58)

けっきょく もんだい は かいけつ

15. 山下さんは入院して手術を受けた。
(59) (60) (61) (62)

やました にゅういん して じゅじゅつ

16. 南米の知人に日本語の本を送った。
(63) (64) (65) (66) (67)

なんべい の ちじん に

Words and phrases

(34) せんげつ last month
(35) せんきょ election
(36) けっか result
(37) じみんとう Liberal-Democratic Party
(38) ぎいん Diet member
(39) かず、すう number
(40) すこし a little
(41) <ぞうかする increase
(42) さとう (personal name)
(43) かぶしきがいしゃ joint-stock company (会社 かいしゃ company)
(44) しゃちょう president; director
(45) じどうしゃさんぎょう automobile industry
(46) げんざい at present
(47) くに country
(48) もっとも the most
(49) じゅうような important
(50) さんぎょう industry
(51) ふせい injustice
(52) じじつ fact
(53) おもう think
(54) いちど once
(55) <ちょうさする investigate
(56) けっきょく after all
(57) もんだい problem
(58) <かいけつする be solved
(59) やました (personal name)
(60) <にゅういんする be hospitalized
(61) しゅじゅつ surgical operation
(62) <うける undergo; receive
(63) なんべい South America
(64) ちじん acquaintance
(65) にほんご Japanese
(66) ほん book
(67) <おくる send

Sentences

10. As a result of last month's election, the number of Diet members belonging to the Liberal-Democratic Party has increased slightly.
11. Mr. Sato is the president of a joint-stock company.
12. The automobile industry is now the most important industry in this country.
13. I don't think there has been any injustice committed, but I will investigate to make sure.
14. In the end, the problem was not resolved.
15. Mr. Yamashita was hospitalized and underwent an operation.
16. I sent some books in Japanese to my acquaintance in South America.

17. 主人は市立高校で物理と化学を教えている。
(68) (69) (70) (71) (72)

しゅじん は しりつ こうこう で ぶつり と かがく

18. 通信教育についての資料を集めている。
(73) (74) (75)

つうしん きょういく しりょう を

19. 目的はよいが方法は感心しない。
(76) (77) (78)

もくてき ほうほう は かんしん

20. 電気のおかげで生活が楽になった。
(79) (80) (81)

でんき の せいかつ たのしい

21. 政府の機関ではたらく人を公務員と言う。
(82) (83) (84) (85) (86)

きかん こうむいん

22. 当時首相は開戦に反対だった。
(87) (88) (89) (90)

しゅしょう

23. 男性も女性も同じ権利と義務を持っている。
(91) (92) (93) (94) (95) (96)

24. この作文は最初の部分が特によくできている。
(97) (98) (99) (100)

Words and phrases

(68) しゅじん husband; master

(69) しりつこうこう high school run by the city

(70) ぶつり physics

(71) かがく chemistry

(72) <おしえる teach

(73) つうしんきょういく education by correspondence

(74) しりょう material

(75) <あつめる collect

(76) もくてき objective; aim

(77) ほうほう method

(78) <かんしんする be impressed

(79) でんき electricity

(80) せいかつ life

(81) らく easy

(82) せいふ government

(83) きかん organ; agency

(84) ひと person

(85) こうむいん public servant; government employee

(86) いう call; say

(87) とうじ at that time

(88) しゅしょう prime minister

(89) かいせん starting a war

(90) はんたい be opposed

(91) だんせい man; male

(92) じょせい woman; female

(93) おなじ the same

(94) けんり right

(95) ぎむ duty; obligation

(96) <もつ have

(97) さくぶん composition

(98) さいしょ first

(99) ぶぶん part

(100) とくに especially

Sentences

17. My husband teaches physics and chemistry at a public high school.
18. I'm collecting material about education by correspondence.
19. I think the objective is fine but I don't think the means are very good.
20. Life has become easier thanks to electricity.
21. Those who work for government agencies are called public servants.
22. The Prime Minister was opposed to starting a war at that time.
23. Men and women have equal rights and obligations.
24. The first part of this composition is especially good.

25. この野球チームは三回連続して区の代表になった。
(101) (102) (103) (104) (105)

26. 工場内では安全を第一と考えてもらいたい。
(106) (107) (108) (109)

27. 世界平和のためには、各国の協力が必要だ。
(110) (111) (112) (113)

28. 体を強くするためには屋外で運動することだ。
(114) (115) (116) (117)

Words and phrases

(101) やきゅう baseball

(102) さんかい three times

(103) れんぞくして successively

(104) く ward

(105) だいひょう representative

(106) こうじょうない within factories

(107) あんぜん safety

(108) だいいち most important; of first importance

(109) <かんがえる consider

(110) せかいへいわ world peace

(111) かっこく each country

(112) きょうりょく cooperation

(113) ひつよう necessary

(114) からだ body

(115) <つよい strong

(116) おくがいで in the fresh air

(117) うんどうする exercise

Sentences

25. This baseball team won the ward championship for the third time in a row.
26. You are requested to give top priority to safety within the factories.
27. The cooperation of every country is necessary for world peace.
28. We should exercise in the fresh air in order to become healthier.

PRACTICE WRITING THE FOLLOWING BASIC STROKES

1. Left to right

2. Top to bottom

(a) 

(b) 

(c) 

(d) 

(e) 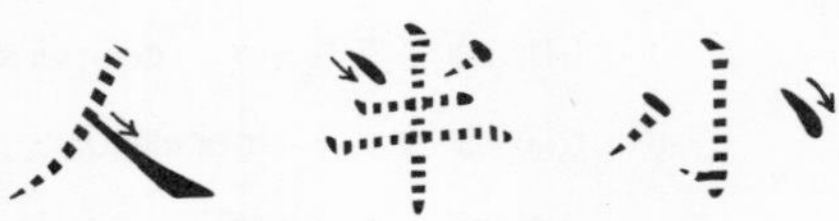

3. First to the right and then downward

4. First downward and then to the right

B．基本漢字・語彙練習
ごい れんしゅう

(Basic Kanji and Vocabulary)

The words with ＊ will appear in Part II or Part III.

1. 東 〈東京；東北地方〉

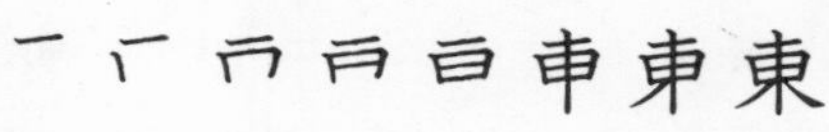

おんよみ

東西　とうざい　east and west
＊東南　とうなん　southeast; the southeast
＊東北　とうほく　northeast; the northeast
東西南北　とうざいなんぼく　east, west, north and south
東部　とうぶ　the eastern part
＊東北東　とうほくとう　east-northeast
＊東経　とうけい　longitude east

くんよみ

＊東　ひがし　east; the east
＊東側　ひがしがわ　the eastern side
東口　ひがしぐち　the east entrance

地名・人名等

東京　とうきょう
＊東海地方　とうかいちほう　(the Tokai District, see p. 120)
＊関東地方　かんとうちほう　(the Kanto District, see p. 120)
台東区　たいとうく
伊東　いとう

2. 京 〈東京；京都〉

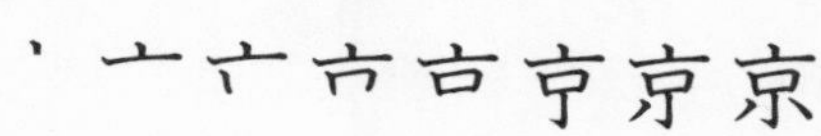

おんよみ

上京する　じょうきょうする　go (come) to the capital
帰京する　ききょうする　come back to the capital

地名・人名等

＊京都　きょうと
京阪地方　けいはんちほう　(the Kyoto-Osaka Area)
京浜地区　けいひんちく　(the Tokyo-Yokohama Area)

3. 午 〈午前；午後〉

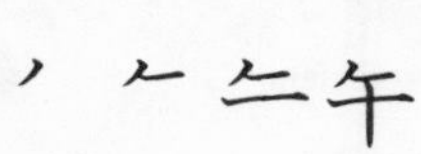

おんよみ

＊午前　ごぜん　a. m.
＊午後　ごご　p. m.
＊正午　しょうご　noon

4. 前 〈午前〉 丶 丷 䒑 䒑 丷 前 前 前 前

(stroke order: 前)

おんよみ

*前回　ぜんかい　the last time
前日　ぜんじつ　the previous day
*前年　ぜんねん　the previous year
前月　ぜんげつ　the previous month
*前夜　ぜんや　the previous night
前週　ぜんしゅう　the previous week
前後　ぜんご　before and after; front and back; sequence
*前進する　ぜんしんする　go forward
前提　ぜんてい　premise
前半　ぜんはん　the first half
前期　ぜんき　the first period
*前科　ぜんか　a previous offence
*前途　ぜんと　future
*前例　ぜんれい　precedence
*午前　ごぜん　a. m.
以前　いぜん　before
戦前　せんぜん　before the war; prewar
*直前　ちょくぜん　immediately before
事前　じぜん　beforehand
*前～(前首相)　ぜん～(ぜんしゅしょう) previous (the former Prime Minister)
～前(紀元前)　～ぜん(きげんぜん) before (B. C.)
*～前後(四十歳前後)　～ぜんご(よんじっさいぜんご) about (about 40 years old)

くんよみ

前(家の前)　まえ(いえのまえ)　before (in front of the house)
前に　まえに　before; previously
前売　まえうり　advance sale
*前置き　まえおき　introductory remark
*前向き　まえむき　postitive
*名前　なまえ　a name; one's name
建前　たてまえ　principle
～前(駅前)　～まえ(えきまえ)　in front of (in front of the station)
～前(三人前)　～まえ(さんにんまえ) serving (three servings)

地名・人名等

前田　まえだ　　前橋　まえばし

5. 十 〈十一時；五十九万円〉 一 十

おんよみ

*十分　じゅうぶん　sufficient
十分　じっぷん　10 minutes
三十人　さんじゅうにん　30 people
何十本　なんじっぽん　how many tens of pieces
赤十字　せきじゅうじ　the Red Cross

くんよみ

(八つ、九つ)十　とお　ten
十日　とおか　the tenth day; ten days
二十日　はつか　the twentieth day; twenty days

6. 一 〈十一時半；第一〉 一

おんよみ

*一　いち　one

*一日　いちにち　one day

一月　いちがつ　January

*一般(の)　いっぱん　general; usual

*一部　いちぶ　a part

*一番　いちばん　number one; the most

*一方　いっぽう　one hand; on the other hand

*一時　いちじ　1 o'clock; a time; for the time being

*一致(する)　いっち　agreement

一定(の)　いってい　fixed

一種　いっしゅ　a kind

*一切　いっさい　all

*一緒　いっしょ　together

*一行　いっこう　a group of people

*一帯　いったい　zone

*一人前　いちにんまえ　full-fledged; one serving

一面　いちめん　one aspect; all

一環　いっかん　a link

*統一(する)　とういつ　unite

唯一(の)　ゆいいつ　sole

くんよみ

一つ　ひとつ　one

一月　ひとつき　one month

一休み　ひとやすみ　resting a while

一人　ひとり　one person

(二月)一日　ついたち；いちじつ　the first day (of February)

7. 時 〈十一時半；明治時代；当時〉

丨 冂 月 日 日一 日十 日土 日土 時 時

おんよみ

*時間　じかん　time; hour

*時期　じき　period; time

時刻　じこく　time

*時代　じだい　an age; an era

何時　なんじ　what time

毎時　まいじ　every hour; per hour

*臨時　りんじ　extra; special

*一時　いちじ　1 o'clock; for the time being

くんよみ

その時　そのとき　at that time

時計　とけい　a clock; a watch

時々　ときどき　sometimes

8. 半 〈十一時半〉 丶 丷 䒑 兰 半

おんよみ

*半(分)　はん(ぶん)　half

半月　はんつき　half a month

半日　はんにち　half a day

半年　はんとし；はんねん　half a year

*半径　はんけい　radius

*半面　はんめん　the other side

前半　ぜんはん；ぜんぱん　the first half

*大半　たいはん　the greater part

*夜半　やはん　midnight; the dead of night

四畳半　よじょうはん　4-and-a-half-mat room

くんよみ

半ば　なかば　half

9. 出〈出発；出る〉 丨 ㇗ 屮 出 出

おんよみ

*出勤する　しゅっきんする　to work; be present at one's office

出席する　しゅっせきする　be present

*出社する　しゅっしゃする　go to the office

*出身　しゅっしん　place of birth; school one graduated from

*出火(する)　しゅっか　an outbreak of fire

出場する　しゅつじょうする　participate; appear

*出品する　しゅっぴんする　exhibit; show

出版(する)　しゅっぱん　publication

出産(する)　しゅっさん　childbirth

*出張(する)　しゅっちょう　a business trip

出荷(する)　しゅっか　shipping

*出納係　すいとうがかり　a cashier

出発(する)　しゅっぱつ　leave; start

*出頭(する)　しゅっとう　appearance; presence

外出(する)　がいしゅつ　going out

*提出(する)　ていしゅつ　presentation; filing; to submit

*輸出(する)　ゆしゅつ　export; exportation

*進出(する)　しんしゅつ　advance; extending business

くんよみ

*出る　でる　go out; leave

*出かける　でかける　go out

届出　とどけで　report

*出す　だす　take out; hand out

飛び出す　とびだす　run out; rush out

閉め出す　しめだす　shut out

10. 発〈出発〉 フ ヌ 癶 癶 癶 癶 癶 発 発

おんよみ

*発表(する)　はっぴょう　announcement

発足(する)　はっそく；ほっそく　start; inauguration

発言(する)　はつげん　utterance; speech

*発達(する)　はったつ　development; progress

*発生(する)　はっせい　outbreak

*発展(する)　はってん　development

*発行(する)　はっこう　issue; publication

発明(する)　はつめい　invention
発電(する)　はつでん　generation of electricity
発売(する)　はつばい　sale
*発見(する)　はっけん　discovery
*開発(する)　かいはつ　development ; exploitation
告発(する)　こくはつ　prosecution
摘発(する)　てきはつ　disclosure ; prosecution
活発(な)　かっぱつ　active
*始発　しはつ　the first (train) ; the starting (station)
〜発(東京発)　〜はつ(とうきょうはつ)　leaving〜 ; from〜 (leaving Tokyo)
*〜発(三発)　〜はつ(さんぱつ)　shot (three shots)

11. 後 〈午後〉 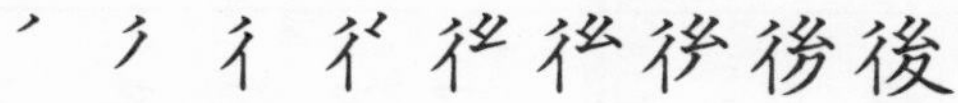

おんよみ

後半　こうはん　the last half
後援(する)　こうえん　support
後継　こうけい　the succeeding〜 ; succession
後任　こうにん　the successor
*午後　ごご　p. m.
*最後　さいご　the last
以後　いご　after ; since
*直後　ちょくご　immediately after
*今後　こんご　hereafter ; from now on
戦後　せんご　postwar

くんよみ

*後ろ　うしろ　back ; rear ; behind
後で　あとで　later

12. 二 〈二時〉 一 二

おんよみ

*二　に　two
二重　にじゅう　twofold
二〜(二度)　に(にど)　two〜(two times)
*十二分　じゅうにぶん　more than enough
二月　にがつ　February
*二か月　にかげつ　two months
一石二鳥　いっせきにちょう　killing two birds with one stone

くんよみ

二つ　ふたつ　two ; two things
二人　ふたり　two people
*二日　ふつか　the second day ; two days
二十日　はつか　the twentieth day ; twenty days

13. 都 〈京都〉 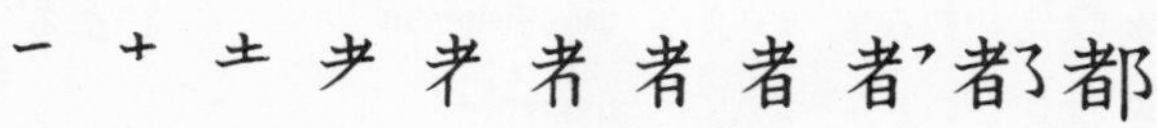

おんよみ

＊都　と　the City of Tokyo

都市　とし　city

都会　とかい　city

＊都民　とみん　inhabitants of Tokyo

＊都庁　とちょう　Tokyo Metropolitan Office

都心　としん　the center of the city

＊都道府県　とどうふけん　urban and rural prefectures; *To, Do, Fu* and prefectures

都合　つごう　one's convenience; circumstances

くんよみ

都　みやこ　capital

地名・人名等

＊東京都　とうきょうと　the City of Tokyo

---

14. 予 〈予定〉

おんよみ

＊予算　よさん　budget

＊予想(する)　よそう　anticipation

予報　よほう　forecast

＊予防(する)　よぼう　prevention

＊予定　よてい　schedule

＊予約(する)　よやく　reservation

予習(する)　よしゅう　preparation of lessons

くんよみ

予め　あらかじめ　beforehand

---

15. 定 〈予定〉

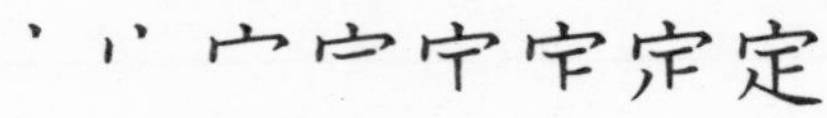

おんよみ

定価　ていか　fixed price

＊定期　ていき　regular; periodical

＊定期券　ていきけん　commuter pass

定食　ていしょく　meal of fixed menu; *table d'hôte*

＊定員　ていいん　full strength; (seating) capacity

＊安定(する)　あんてい　stabilization

＊決定(する)　けってい　decision

規定(する)　きてい　regulation

＊設定(する)　せってい　establishment

＊推定(する)　すいてい　inference; presumption

＊判定(する)　はんてい　judgment

＊鑑定(する)　かんてい　judgment by an expert

＊固定する　こていする　fix

固定した　こていした　fixed; fast; stationary

未定(の)　みてい　undecided

＊指定する　していする　designate; specify

＊公定歩合　こうていぶあい　official rate

くんよみ

定める　さだめる　determine

定まる　さだまる　be determined

16. 関 〈関西；機関〉

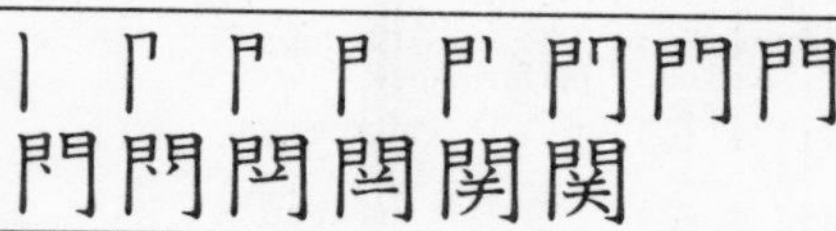

おんよみ

* 関係(する)　かんけい　relation; connection

関連(する)　かんれん　connection; correlation

* 関心　かんしん　concern

関税　かんぜい　custom duties; customs

* ～に関する　～にかんする　concerning

くんよみ

関所　せきしょ　barrier

地名・人名等

関西地方　かんさいちほう　(See p. 120)

下関　しものせき

霞ケ関　かすみがせき

17. 西 〈関西〉

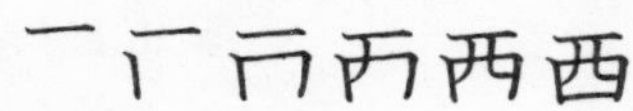

おんよみ

西南　せいなん　southwest; the southwest

西部　せいぶ　the western part

西部劇　せいぶげき　cowboy pictures; Westerns

* 西欧　せいおう　western Europe

東西　とうざい　east and west

* 南西　なんせい　southwest; the southwest

くんよみ

西　にし　west; the west

* 西口　にしぐち　the west entrance

* 西側　にしがわ　the western side

地名・人名等

西村　にしむら

小西　こにし

* 西独　せいどく　(West Germany)

18. 行 〈行く〉

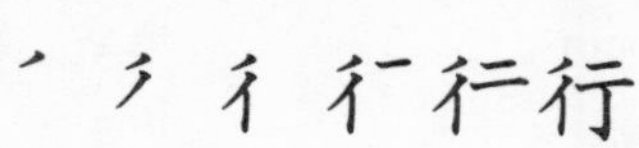

おんよみ

* 行動(する)　こうどう　behavior

* 行進(する)　こうしん　a march

行為　こうい　action; deed

* 行使(する)　こうし　make use of; exercise

* 行員　こういん　bank employee

* 行政　ぎょうせい　administration

* 行事　ぎょうじ　an (annual) event

* 行列　ぎょうれつ　procession; line

* 銀行　ぎんこう　bank

* 発行(する)　はっこう　issuing; publication

実行(する)　じっこう　putting into practice; action

＊執行(する)　しっこう　execution; performance

施行(する)　しこう　enforcement

航行(する)　こうこう　navigation

＊急行　きゅうこう　express (train)

＊飛行　ひこう　flight

＊進行(する)　しんこう　progress; onward movement

代行(する)　だいこう　execution for another

＊励行する　れいこうする　carry out strictly

非行　ひこう　delinquency

＊暴行(する)　ぼうこう　violence; rape

くんよみ

＊行く　いく　go

＊行う　おこなう　do; act; carry out; perform

行方　ゆくえ　one's whereabouts

19. 北〈東北地方〉 一 ト ㇐ 北

おんよみ

北東　ほくとう　northeast; the northeast

北部　ほくぶ　the northern part

＊北緯　ほくい　latitude north

北極　ほっきょく　the North Pole

＊北上する　ほくじょうする　go to the north

＊東北　とうほく　northeast; the northeast

西北　せいほく　northwest; the northwest

くんよみ

＊北　きた　north; the north

20. 地〈東北地方〉 一 十 土 圠 地 地

おんよみ

＊地方　ちほう　district; region

＊地域　ちいき　an area

＊地区　ちく　an area; section

＊地帯　ちたい　zone

＊地理　ちり　geography

地上　ちじょう　on the earth

＊地下　ちか　underground

＊地図　ちず　map

地球　ちきゅう　the earth

＊地位　ちい　position

＊地震　じしん　earthquake

地元　じもと　local; the place where an event took place

地盤　じばん　the foundation; sphere of influence; constituency

地主　じぬし　a landowner; a landlord

地獄　じごく　hell

＊土地　とち　land

＊団地　だんち　apartment complex

現地　げんち　the actual place

＊各地　かくち　each place; various places

空地　あきち　vacant lot

＊墓地　ぼち　cemetery

農地　のうち　farmland
耕地　こうち　cultivated land
＊余地　よち　room (for)
＊～地(住宅地)　～ち(じゅうたくち)　area (residential area)

21. 方〈東北地方；方法〉 ˋ 亠 亐 方

おんよみ

＊方向　ほうこう　direction
＊方針　ほうしん　policy
＊方面　ほうめん　direction ; quarter ; sphere
＊方法　ほうほう　method
＊方式　ほうしき　form ; method
＊一方　いっぽう　one side ; on the other hand
双方　そうほう　both sides
平方　へいほう　square (of a number) ; square (mile)

くんよみ

あの方がた　あのかたがた　those people
味方(する)　みかた　friend ; ally
＊(書き)方　(かき)かた　how to (write)

22. 木〈木村〉 一 十 才 木

おんよみ

＊土木　どぼく　civil engineering
木製　もくせい　made of wood
木曜日　もくようび　Thursday
木材　もくざい　lumber
材木　ざいもく　lumber

くんよみ

木　き　tree
木々　きぎ　trees
＊並木　なみき　row of trees ; roadside trees
並木道　なみきみち　tree-lined road

地名・人名等

栃木県　とちぎけん　(See p. 120)
木下　きのした　木村　きむら
＊鈴木　すずき

23. 村〈木村〉 一 十 オ 木 木一 村 村

おんよみ

村長　そんちょう　village master
村民　そんみん　village inhabitants
農村　のうそん　farm village

くんよみ

＊村　むら　village

地名・人名等

村上	むらかみ		
下村	しもむら		
北村	きたむら		
川村	かわむら		
＊野村	のむら		

24. 店 〈店〉 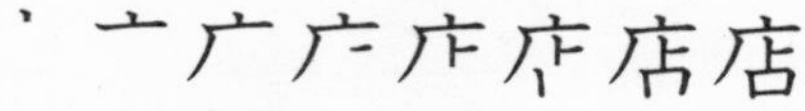

おんよみ

＊店主　てんしゅ　shop owner
店員　てんいん　shopkeeper
店内　てんない　in the shop
＊支店　してん　branch [office ; store]
＊書店　しょてん　bookstore
開店(する)　かいてん　opening a shop
＊商店　しょうてん　store
売店　ばいてん　stand
～店(カメラ店)　～てん(…てん)　shop (camera shop)

くんよみ

店の人　みせのひと　shopkeeper

25. 明 〈明治時代〉 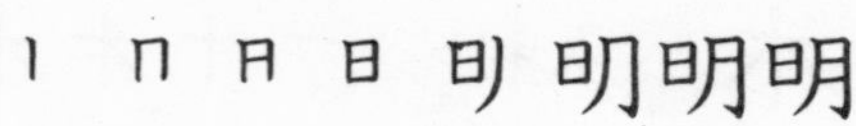

おんよみ

明示する　めいじする　state clearly ; elucidate
明言(する)　めいげん　declaration ; assertion
明瞭(な)　めいりょう　clear ; evident
明日　みょうにち　tomorrow
＊明朝　みょうちょう ; みょうあさ　tomorrow morning
＊声明　せいめい　(public) declaration ; statement
判明する　はんめいする　become clear ; be ascertained
＊説明(する)　せつめい　explanation
証明(する)　しょうめい　proof ; evidence
賢明(な)　けんめい　wise
照明　しょうめい　illumination ; lighting
失明する　しつめいする　become blind
＊不明　ふめい　unclear ; unknown
未明　みめい　before dawn

くんよみ

＊明るい　あかるい　bright
＊明るみ　あかるみ　(come to) light ; (make) public
明り　あかり　the light ; a light ; a lamp
＊明らか(な)　あきらか　clear ; evident
＊～明け(休み明け)　～あけ(やすみあけ)　after (after the vacation)

26. 治 〈明治時代〉 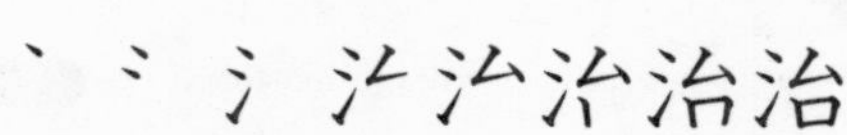

おんよみ

治安　ちあん　public order

＊治療(する)　ちりょう　medical treatment

＊政治　せいじ　politics; government

＊退治(する)　たいじ　extermination; expedition

＊自治体　じちたい　self-governing body; commune

くんよみ

＊治る　なおる　be cured

治める　おさめる　govern; rule

治まる　おさまる　be governed

27. 代 〈明治時代；代表〉 ノ イ 仁 代 代

おんよみ

代理　だいり　representation; agency; proxy

代金　だいきん　money; pay

＊代替　だいたい　substitute

＊代替エネルギー　だいたい…　substitute energy

～代(部屋代)　～だい(へやだい)　charge (room rent)

＊時代　じだい　an age; an era

＊現代　げんだい　the present age; modern age

世代　せだい　generation

＊十代　じゅうだい　one's teens

＊交代(する)　こうたい　alternation

くんよみ

代える　かえる　replace

代わり　かわり　a substitute

地名・人名等

千代田区　ちよだく

28. 住 〈住所〉 ノ イ 亻 仁 𠆢 住 住

おんよみ

＊住所　じゅうしょ　one's address

＊住宅　じゅうたく　residence; house

＊住民　じゅうみん　inhabitants

＊居住(する)　きょじゅう　residence; dwelling

移住(する)　いじゅう　migration; move

くんよみ

＊住む　すむ　live; dwell

＊住まい　すまい　residence

一人住まい　ひとりずまい　living alone

29. 所 〈住所〉 一 ㇇ 彐 戸 戸 所 所 所

おんよみ

所長　しょちょう　chief; director

＊所信　しょしん　belief; view

＊所得　しょとく　income

所帯　しょたい　household

所有(する)　しょゆう　possession

所属する　しょぞくする　belong to; be attached to

支所　ししょ　branch office

役所　やくしょ　a government office

長所　ちょうしょ　merit; strong point

＊短所　たんしょ　shortcoming; weak point

＊場所　ばしょ　place

名所　めいしょ　a noted place; sights (for sightseeing)

＊近所　きんじょ　the vicinity; neighborhood

＊便所　べんじょ　lavatory; toilet

＊事業所　じぎょうしょ　an enterprise

＊事務所　じむしょ　an office

～か所　～かしょ　(counter for places)

くんよみ

所　ところ　a place

---

30. 氏 〈氏名〉

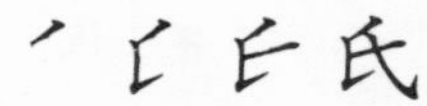

おんよみ

氏名　しめい　full name

＊～氏(田中氏)　～し(たなかし) Mr. (Mr. Tanaka)

諸氏　しょし　several gentlemen

＊両氏　りょうし　two gentlemen

摂氏　せっし　Centigrade

くんよみ

＊氏神　うじがみ　a patron god of a community

---

31. 名 〈氏名〉

おんよみ

名作　めいさく　a masterpiece

名産　めいさん　a famous product; a speciality

＊名著　めいちょ　a fine piece of writing

名店　めいてん　a famous store

名士　めいし　a distinguished person

名門　めいもん　a distinguished family; a noted school

名誉　めいよ　an honor

＊指名(する)　しめい　designation

署名(する)　しょめい　signature

人名　じんめい　personal name

有名(な)　ゆうめい　noted; famous

除名(する)　じょめい　expulsion

数名　すうめい　several people

くんよみ

＊名前　なまえ　a name; one's name

仮名　かな　*hiragana* and *katakana*

地名・人名等

＊名古屋　なごや　(See p. 120)

32. 書 〈書く〉 ㇇ ⺕ ⺕ ⺕ 聿 聿 聿 書 書 書

おんよみ

*書類 しょるい documents; papers
書籍 しょせき books
*書店 しょてん bookstore
書記 しょき clerk; secretary
文書 ぶんしょ written document
*白書 はくしょ a white paper
*辞書 じしょ dictionary
読書 どくしょ reading
証書 しょうしょ certificate
遺書 いしょ a will
洋書 ようしょ a Western book
*蔵書 ぞうしょ one's library; one's books
図書館 としょかん library
履歴書 りれきしょ one's personal history; a curriculum vitae

くんよみ

*書く かく write
書留 かきとめ registered mail
葉書 はがき a postcard
落書き らくがき scribbling; doodle

33. 合 〈合計〉 ノ 人 𠆢 今 合 合

おんよみ

合計(する) ごうけい total
合同 ごうどう incorporation; combination
合法 ごうほう legal
合理的(な) ごうりてき rational
合成(する) ごうせい synthesis
合成繊維 ごうせいせんい synthetic fiber
*総合(する) そうごう synthesis; putting together
都合 つごう one's convenience; circumstances
会合 かいごう meeting
集合(する) しゅうごう gathering; meeting

くんよみ

*話し合う はなしあう discuss
合わせる あわせる put together
打ち合わせ うちあわせ preliminary arrangement
*組合 くみあい association; union
試合 しあい a match; a game
*具合 ぐあい condition; manner
*割合 わりあい rate; proportion

34. 計 〈合計〉 ˋ 二 三 言 言 言 言 訁 計

おんよみ

*計画(する) けいかく a plan; a project
*計算(する) けいさん calculation
会計 かいけい accounting

＊統計　とうけい　statistics

＊集計(する)　しゅうけい　total

＊生計　せいけい　livelihood

時計　とけい　a watch; a clock

くんよみ

＊計る　はかる　measure; weigh

35. 四 〈四千〉

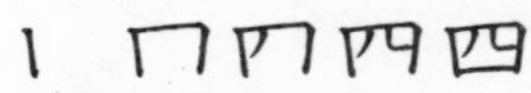

おんよみ

＊四　し　four

＊四季　しき　the four seasons

四月　しがつ　April

四十　しじゅう　forty

四半期　しはんき　a quarter

くんよみ

＊四　よん　four

四つ　よっつ　four; four things

四人　よにん　four people

四十　よんじゅう　forty

＊四百　よんひゃく　four hundred

四日　よっか　the fourth day; four days

36. 千 〈四千〉

おんよみ

＊千　せん　one thousand

千人　せんにん　one thousand people

＊三千　さんぜん　three thousand

＊八千　はっせん　eight thousand

くんよみ

＊千葉県　ちばけん　(See p. 120)

千代田区　ちよだく

37. 六 〈六百〉

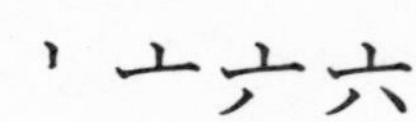

おんよみ

＊六　ろく　six

六千　ろくせん　six thousand

十六日　じゅうろくにち　the sixteenth day; sixteen days

くんよみ

六つ　むっつ　six; six things

六日　むいか　the sixth day; six days

38. 百 〈六百〉

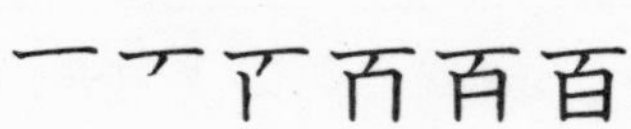

おんよみ

＊百　ひゃく　one hundred

＊百人　ひゃくにん　one hundred people

百科辞典　ひゃっかじてん　encyclopedia

百姓　ひゃくしょう　a farmer

何百　なんびゃく　how many hundred

八百屋　やおや　a vegetable store; a vegetable seller

---

39. 五 〈五十九万円〉 一 丆 万 五

おんよみ

＊五十音　ごじゅうおん　the Japanese syllabary

五色　ごしき　five colors

＊五月　ごがつ　May

くんよみ

五つ　いつつ　five; five things

＊五日　いつか　the fifth day; five days

---

40. 九 〈五十九万円〉 ノ 九

おんよみ

九百九十九　きゅうひゃくきゅうじゅうきゅう　nine hundred and ninety-nine

九分通り　くぶどおり　about ninety per cent

＊九月　くがつ　September

九人　くにん　nine people

くんよみ

九つ　ここのつ　nine; nine things

九日　ここのか　the ninth day; nine days

---

41. 万 〈五十九万円〉 一 丆 万

おんよみ

万事　ばんじ　everything

万国　ばんこく　all nations

万能　ばんのう　omnipotent

万一　まんいち　by any chance

数万　すうまん　several tens of thousands

---

42. 円 〈五十九万円〉 丨 冂 円 円

おんよみ

円高　えんだか　the yen's being strong

円周　えんしゅう　circumference

円形　えんけい　a circle

円満(な)　えんまん　peaceful; harmonious

＊～円　～えん　yen

くんよみ

円い　まるい　round

43. 田 〈田中〉 丨 冂 冊 用 田

おんよみ

＊田園　でんえん　the country; pastoral

＊水田　すいでん　a paddy field

くんよみ

田　た　a rice-field

田舎　いなか　the country

地名・人名等

田村　たむら　＊山田　やまだ

＊田中　たなか　＊福田　ふくだ

池田　いけだ　塚田　つかだ

＊吉田　よしだ　升田　ますだ

金田　かねだ　＊江田　えだ

和田　わだ　高田　たかだ

前田　まえだ　太田　おおた

安田　やすだ　柴田　しばた

石田　いしだ　村田　むらた

原田　はらだ　藤田　ふじた

内田　うちだ　森田　もりた

＊坂田　さかた

44. 中 〈田中〉 丨 口 口 中

おんよみ

中　ちゅう　middle

＊中心　ちゅうしん　the center; core

＊中央　ちゅうおう　center; central

＊中学　ちゅうがく　middle school; junior high school

中小　ちゅうしょう　midium and small; minor

＊中小企業　ちゅうしょうきぎょう　smaller enterprises

中止(する)　ちゅうし　suspension

＊中旬　ちゅうじゅん　middle ten days of the month

＊中期　ちゅうき　the middle period

＊中年　ちゅうねん　middle age; one's middle years

中立　ちゅうりつ　neutral

中部　ちゅうぶ　the central part; the middle part

中間　ちゅうかん　the middle; midway

中堅　ちゅうけん　the nucleus; people of middle standing

中継(する)　ちゅうけい　relay

＊中毒(する)　ちゅうどく　poisoning

＊中元　ちゅうげん　mid-year; mid-year gift

＊中古　ちゅうこ; ちゅうぶる　used; second-hand

＊途中　とちゅう　on the way; en route; midway

集中(する)　しゅうちゅう　concentration

＊命中する　めいちゅうする　hit

連中　れんちゅう　a set of people

夢中　むちゅう　absorbed; engrossed

＊脳卒中　のうそっちゅう　celebral apoplexy

日中　にっちゅう　during the day ; in the daytime ; Japan and China

〜中(午前中)　〜ちゅう(ごぜんちゅう)　during (in the morning ; all through the morning)

＊〜中(会議中)　〜ちゅう(かいぎちゅう)　while (attending a conference)

くんよみ

＊中身　なかみ　content ; what's inside

＊(家の)中　(いえの)なか　inside (the house)

夜中　よなか　midnight ; late at night

世の中　よのなか　the world

地名・人名等

中国　ちゅうごく　(China)

中国地方　ちゅうごくちほう　(See p. 120)

中央区　ちゅうおうく　　中西　なかにし

中島　なかじま　　中野　なかの

＊中村　なかむら　　＊中山　なかやま

中川　なかがわ　　山中　やまなか

---

45. 子 〈子供(ども)〉 乛 了 子

おんよみ

＊子孫　しそん　descendants ; offspring

＊男子　だんし　men ; male

＊女子　じょし　women ; female

＊電子　でんし　an electron

＊原子　げんし　atom

利子　りし　interest (on a loan)

弟子　でし　disciple ; pupil

菓子　かし　a cake ; candies

帽子　ぼうし　hat ; cap

様子　ようす　condition ; state of affairs

椅子　いす　chair

くんよみ

＊子供　こども　child

＊息子　むすこ　son

親子　おやこ　parent and child

ふた子　ふたご　twins

---

46. 小 〈小さい〉 亅 亅丿 小

おんよみ

＊小説　しょうせつ　a novel

＊小学校　しょうがっこう　elementary school

小国　しょうこく　a small country

＊小児　しょうに　a child

＊縮小(する)　しゅくしょう　reduction ; curtailment

大小　だいしょう　big and small

中小　ちゅうしょう　medium and small ; minor

＊小〜(小委員会)	しょう〜(しょういいんかい)	small〜(a subcommittee)
＊小遣い	こづかい	pocket money; allowance
小作	こさく	tenancy; tenant farming
＊小売(する)	こうり	retail sale
＊小型(の)	こがた	small; small-sized
＊小柄	こがら	small; small stature
小屋	こや	a hut
＊ウサギ小屋	うさぎごや	a rabbit hutch (Japanese houses are likened to them)

くんよみ

小さな	ちいさな	small
小さい	ちいさい	small

地名・人名等

＊小林	こばやし
小川	おがわ
小野	おの
小島	こじま
小松	こまつ
小山	こやま；おやま
小西	こにし

---

47. 今 〈今〉 ノ 入 今 今

おんよみ

今日	こんにち	today; the present
＊今回	こんかい	this time
＊今後	こんご	from now on; hereafter
今度	こんど	this time; next time
＊今月	こんげつ	this month
今週	こんしゅう	this week
今晩	こんばん	this evening
今夜	こんや	tonight
＊今春	こんしゅん	this spring
昨今	さっこん	these days

くんよみ

＊今	いま	now
ただ今	ただいま	just now
＊今年	ことし	this year

---

48. 家 〈家〉 ` ''' 宀 宀 宀 字 家 家 家 家

おんよみ

＊家庭	かてい	a home; a household
＊家族	かぞく	family
＊家具	かぐ	furniture
家計	かけい	livelihood; family finances
＊家事	かじ	housekeeping; housework
＊家事用品	かじようひん	housewares
＊国家	こっか	a state; a nation; a polity
農家	のうか	a farm family
作家	さっか	a novelist; a writer
画家	がか	an artist
一家	いっか	a household; a family

隣家　りんか　a neighbor family; a neighboring house
本家　ほんけ　the head family
＊武家　ぶけ　a warrior; *samurai*
家賃　やちん　house rent

くんよみ

＊家　いえ　a house; a home
＊持ち家　もちいえ　one's own house

49. 電〈電話料金〉

一 ㄏ 冖 冖 币 币 币 雨 雨 雨 雨 雷 電

おんよみ

電話(する)　でんわ　a telephone
＊電気　でんき　electricity
＊電気掃除機　でんきそうじき　vacuum cleaner
＊電子　でんし　an electron
＊電車　でんしゃ　a train
＊電灯　でんとう　an electric light
＊電力　でんりょく　electric power
電波　でんぱ　an electric wave; a radio wave
＊電々公社　でんでんこうしゃ　(Nippon) Telegraph and Telephone Public Corporation
国電　こくでん　a National Railways train
＊停電(する)　ていでん　stoppage of electricity; blackout

50. 話〈電話料金〉

丶 二 二 三 言 言 言 訁 訁 訁 訐 話 話

おんよみ

＊話題　わだい　topic of conversation
電話(する)　でんわ　a telephone
世話(する)　せわ　care; assistance
会話　かいわ　conversation
＊談話　だんわ　talk
対話　たいわ　dialogue
＊神話　しんわ　myth
＊童話　どうわ　nursery story, fairy tale

くんよみ

話す　はなす　speak
＊話　はなし　talk; story
＊話し合い　はなしあい　discussion
みやげ話　みやげばなし　a talk about one's trip

51. 料〈電話料金〉

丶 丷 䒑 半 米 米 米 米 米 料

おんよみ

料金　りょうきん　charge; fare
料理(する)　りょうり　cooking; cooked dish
材料　ざいりょう　material

＊無料(の)	むりょう free of charge	給料	きゅうりょう pay ; wages
燃料	ねんりょう fuel	衣料	いりょう clothing
＊原料	げんりょう raw material	＊入場料	にゅうじょうりょう admission fee
食料	しょくりょう food ; foodstuff		

52. 金 〈電話料金〉 ノ 入 亼 今 仐 佘 余 金

おんよみ

金融	きんゆう finance ; circulation of money
＊金属	きんぞく metal ; a metal
＊金庫	きんこ a safe
＊金額	きんがく amount of money
金利	きんり interest ; money-rates
資金	しきん funds ; capital
＊賃金	ちんぎん wages
＊現金	げんきん cash
＊税金	ぜいきん taxes
年金	ねんきん pension
罰金	ばっきん a fine
＊預金(する)	よきん a deposit ; bank account
＊貯金(する)	ちょきん savings
＊借金(する)	しゃっきん a debt
代金	だいきん price ; cost
献金(する)	けんきん contribution ; donation
＊元金	もときん ; がんきん the principal ; capital
頭金	あたまきん down payment
黄金	おうごん gold ; golden
金	きん gold

くんよみ

＊(お)金	(お)かね money
金持ち	かねもち rich ; a rich person
＊針金	はりがね wire ; wiring

53. 八 〈八分間〉 ノ 八

おんよみ

＊八	はち eight
八千	はっせん eight thousand
八月	はちがつ August

くんよみ

八つ	やっつ eight ; eight things
八日	ようか the eighth day ; eight days

地名・人名等

＊八幡	やはた ; やわた ; はちまん
八王子	はちおうじ
八重洲口	やえすぐち

54. 分 〈八分間；部分〉 ノ 八 分 分

おんよみ

＊分譲(する)　ぶんじょう　sale in lots (of land, etc.)

＊分析(する)　ぶんせき　analysis

＊分類(する)　ぶんるい　classification

分野　ぶんや　field; sphere

＊分担(する)　ぶんたん　allotment

＊分割(する)　ぶんかつ　division

分会　ぶんかい　a branch

＊分離(する)　ぶんり　separation; severence

分裂(する)　ぶんれつ　dissolution; disunion

分解(する)　ぶんかい　decomposition; dissolution

＊五分　ごふん　five minutes

五分　ごぶ　fifty percent

＊自分　じぶん　self; oneself

＊十分　じゅうぶん　sufficient

三分の一　さんぶんのいち　one-third

＊当分　とうぶん　for the time being

処分(する)　しょぶん　disposal; dealing

気分　きぶん　feeling; mood

＊成分　せいぶん　a component; an ingredient

＊節分　せつぶん　Bean-Throwing Festival in February

くんよみ

分つ　わかつ　divide; separate

分かる　わかる　understand

分かれる　わかれる　be divided; be separated

分ける　わける　divide; separate

地名・人名等

大分県　おおいたけん　(See p. 120)

55. 間 〈八分間〉 丨 ㄏ ㄗ 尸 尸 門 門 門 門 門 間 間

おんよみ

＊間接　かんせつ　indirect

＊間隔　かんかく　an interval

＊時間　じかん　time; hour

＊期間　きかん　period of time; term

＊週間　しゅうかん　a week

＊年間　ねんかん　a year

夜間　やかん　night

＊民間(の)　みんかん　private

＊人間　にんげん　human beings

世間　せけん　the world; the public

くんよみ

間　あいだ；ま　interval

間に合う　まにあう　be in time; serve the purpose

間違い　まちがい　a mistake

＊間取り　まどり　room arrangement; the plan of a house

手間　てま　time; labor

＊茶の間　ちゃのま　a living room; sitting room

仲間　なかま　a company; a companion; a colleague

昼間　ひるま　daytime

56. 七 〈七千円〉 一七

おんよみ

* 七　しち　seven

七人　しちにん　seven people

七月　しちがつ　July

くんよみ

七百　ななひゃく　seven hundred

七日　なのか；なぬか　the seventh day; seven days

七夕　たなばた　Festival of the Weaver observed on the seventh of July

57. 以 〈七千円以上〉 ㇔ ㇾ ㇾ 以 以

おんよみ

* 以来　いらい　since

* 以上　いじょう　and more (ex. 百以上 100 and more); more than

* 以下　いか　or less (ex. 百以下 100 or less); less than

* 以外　いがい　other than

* 以内　いない　within

以前　いぜん　before

以後　いご　after

* 以降　いこう　since; after

くんよみ

以て　もって　with

58. 上 〈以上〉 ㇐ ト 上

おんよみ

上昇(する)　じょうしょう　rising

上下(する)　じょうげ　up and down; above and under

* 上旬　じょうじゅん　the first ten days of the month

* 上司　じょうし　one's superior officer; one's boss

上空　じょうくう　the sky; over

上院　じょういん　the Upper House; the Senate

* 上演(する)　じょうえん　performance

* 上程(する)　じょうてい　laying before the Diet

* 上位　じょうい　higher in rank

* 壇上　だんじょう　on the platform

海上　かいじょう　on the sea

陸上　りくじょう　on land

* 向上(する)　こうじょう　improvement; progress

席上　せきじょう　on the occasion (of); at the meeting

地上　ちじょう　on the earth

* 史上　しじょう　in history

くんよみ

上がる　あがる　rise; ascend

上げる　あげる　raise; lift

繰り上げる　くりあげる　advance; move up

上る　のぼる　go up

＊上り線　のぼりせん　a train going to Tokyo

＊上　うえ　the top; upper part

59. 町〈町〉 丨 冂 冊 用 田 田⁻ 町

おんよみ

町村　ちょうそん　towns and villages

町長　ちょうちょう　a town headman

町歩　ちょうぶ　a hectare

＊～町(永田町)　～ちょう(ながたちょう) ~cho (name of a town)

くんよみ

＊～町(小川町)　～まち(おがわまち) ~machi (name of a town)

＊町　まち　town

下町　したまち (traditional shopping and entertainment section of a city; literally downtown)

地名・人名等

町田　まちだ

60. 食〈食事〉 ノ 人 𠆢 今 今 今 食 食 食

おんよみ

＊食事　しょくじ　a meal

＊食品　しょくひん　food; groceries

食料　しょくりょう　food; foodstuffs

食糧　しょくりょう　foodstuffs; provisions

＊食卓　しょくたく　a (dining) table

＊食堂　しょくどう　a dining room

食欲　しょくよく　appetite

食肉　しょくにく　meat

＊食器　しょっき　tableware

＊食器棚　しょっきだな　a cupboard

＊飲食　いんしょく　eating and drinking

＊飲食店　いんしょくてん　a restaurant; a snack bar

昼食　ちゅうしょく　lunch

＊朝食　ちょうしょく　breakfast

夕食　ゆうしょく　dinner

定食　ていしょく　meal of fixed menu; *table d'hôte*

くんよみ

食う　くう　eat

食べる　たべる　eat

61. 事〈食事; 事実〉 一 𠄌 一 百 亘 写 写 写 事

おんよみ

＊事実　じじつ　a fact; truth

＊事件　じけん　event; affair; incident

＊事故　じこ　accident

＊事態　じたい　situation; state of things

＊事情　じじょう　situation; circumstances

事務　じむ　office work; business

＊事務所　じむしょ　office

＊事業　じぎょう　enterprise; business

＊事業所　じぎょうしょ　an enterprise

事項　じこう　articles; items

事前　じぜん　before the fact

工事　こうじ　construction work

知事　ちじ　prefectural governor

軍事　ぐんじ　military affairs

＊記事　きじ　an article; a news story

＊人事　じんじ　human affairs; personnel affairs

＊火事　かじ　a fire

＊行事　ぎょうじ　an event; a function

刑事　けいじ　a police detective; a criminal case

大事　だいじ　a serious matter

＊返事　へんじ　a reply

＊無事(な)　ぶじ　safety; safe; secure

＊検事　けんじ　a public prosecutor

＊判事　はんじ　a judge

＊幹事　かんじ　a manager

領事　りょうじ　a consul

くんよみ

事　こと　a fact; a thing; a matter

＊仕事　しごと　work; job

---

62. 映 〈映画〉

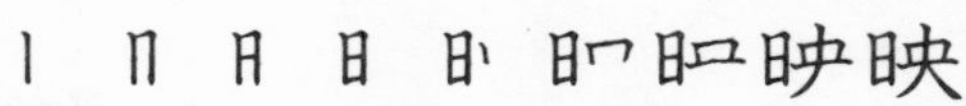

おんよみ

映画　えいが　a movie; film

＊反映(する)　はんえい　reflection

上映(する)　じょうえい　screening (of a film)

くんよみ

映す　うつす　reflect

映る　うつる　be reflected

映える　はえる　look attractive

---

63. 画 〈映画〉

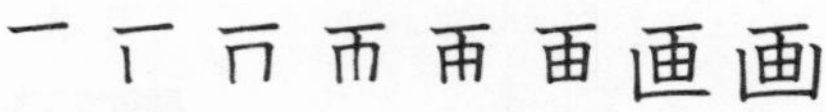

おんよみ

＊画面　がめん　the picture on TV; a scene

画廊　がろう　a picture gallery

画家　がか　an artist; a painter

画　かく　a stroke (of *kanji*)

画する　かくする　mark off; draw

＊画期的　かっきてき　epoch-making

＊計画(する)　けいかく　a plan; scheme

＊企画(する)　きかく　a plan; a project

漫画　まんが　a cartoon; a comic

版画　はんが　a woodblock print

くんよみ

画　え　a picture

画く　かく　draw (a picture); paint (a picture)

64. 見〈見る〉 丨 冂 冂 月 目 貝 見

おんよみ

見物(する) けんぶつ sightseeing
見解 けんかい view; opinion
見学(する) けんがく fieldtrip; observation
*意見 いけん an opinion
*会見(する) かいけん meeting; interview
*発見(する) はっけん discovery
拝見する はいけんする see (humble)

くんよみ

*見る みる see
*見方 みかた a view; an interpretation
*見出し みだし a headline
*見込み みこみ prospects; expectation
見通し みとおし perspective; prospect; outlook
見舞う みまう look after a sick person; pay a sick visit
見捨てる みすてる desert; abandon
*見直し みなおし reconsideration; having another look
見せる みせる show; display

65. 来〈来年〉 一 ㇒ ﾛ 丷 平 来 来

おんよみ

*来年 らいねん next year
来月 らいげつ next month
*来週 らいしゅう next week
*来春 らいしゅん next spring; the beginning of next year
*来客 らいきゃく a visitor
*以来 いらい since
従来 じゅうらい the existing; up to now; traditional
未来 みらい the future; time to come
*将来 しょうらい the future; one's future
本来 ほんらい primarily; essentially

くんよみ

来る くる come
来たる きたる the coming; next
出来る できる can be done; can do

66. 年〈来年〉 ノ ㇑ 𠂉 乍 左 年

おんよみ

*年度 ねんど a year period; a fiscal year
*年始 ねんし the beginning of the year
*年末 ねんまつ the end of the year
*年賀状 ねんがじょう New Year's greeting card
*年表 ねんぴょう a chronological table
*年齢 ねんれい age; years old
*年功 ねんこう long service

＊昨年	さくねん last year	中年(の)	ちゅうねん middle-aged
去年	きょねん last year	＊青少年	せいしょうねん young people
翌年	よくねん the next year; the following year	中高年	ちゅうこうねん older people
本年	ほんねん this year	年に一度	ねんにいちど once a year
＊例年	れいねん an ordinary year	**くんよみ**	
数年	すうねん several years	年	とし year; age
少年	しょうねん a boy	年寄り	としより aged person
青年	せいねん a young man	＊今年	ことし this year

67. 大〈大学〉 一ナ大

おんよみ

大気	たいき the atmosphere; the air
大金	たいきん a large amount of money
＊大国	たいこく a big country
大戦	たいせん a big war
＊大変(な)	たいへん serious; dreadful; very much
＊大切(な)	たいせつ important
大陸	たいりく a continent
大衆	たいしゅう the masses; the general public
＊大使	たいし an ambassador
大量	たいりょう a large quantity
＊大学	だいがく university; college
大学院	だいがくいん graduate school
大臣	だいじん a cabinet minister
大事	だいじ a serious matter
大事(な)	だいじ important
大工	だいく a carpenter
大体	だいたい generally; usually; almost
大〜(大好き)	だい〜(だいすき) very (like it very much)
＊最大(の)	さいだい the biggest
巨大(な)	きょだい gigantic
膨大(な)	ぼうだい huge; enormous
拡大(する)	かくだい enlargement; expansion
寛大(な)	かんだい generous
＊短大	たんだい a junior college

くんよみ

＊大きい	おおきい big
大幅	おおはば (by) a great deal
＊大蔵省	おおくらしょう Ministry of Finance

68. 学〈大学；化学〉 ⺍ ⺍ ⺍ ⺍ 学 学 学 学

おんよみ

学校	がっこう a school

* 学生　がくせい　a student

学部　がくぶ　a department of a college

* 学者　がくしゃ　a scholar

* 学費　がくひ　school expenses

学歴　がくれき　academic career

学会　がっかい　academic association

* 学園　がくえん　a shool; a campus

学問　がくもん　learning; scholarship; science

* 医学　いがく　medical science

科学　かがく　natural science

数学　すうがく　mathematics

文学　ぶんがく　literature

留学する　りゅうがくする　study abroad

* 入学する　にゅうがくする　enter a school

* 退学する　たいがくする　leave a school

夜学　やがく　night school; night course

くんよみ

* 学ぶ　まなぶ　study

---

69. 新 〈新聞記者〉

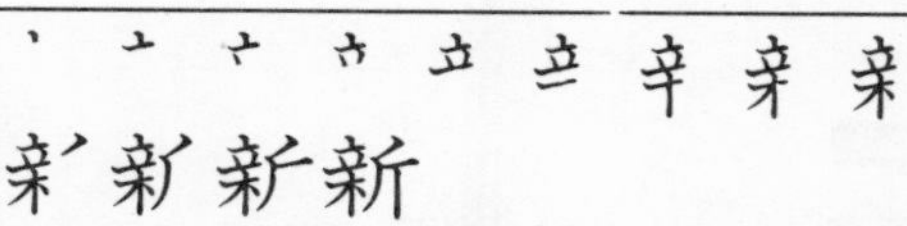

おんよみ

* 新聞　しんぶん　a newspaper

* 新館　しんかん　a new building; an annex

新作　しんさく　a new work; a new product

新入生　しんにゅうせい　a new student

* 新入社員　しんにゅうしゃいん　a new company employee

新制　しんせい　a new system

* 新設　しんせつ　newly established

新鮮(な)　しんせん　fresh

革新(する)　かくしん　innovation; reform

くんよみ

新しい　あたらしい　new

* 新た(な)　あらた　new

地名・人名等

* 新潟県　にいがたけん　(See p. 120)

* 新井　あらい　新宿　しんじゅく

---

70. 聞 〈新聞記者〉

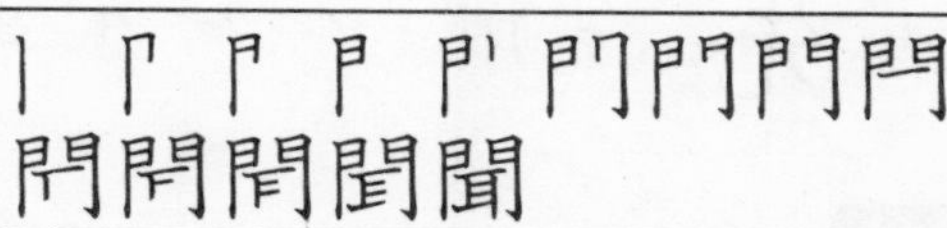

おんよみ

見聞　けんぶん　information

くんよみ

* 聞く　きく　hear; listen

聞こえる　きこえる　can be heard

---

71. 記 〈新聞記者〉

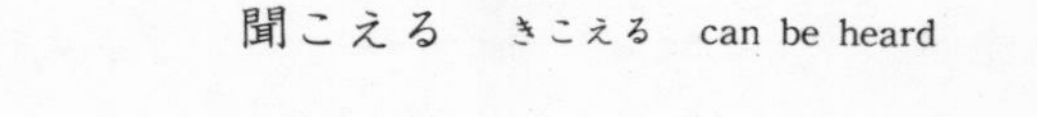

おんよみ

＊記者　きしゃ　a reporter

＊記事　きじ　an article; a news story

＊記録(する)　きろく　a record; a document

記入(する)　きにゅう　entry; filling out

＊記念(する)　きねん　commemoration

記憶(する)　きおく　the memory

書記　しょき　a clerk; a secretary

日記　にっき　a diary

伝記　でんき　a biography

手記　しゅき　a note; a memoir

明記する　めいきする　write clearly

くんよみ

記す　しるす　write down

---

72. 者 〈新聞記者〉 一 十 土 耂 者 者 者 者

おんよみ

＊医者　いしゃ　a doctor

＊学者　がくしゃ　a scholar

作者　さくしゃ　the author

＊著者　ちょしゃ　the author

読者　どくしゃ　a reader

＊死者　ししゃ　the dead

＊勤労者　きんろうしゃ　a worker

＊消費者　しょうひしゃ　a consumer

責任者　せきにんしゃ　the responsible person; the person in charge

＊身障者　しんしょうしゃ　a physically handicapped person

＊犠牲者　ぎせいしゃ　a victim

＊患者　かんじゃ　a patient

くんよみ

＊者　もの　a person

＊若者　わかもの　a youth

＊働き者　はたらきもの　a diligent person; a hard worker

---

73. 先 〈先月〉 ノ 𠂉 ⺧ 生 产 先

おんよみ

先日　せんじつ　the other day

先週　せんしゅう　last week

＊先生　せんせい　a teacher (respect)

＊先輩　せんぱい　one's senior

＊先進国　せんしんこく　a developed country; an advanced nation

＊先天性　せんてんせい　a priority

＊優先する　ゆうせんする　have priority

くんよみ

＊先行き　さきゆき　the future; future prospects

お先に　おさきに　after you; please go first; Excuse me.

行先　ゆきさき　destination

先ず　まず　first of all

74. 月 〈先月〉 

おんよみ

月刊(雑誌)　げっかん(ざっし)　a monthly (magazine)

月収　げっしゅう　monthly income

＊月末　げつまつ　the end of the month

来月　らいげつ　next month

＊一か月　いっかげつ　one month

今月　こんげつ　this month

＊正月　しょうがつ　January; New Year's Day

くんよみ

＊月　つき　the moon

＊月遅れ　つきおくれ　one month behind (later than the regular solar calendar)

毎月　まいつき　every month

半月　はんつき　half a month

75. 選 〈選挙〉 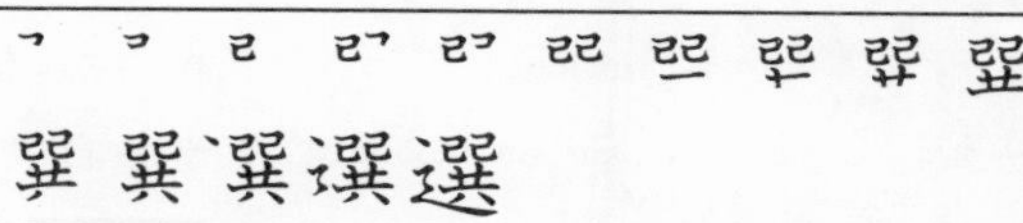

おんよみ

＊選挙　せんきょ　election

＊選手　せんしゅ　a player; a representative player

当選(する)　とうせん　win an election

落選(する)　らくせん　lose an election

予選　よせん　preliminary election; preliminary contest

互選(する)　ごせん　mutual election

～選(知事選)　～せん(ちじせん)　election (election of the prefectural governor)

くんよみ

＊選ぶ　えらぶ　elect; choose

76. 結 〈結果；結局〉 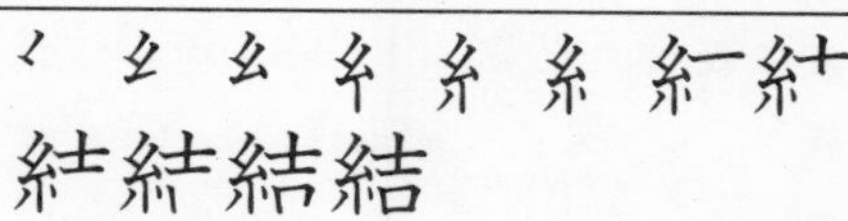

おんよみ

＊結果　けっか　result

＊結局　けっきょく　after all

結核　けっかく　tuberculosis

＊結婚(する)　けっこん　marriage

結成(する)　けっせい　formation; organizing

＊結論　けつろん　conclusion; concluding remark

＊団結(する)　だんけつ　unity

締結(する)　ていけつ　conclusion (of treaty)

くんよみ

＊結ぶ　むすぶ　tie; knot; conclude (an agreement)

77. 果 〈結果〉 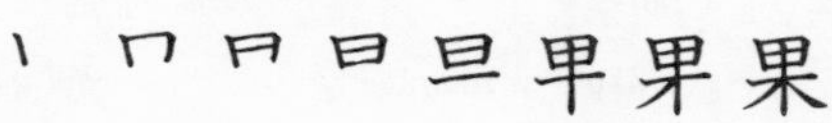

おんよみ

*成果　せいか　result; outcome

効果　こうか　effect; effectiveness

くんよみ

果物　くだもの　fruit

果たして　はたして　as expected

78. 自 〈自民党；自動車〉 ′ 亻 白 白 自 自

おんよみ

自治　じち　autonomy

*自由(な)　じゆう　freedom; free

*自己　じこ　self; oneself

*自殺(する)　じさつ　suicide

*自動車　じどうしゃ　an automobile

*自転車　じてんしゃ　a bicycle

*自宅　じたく　one's own home

*自供(する)　じきょう　confession

*自立(する)　じりつ　independence

*自分　じぶん　oneself

*自身　じしん　oneself; itself

*自然(な)　しぜん　nature; natural

*独自(の)　どくじ　unique

くんよみ

自ら　みずから　by oneself

79. 民 〈自民党〉 フ コ 巳 巳 民

おんよみ

民主主義　みんしゅしゅぎ　democracy

*民族　みんぞく　a race; a people; a nation

民衆　みんしゅう　the people; masses

*民間(の)　みんかん　private

民芸　みんげい　folk craft

市民　しみん　a citizen; inhabitants of a city

庶民　しょみん　the common people

農民　のうみん　farmers

～民(区民)　～みん(くみん)　people (ward inhabitants)

*難民　なんみん　refugees

*自民党　じみんとう　Liberal Democratic Party

80. 党 〈自民党〉 ' '' ''' ⺍ 㐫 当 当 尚 尚 党

おんよみ

*党　とう　a party

党員　とういん　a party member

政党　せいとう　a political party

与党　よとう　party in power; the ruling party

*野党　やとう　an opposition party; party out of power

～党(社会党)　～とう(しゃかいとう)　party (Socialist Party)

81. 議〈議員〉

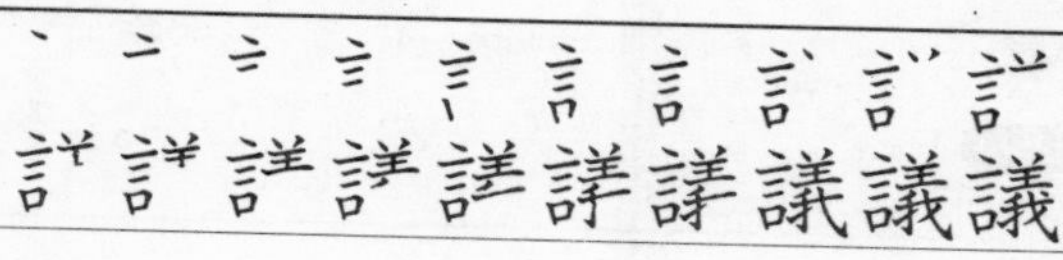

おんよみ

議会　ぎかい　a national assembly; the Diet

＊議案　ぎあん　a bill; a measure

＊議長　ぎちょう　a chairman

議員　ぎいん　member of the Diet, a congress, or a parliament

＊会議　かいぎ　a conference; meeting; convention

審議(する)　しんぎ　an investigation

決議(する)　けつぎ　decision at a meeting

＊閣議　かくぎ　a cabinet meeting

争議　そうぎ　dispute

抗議(する)　こうぎ　protest

＊協議(する)　きょうぎ　conference; consultation; discussion

＊討議(する)　とうぎ　discussion; debate

不思議(な)　ふしぎ　mysterious; strange

代議士　だいぎし　a Diet member

～議(県議)　～ぎ(けんぎ)　an assembly member (member of a prefectural assembly)

82. 員〈議員〉

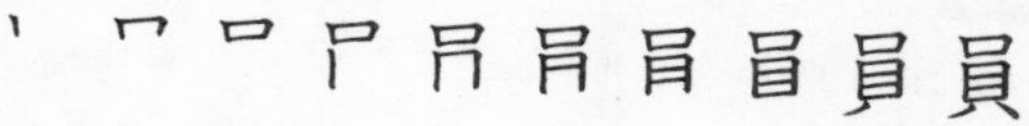

おんよみ

全員　ぜんいん　all members

＊社員　しゃいん　company employee

会員　かいいん　association member

＊会社員　かいしゃいん　a company employee; office worker

人員　じんいん　personnel

＊定員　ていいん　seating capacity

＊満員　まんいん　full; no vacancy

委員　いいん　a committee member

＊職員　しょくいん　an employee; the staff

役員　やくいん　an official; a leader

＊従業員　じゅうぎょういん　an employee

83. 数〈数〉

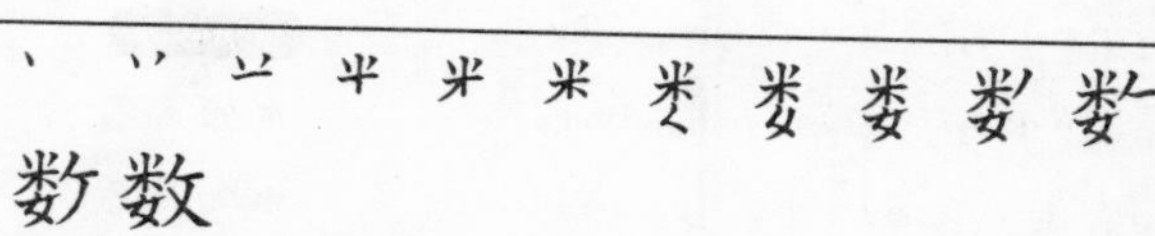

おんよみ

＊数　すう　number; numeral

数日　すうじつ　several days

数年　すうねん　several years

＊数字　すうじ　figure; numerals

数学　すうがく　mathematics

＊数倍　すうばい　several times more

＊多数(の)　たすう　a large number; many

少数(の)　しょうすう　a small number; a few

＊指数　しすう　an index

＊件数　けんすう　the number of events

くんよみ

＊数　かず　number

数える　かぞえる　to count

84. 少〈少し〉 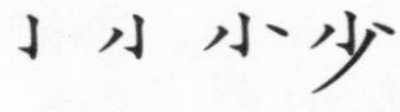

おんよみ

少数　しょうすう　small amount

少年　しょうねん　a boy

少女　しょうじょ　a girl

＊多少　たしょう　more or less; somewhat

＊減少(する)　げんしょう　decrease

くんよみ

＊少ない　すくない　few

85. 増〈増加〉 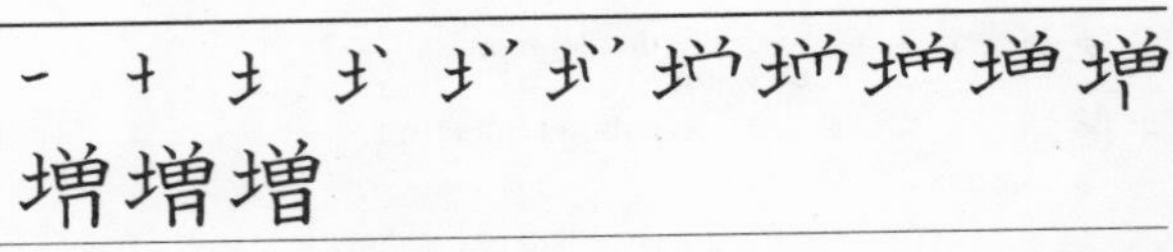

おんよみ

＊増加(する)　ぞうか　increase

増大(する)　ぞうだい　increase

＊増税(する)　ぞうぜい　increase of taxation

増減　ぞうげん　increase and decrease

＊倍増する　ばいぞうする　be doubled

＊急増(する)　きゅうぞう　sudden increase

～増(三割増)　～ぞう(さんわりぞう)　increased by (increased by 30%)

くんよみ

増す　ます　to increase

86. 加〈増加〉 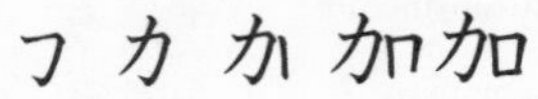

おんよみ

加工(する)　かこう　processing

＊加盟(する)　かめい　affiliation

加害者　かがいしゃ　an assailant

＊増加(する)　ぞうか　increase

追加(する)　ついか　addition

＊参加(する)　さんか　participation

くんよみ

＊加える　くわえる　add

＊加わる　くわわる　join; increase

地名・人名等

＊加藤　かとう

87. 佐〈佐藤〉 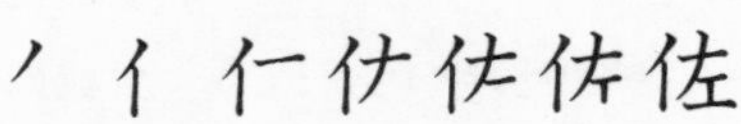

地名・人名等

佐々木　ささき　佐久間　さくま

88. 藤〈佐藤〉 一 十 艹 广 屵 屵 屵 屵 屵 薩 薩 藤 藤 藤 藤 藤

地名・人名等

＊佐藤　さとう　安藤　あんどう

＊伊藤　いとう　＊斎藤　さいとう

＊加藤　かとう　内藤　ないとう

89. 株〈株式会社〉 一 十 才 木 木 杧 杵 株 株

くんよみ

株　かぶ　stocks

株価　かぶか　the price of a stock

株主　かぶぬし　stockholder

株式　かぶしき　a stock (company)

90. 式〈株式会社〉 一 二 亍 式 式 式

おんよみ

＊式　しき　a ceremony

式典　しきてん　a ceremony

形式　けいしき　form; mode

正式(の)　せいしき　formal; official

＊〜式(表彰式)　〜しき(ひょうしょうしき) ceremony (commendation ceremony)

91. 会〈株式会社〉 ノ 人 𠆢 会 会 会

おんよみ

会　かい　a meeting; an association

＊会社　かいしゃ　a company

＊会議　かいぎ　conference; meeting

＊会談(する)　かいだん　meeting; a talk

＊会見(する)　かいけん　interview

会合　かいごう　gathering

会場　かいじょう　meeting place

会長　かいちょう　president; chairman

会話　かいわ　conversation

会計　かいけい　accounting

会期　かいき　period of meeting

＊会館　かいかん　a hall; an assembly hall

議会　ぎかい　parliament; Diet; congress

大会　たいかい　mass meeting; convention

総会　そうかい　a general meeting

協会　きょうかい　association; society

＊社会　しゃかい　society; social

＊司会者　しかいしゃ　the chairman; a master of ceremonies

＊宴会　えんかい　banquet

教会　きょうかい　church

くんよみ

会う　あう　meet

92. 社〈株式会社〉 ` ラ ネ ネ ネ一 补 社

おんよみ

＊社会　しゃかい　society; social

＊社員　しゃいん　company employee

社交　しゃこう　social life

＊社説　しゃせつ　an editorial

＊社宅　しゃたく　company housing for employees

＊入社(する)　にゅうしゃ　entering a company

＊支社　ししゃ　a branch office

＊神社　じんじゃ　a shrine

93. 長〈社長〉 丨 「 F F 巨 長 長 長

おんよみ

＊長男　ちょうなん　the eldest son

＊長女　ちょうじょ　the eldest daughter

＊長期　ちょうき　a long period

長官　ちょうかん　chief; (government) secretary

長短　ちょうたん　long and short

院長　いんちょう　director; principal

＊駅長　えきちょう　station master

市長　しちょう　mayor

議長　ぎちょう　chairman

学長　がくちょう　president (of a school)

総長　そうちょう　president of a university; general secretary (U. N.)

＊課長　かちょう　section chief

部長　ぶちょう　head of a department

局長　きょくちょう　bureau director; office chief

＊次長　じちょう　a vice-chief; deputy chief

署長　しょちょう　a police chief; tax director

くんよみ

＊長い　ながい　long

地名・人名等

長野県　ながのけん　(See p. 120)

長島　ながしま　長谷川　はせがわ

94. 動〈自動車産業〉 一 二 千 卉 旨 盲 重 重 重 動 動

おんよみ

動力　どうりょく　motive power

＊動植物　どうしょくぶつ　animals and plants

動作　どうさ　action

動機　どうき　motive; inducement

動揺(する)　どうよう　quake; unrest

動産　どうさん　movable property

移動(する)　いどう　transfer

＊行動(する)　こうどう　behavior

出動(する)　しゅつどう　mobilization

不動産　ふどうさん　real estate

くんよみ

動かす　うごかす　move

＊動く　うごく　move

95. 車〈自動車産業〉　一 厂 冂 冃 百 亘 車

おんよみ

車内　しゃない　inside a car

車庫　しゃこ　garage

車掌　しゃしょう　a conductor

＊車両　しゃりょう　a carriage; a car

車輪　しゃりん　a wheel

＊列車　れっしゃ　a train

＊自動車　じどうしゃ　an automobile

＊乗車(する)　じょうしゃ　riding in a car

＊下車(する)　げしゃ　getting out of a car

＊乗用車　じょうようしゃ　a passenger car

発車(する)　はっしゃ　departure; starting of a train

駐車(する)　ちゅうしゃ　parking

＊列車　れっしゃ　a train

くんよみ

＊車　くるま　a car; vehicle

車いす　くるまいす　a wheelchair

歯車　はぐるま　a toothed wheel; a cogwheel

96. 産〈自動車産業〉　丶 亠 亠 立 立 产 产 产 产 産 産

おんよみ

(お)産　(お)さん　childbirth

＊産業　さんぎょう　industry

産地　さんち　place of production

＊遺産　いさん　an inheritance

＊共産主義　きょうさんしゅぎ　communism

＊生産(する)　せいさん　production

水産業　すいさんぎょう　fishery

農産物　のうさんぶつ　farm products

＊倒産(する)　とうさん　bankruptcy

出産(する)　しゅっさん　production

財産　ざいさん　property

動産　どうさん　movable property

不動産　ふどうさん　real estate

くんよみ

産む　うむ　produce; give birth to

97. 業 〈自動車産業〉

おんよみ

業者　ぎょうしゃ　a businessman
業績　ぎょうせき　an achievement
＊業務　ぎょうむ　business ; work
＊営業(する)　えいぎょう　business ; trade
＊企業　きぎょう　an enterprise
卒業(する)　そつぎょう　graduation
授業　じゅぎょう　instruction ; teaching
＊職業　しょくぎょう　occupation ; profession
＊農業　のうぎょう　agriculture
工業　こうぎょう　industry
＊商業　しょうぎょう　commerce
鉱業　こうぎょう　mining industry
漁業　ぎょぎょう　fishery
水産業　すいさんぎょう　marine product industry
＊作業　さぎょう　work ; operation
＊失業(する)　しつぎょう　unemployment

98. 現 〈現在〉

おんよみ

＊現在　げんざい　at present
＊現代　げんだい　modern times ; present age
＊現実　げんじつ　reality ; the actual
＊現金　げんきん　cash
＊現状　げんじょう　the present condition
＊現場　げんば　the actual spot
現地　げんち　the actual place
現行(の)　げんこう　present ; existing
＊現象　げんしょう　a phenomenon
＊実現(する)　じつげん　materialization
出現(する)　しゅつげん　appearance
＊表現(する)　ひょうげん　expression

くんよみ

現す　あらわす　express ; describe
現れる　あらわれる　appear

99. 在 〈現在〉

おんよみ

＊在庫　ざいこ　stock ; in stock
在学する　ざいがくする　be in school
在日　ざいにち　being in Japan
＊在宅(する)　ざいたく　be at home
＊存在(する)　そんざい　existence
所在　しょざい　location
滞在(する)　たいざい　stay

不在　　ふざい　absence

100. 国 〈国；各国〉 丨 冂 冂 冂 冂 冂 国 国 国

おんよみ

*国民　こくみん　the people; the nation

*国家　こっか　state; country

*国会　こっかい　the National Diet

*国際　こくさい　international

*国交　こっこう　diplomatic relations

国務　こくむ　state affairs

国王　こくおう　king

*国庫　こっこ　the National Treasury

*国立(の)　こくりつ　national

*国土　こくど　a territory

国防　こくぼう　national defence

国有(の)　こくゆう　owned by the state

国産　こくさん　produced in the country; domestic

国語　こくご　national language; Japanese language

*国境　こっきょう　the border

*国宝　こくほう　national treasure

*国連　こくれん　the United Nations

外国　がいこく　a foreign country

*全国　ぜんこく　throughout the country

同国　どうこく　the same country; the country mentioned above

*各国　かっこく　each country

*諸国　しょこく　various countries

本国　ほんごく　one's own country

出入国　しゅつにゅうこく　immigration and emigration

*両国　りょうこく　both countries

建国　けんこく　founding a country

*愛国　あいこく　love for one's country; patriotism

*先進国　せんしんこく　an advanced country; a developed country

*富国強兵　ふこくきょうへい　a rich country with a strong army

くんよみ

*国　くに　a country

地名・人名等

*英国　えいこく　(England)

米国　べいこく　(the United States)

中国　ちゅうごく　(China)

韓国　かんこく　(South Korea)

101. 最 〈最も；最初〉 丨 冂 日 日 旦 早 早 早 早 早 最 最

おんよみ

*最近(の)　さいきん　recent

最初(の)　さいしょ　the first

*最後(の)　さいご　the last

*最終(の)　さいしゅう　the last; final

*最高(の)　さいこう　the highest; the best

*最低(の)　さいてい　the lowest; the worst

*最大(の)　さいだい　the biggest

最小(の)	さいしょう	the smallest
* 最新(の)	さいしん	the newest ; recent

くんよみ

* 最も	もっとも	the most

102. 重 〈重要〉

おんよみ

* 重視する	じゅうしする	regard as important
重大(な)	じゅうだい	serious ; important ; grave
重力	じゅうりょく	gravity ; the force of gravity
重傷	じゅうしょう	serious injury
* 重症	じゅうしょう	a serious illness
* 重点	じゅうてん	emphasis ; important point
重工業	じゅうこうぎょう	heavy industry
厳重(な)	げんじゅう	strict
体重	たいじゅう	body weight
* 尊重する	そんちょうする	to respect ; esteem
* 貴重(な)	きちょう	valuable

くんよみ

重い	おもい	heavy
重ねる	かさねる	pile up
重なる	かさなる	be piled
* 折り重なる	おりかさなる	fall down one upon another ; overlap one another

地名・人名等

* 三重県	みえけん	(See p. 120)

103. 要 〈重要 ; 必要〉

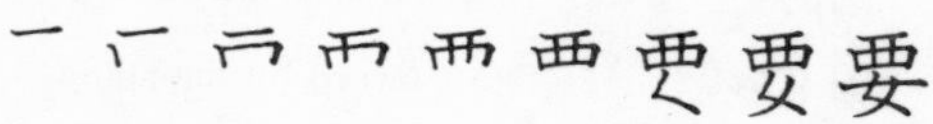

おんよみ

* 要求(する)	ようきゅう	demand
* 要請(する)	ようせい	demand ; request
要因	よういん	a factor
要旨	ようし	the gist ; the point
* 要望(する)	ようぼう	demand ; wish
要領	ようりょう	the point, the gist
重要(な)	じゅうよう	important
* 必要(な)	ひつよう	necessary
* 主要(な)	しゅよう	main ; chief
需要	じゅよう	demand
* 概要	がいよう	outline

くんよみ

要る	いる	be required ; be needed

104. 不 〈不正〉

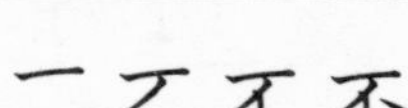

おんよみ

* 不足(する)	ふそく	shortage ; deficiency
* 不安(な)	ふあん	uneasiness ; uneasy
* 不況	ふきょう	business depression ; slump

不景気　ふけいき　business depression; recession
不正　ふせい　injustice; unfairness
*不満(な)　ふまん　discontent
*不信　ふしん　lack of trust
不思議(な)　ふしぎ　mysterious; strange
不幸(な)　ふこう　misfortune; unfortunate
*不良　ふりょう　bad; delinquent
*不自由(な)　ふじゆう　inconvenience; uncomfortable; disabled
*不明(の)　ふめい　obscure; missing; ignorant
*不急(の)　ふきゅう　not urgent
不要(の)　ふよう　unnecessary
不当(な)　ふとう　inappropriate
*不便(な)　ふべん　inconvenience; inconvenient
不快(な)　ふかい　unpleasant
不動産　ふどうさん　real estate

---

105. 正 〈不正〉 一 丁 下 正 正

おんよみ

*正確(な)　せいかく　exact; correct
正式(の)　せいしき　formal; official
*正常(な)　せいじょう　normal
正当(な)　せいとう　right; just
正直(な)　しょうじき　honest
*正月　しょうがつ　January; New Year's Day
*改正(する)　かいせい　revision
大正　たいしょう　(name of an era, 1912—1926)
*補正(する)　ほせい　revision; correction
*公正(な)　こうせい　justice; fairness
訂正(する)　ていせい　correction

くんよみ

*正しい　ただしい　right; correct
正に　まさに　indeed

---

106. 実 〈事実〉 丶 丷 宀 宀 宣 宣 実 実

おんよみ

実に　じつに　indeed; really
*実現(する)　じつげん　materialization
*実情　じつじょう　actual circumstances
実用　じつよう　practical use
実力　じつりょく　real power
*実施(する)　じっし　enforcement; execution
実際　じっさい　actual condition
実行(する)　じっこう　practice; performance
*実態　じったい　the actual situation
実績　じっせき　achievement; actual results
実験(する)　じっけん　experiment
*実質　じっしつ　substance
*実数　じっすう　an actual number
*事実　じじつ　a fact; truth
*現実　げんじつ　reality; the actual

確実(な)　かくじつ　certain ; sure

充実(する)　じゅうじつ　fullness ; repletion

真実　しんじつ　truth

くんよみ

実がなる　みがなる　bear fruit

実り　みのり　fruit ; harvest

107. 思 〈思う〉 丨 冂 冂 冊 田 田 思 思 思

おんよみ

＊思想　しそう　thought ; ideology

意思　いし　intention

不思議(な)　ふしぎ　mysterious ; strange

くんよみ

＊思う　おもう　think

108. 度 〈一度〉 ' 亠 广 广 庐 庐 庐 度 度

おんよみ

＊程度　ていど　degree

＊温度　おんど　temperature

＊態度　たいど　attitude

＊限度　げんど　limit

今度　こんど　this time ; next time

＊制度　せいど　institution ; system

＊年度　ねんど　a year period ; a fiscal year

高度　こうど　altitude

湿度　しつど　humidity

震度　しんど　degree of shock ; magnitude (of earthquake)

＊〜度(一度)　〜ど(いちど)　times (once)

＊〜度(満足度)　〜ど(まんぞくど)　degree (degree of contentedness)

109. 調 〈調査〉 丶 亠 亠 言 言 言 言 訁 訂 訂 訶 訶 調 調 調

おんよみ

＊調査(する)　ちょうさ　investigation

調子　ちょうし　tone ; condition

＊調整(する)　ちょうせい　adjustment ; regulation

＊調節(する)　ちょうせつ　control

調停(する)　ちょうてい　arbitration

＊強調(する)　きょうちょう　emphasis

＊好調(な)　こうちょう　in good condition

協調(する)　きょうちょう　cooperation ; harmony

＊順調(な)　じゅんちょう　smooth ; favorable

くんよみ

＊調べ　しらべ　investigation

取り調べ　とりしらべ　(official) investigation

110. 査 〈調査〉 一 十 オ 木 木 杏 杏 杳 査

おんよみ

* 調査(する) ちょうさ investigation
* 検査(する) けんさ investigation; examination

審査(する) しんさ judgment; examination
捜査(する) そうさ criminal investigation; search

111. 局 〈結局〉 ㇖ ㇇ 尸 局 局 局 局

おんよみ

局部 きょくぶ a limited part; a section
局番 きょくばん telephone exchange number; central number
局長 きょくちょう bureau director; office chief
支局 しきょく a branch office
放送局 ほうそうきょく a broadcasting station
郵便局 ゆうびんきょく a post office
薬局 やっきょく a pharmacy; a drugstore
* 結局 けっきょく in the end; after all

112. 問 〈問題〉 丨 ｢ ｢ 門 門 門 門 門 門 問 問

おんよみ

* 問題 もんだい a question; a problem
* 質問(する) しつもん a question
* 疑問 ぎもん question; doubt
学問 がくもん learning; studies
* 訪問(する) ほうもん a visit
諮問(する) しもん inquiry
顧問 こもん a consultant

くんよみ

問う とう inquire
問屋 とんや; といや a wholesale dealer

113. 題 〈問題〉 丨 ㄇ 日 日 旦 早 早 早 是 是 是 是 題 題 題 題 題 題

おんよみ

題名 だいめい a title
* 話題 わだい a topic of conversation
議題 ぎだい an item on the agenda; a subject for discussion
主題 しゅだい a theme; the subject
* 課題 かだい a subject; a theme; a task
宿題 しゅくだい homework
～題(三題) ～だい(さんだい) questions (three questions)

114. 解 〈解決〉

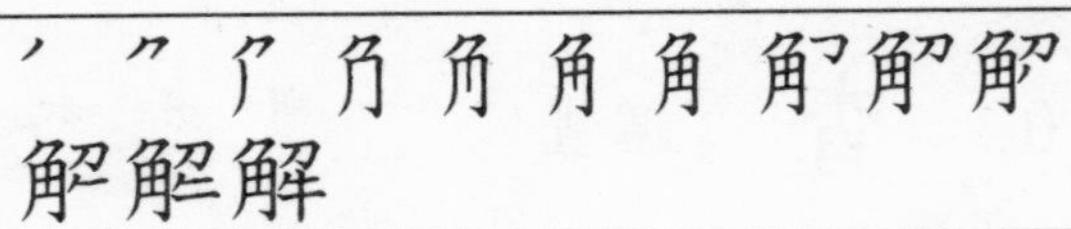

おんよみ

	解決(する)	かいけつ solution ; resolution
	解散(する)	かいさん dissolution ; breakup
*	解説(する)	かいせつ explanation ; commentary
	解放(する)	かいほう liberation
	解除(する)	かいじょ cancellation ; removal
	解雇(する)	かいこ discharge ; dismissal
*	解消(する)	かいしょう dissolution ; disorganization
	解釈(する)	かいしゃく interpretation
*	解答	かいとう answer ; solution
	解明(する)	かいめい make clear ; elucidate
*	理解(する)	りかい understanding ; comprehension
	誤解(する)	ごかい misunderstanding
	見解	けんかい a view ; an opinion
	了解(する)	りょうかい understanding ; comprehension

くんよみ

解く	とく solve (a question) ; remove (a prohibition)
解ける	とける be solved ; be removed ; be loosened
解る	わかる understand

115. 決 〈解決〉

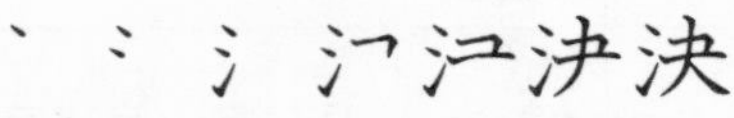

おんよみ

*	決定(する)	けってい decision
	決議(する)	けつぎ decision ; resolution
	決勝	けっしょう deciding of a contest
*	決算	けっさん settlement of accounts
*	決意(する)	けつい resolution ; making up one's mind
	可決する	かけつする approve (a bill)
*	否決する	ひけつする reject (a bill)
	対決(する)	たいけつ confrontation
*	判決	はんけつ judicial decision

くんよみ

決まる	きまる be decided
決める	きめる decide

116. 山 〈山下〉

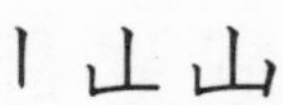

おんよみ

	山岳	さんがく mountains
	山林	さんりん mountains and forests
*	山村	さんそん a mountain village
*	登山(する)	とざん mountain climbing
	鉱山	こうざん a mine
*	火山	かざん a volcano
	氷山	ひょうざん an iceberg

くんよみ

山に登る　やまにのぼる　climb a mountain

地名・人名等

山口県　やまぐちけん　(See p. 120)

山梨県　やまなしけん　(See p. 120)

山形県　やまがたけん　(See p. 120)

和歌山県　わかやまけん　(See p. 120)

富山県　とやまけん　(See p. 120)

山内　やまうち；やまのうち　加山　かやま

＊山田　やまだ　小山　こやま；おやま

山中　やまなか　横山　よこやま

＊山本　やまもと　村山　むらやま

---

117. 下〈山下〉一丁下

おんよみ

＊下車(する)　げしゃ　getting out of a car

下宿(する)　げしゅく　lodging; boarding-house

＊下旬　げじゅん　the last ten days of the month

＊下部　かぶ　the lower part

＊以下　いか　below; less than

下院　かいん　the Lower House

上下(する)　じょうげ　up and down

低下(する)　ていか　decline; fall

陛下　へいか　His (Her) Majesty

目下　もっか　at present

部下　ぶか　a subordinate; men under one's charge

廊下　ろうか　a hall; a corridor

県下　けんか　under prefectural control; throughout a prefecture

くんよみ

下りる　おりる　descend; get off

下ろす　おろす　take down; lower

下さる　くださる　give (polite)

下げる　さげる　take down; lower

払い下げる　はらいさげる　sell; dispose of

下着　したぎ　underwear

靴下　くつした　socks; stockings

下半期　しもはんき　the last half of the year

下り　くだり　going down; going to the country

地名・人名等

岩下　いわした　松下　まつした

---

118. 入〈入院〉ノ入

おんよみ

入院する　にゅういんする　be hospitalized

＊入学する　にゅうがくする　enter a school

入園する　にゅうえんする　enter a kindergarten; enter a nursery school

＊入港する　にゅうこうする　enter a port

＊入場(する)　にゅうじょう　entrance; admission

入選する　にゅうせんする　win a contest; be accepted for an exhibition

＊入札する　にゅうさつする　submit a bid; tender

＊入門する	にゅうもんする	become a pupil
入荷(する)	にゅうか	a fresh supply of goods; receipt of goods
入賞する	にゅうしょうする	win a prize
＊入場料	にゅうじょうりょう	admission fee
＊収入	しゅうにゅう	income; earnings
介入(する)	かいにゅう	intervention
記入(する)	きにゅう	enter; write in
加入(する)	かにゅう	join; become a member of
＊導入(する)	どうにゅう	introduction; importation
＊輸入(する)	ゆにゅう	import; importation
＊侵入する	しんにゅうする	break into
＊歳入	さいにゅう	annual revenue

くんよみ

＊入れる	いれる	put in
＊力を入れる	ちからをいれる	emphasize
取り入れる	とりいれる	adopt; harvest
申し入れ	もうしいれ	an offer
入る	はいる	enter
入り込む	はいりこむ	sneak into

119. 院〈入院〉

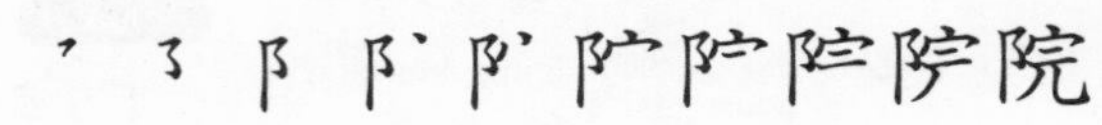

おんよみ

院長	いんちょう	the director of a hospital; president of an academy
＊病院	びょういん	a hospital
入院する	にゅういんする	be hospitalized
＊退院する	たいいんする	leave a hospital
衆(議)院	しゅう(ぎ)いん	the House of Representatives
＊参(議)院	さん(ぎ)いん	the House of Councillors
上院	じょういん	the Upper House
下院	かいん	the Lower House
＊学院	がくいん	a school

120. 手〈手術〉

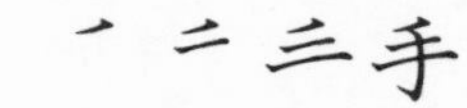

おんよみ

手術	しゅじゅつ	surgical operation
手段	しゅだん	method; means
手芸	しゅげい	handicraft
＊選手	せんしゅ	a player; a representative player
投手	とうしゅ	a pitcher
＊拍手(する)	はくしゅ	applause
助手	じょしゅ	an assistant
歌手	かしゅ	a professional singer

くんよみ

＊手	て	hand
＊手を焼く	てをやく	be annoyed
手足	てあし	arms and legs; limbs
手当	てあて	an allowance; treatment
手配	てはい	arrangement; preparation; search instruction
＊手厚い	てあつい	warm; hospitable
大手	おおて	big; leading
＊両手	りょうて	both hands

上手(な)　じょうず　skillful
下手(な)　へた　unskillful

地名・人名等

岩手県　いわてけん　(See p. 120)

---

121. 術 〈手術〉 ﾉ ﾉ 彳 彳 彳 犷 犷 𧗟 術 術 術

おんよみ

術　じゅつ　technique
技術　ぎじゅつ　technique
美術　びじゅつ　art; the fine arts
芸術　げいじゅつ　the arts
戦術　せんじゅつ　tactics; strategy
*学術　がくじゅつ　arts and sciences
手術　しゅじゅつ　surgical operation

---

122. 受 〈受ける〉 ﾉ ﾉ ﾉ ﾉ ﾉ ﾉ 乎 受

おんよみ

受験する　じゅけんする　take an examination
受賞する　じゅしょうする　win a prize
受信する　じゅしんする　receive a message
*受講する　じゅこうする　take a course; listen to a lecture

くんよみ

受かる　うかる　be accepted; pass an examination
*受け取る　うけとる　receive
受取　うけとり　a receipt
*受ける　うける　receive

---

123. 南 〈南米〉 一 十 亣 冂 冂 冂 冂 南 南

おんよみ

南部　なんぶ　the south; the southern part
南北　なんぼく　the north and the south
*南西　なんせい　the southwest; southwest
南東　なんとう　the southeast; southeast
*南海　なんかい　the southern sea; the south seas

くんよみ

*南　みなみ　the south; south
南向き　みなみむき　facing the south

地名・人名等

南米　なんべい　(South America)

---

124. 米 〈南米〉 丶 丷 䒑 半 米 米

おんよみ

＊米価　べいか　the price of rice

米軍　べいぐん　the American army

＊欧米　おうべい　Europe and America

くんよみ

米の飯　こめのめし　cooked rice

～米　～メートル　～meters

地名・人名等

米国　べいこく　the United States of America

米川　よねかわ

---

125. 知〈知人〉

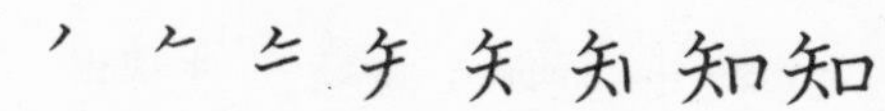

おんよみ

知人　ちじん　an acquaintance

知事　ちじ　the governor

知識　ちしき　knowledge

知恵　ちえ　wisdom

承知(する)　しょうち　consent; acknowledgment

＊通知(する)　つうち　notice; notification

未知(の)　みち　unknown

くんよみ

＊知る　しる　know

知らせる　しらせる　notify

知れる　しれる　be known

地名・人名等

＊愛知県　あいちけん　(See p. 120)

高知県　こうちけん　(See p. 120)

---

126. 人〈知人；人〉 ノ 人

おんよみ

＊人口　じんこう　population

＊人間　にんげん　human beings

人工　じんこう　artificial; man-made

人権　じんけん　human rights

＊人事　じんじ　personnel

人民　じんみん　the people

人命　じんめい　human life

人生　じんせい　man's life; human life

人類　じんるい　mankind

＊人類学　じんるいがく　anthropology

＊人気　にんき　popularity

＊人情　にんじょう　human feelings

証人　しょうにん　a witness

新人　しんじん　a new face; a newcomer

求人　きゅうじん　an offer of a situation; a job offer

＊殺人　さつじん　murder

＊婦人　ふじん　a woman

＊犯人　はんにん　a criminal; a convict

隣人　りんじん　a neighbor

知人	ちじん	an acquaintance
＊愛人	あいじん	a lover; a mistress
＊老人	ろうじん	an old person
商人	しょうにん	a merchant
＊病人	びょうにん	a sick person
当人	とうにん	the person concerned; the said person
＊百人	ひゃくにん	a hundred people
＊個人	こじん	an individual
＊成人(する)	せいじん	an adult
＊成人病	せいじんびょう	adult disease

くんよみ

＊人	ひと	a person; a human being
一人	ひとり	one person
＊人々	ひとびと	people

127. 日 〈日本語〉 丨 冂 日 日

おんよみ

＊日本	にほん；にっぽん	Japan
日本語	にほんご	the Japanese language
＊日本人	にほんじん	a Japanese; the Japanese
日中	にっちゅう	daytime; China and Japan
日記	にっき	diary
日曜(日)	にちよう(び)	Sunday
＊日常	にちじょう	daily life
日時	にちじ	date and time
＊日程	にってい	schedule
毎日	まいにち	every day
今日	こんにち	the present day; today
明日	みょうにち	tomorrow
＊両日	りょうじつ	two days
＊昨日	さくじつ	yesterday
一日中	いちにちじゅう	all through the day
＊日米	にちべい	Japan and the United States
日ソ	にっソ	Japan and the Soviet Union

くんよみ

日	ひ	a day; the sun
日付	ひづけ	date
月日	つきひ	days and months; time
朝日	あさひ	the morning sun
(一月)一日	(いちがつ)ついたち	the First (of January)
三日	みっか	the third day; three days
十日	とおか	the tenth day; ten days

地名・人名等

＊日光	にっこう	

128. 本 〈日本語〉 一 十 才 木 本

おんよみ

＊本当(の)	ほんとう	real; true
＊本社	ほんしゃ	the main office
本店	ほんてん	the main shore
＊本部	ほんぶ	the headquarters
本日	ほんじつ	this day

本年	ほんねん	this year
本人	ほんにん	the very person; the person himself
* 本堂	ほんどう	the main building of a temple
* 本館	ほんかん	the main building
本格的(な)	ほんかくてき	regular; full-fledged
本能	ほんのう	instinct
* 本塁	ほんるい	home base (baseball)
本来	ほんらい	originally
資本	しほん	capital; funds
* 基本	きほん	basis; foundation
脚本	きゃくほん	scenario
見本	みほん	a sample
* 根本	こんぽん	foundation; the origin
* 抜本的(な)	ばっぽんてき	drastic
何本	なんぼん	how many pieces?
* 本	ほん	bock

地名・人名等

本田 ほんだ　岸本 きしもと
橋本 はしもと　河本 かわもと
岩本 いわもと

129. 語 〈日本語〉

おんよみ

語句	ごく	words and phrases
語彙	ごい	vocabulary
語義	ごぎ	meaning of a word
語源	ごげん	the origin of a word; etymology
日本語	にほんご	the Japanese language
国語	こくご	the national language; Japanese
* 英語	えいご	English
敬語	けいご	polite speech
* 落語	らくご	a comic story
言語学	げんごがく	linguistics
〜語(フランス語)	〜ご(…ご)	language (French)
〜語(十語)	〜ご(じゅうご)	words (ten words)

くんよみ

* 語る	かたる	tell (a story)

130. 送 〈送る〉

おんよみ

* 送検する	そうけんする	send to the prosecutor's office; commit for trial
送料	そうりょう	postage
放送(する)	ほうそう	broadcasting
輸送(する)	ゆそう	transportation
郵送する	ゆうそうする	send by post

くんよみ

送る	おくる	send

131. 主 〈主人〉 丶 亠 亍 キ 主

おんよみ

*主人 しゅじん a master; a husband
*主張(する) しゅちょう assertion
主権 しゅけん sovereignty
*主婦 しゅふ housewife
*主要(な) しゅよう main; chief
主義 しゅぎ a cause; an ism
*主催(する) しゅさい sponsorship
主演する しゅえんする play the leading part; star in
主食 しゅしょく the staple food
主題 しゅだい theme; subject matter
主任 しゅにん the person in charge
*主流 しゅりゅう the main current; the mainstream
戸主 こしゅ the master of a household
民主主義 みんしゅしゅぎ democracy
*亭主 ていしゅ a master
商店主 しょうてんしゅ the owner of a store
坊主 ぼうず a priest
主として しゅとして mainly

くんよみ

主に おもに mainly
主 あるじ the master
家主 やぬし a landlord
株主 かぶぬし a stockholder
地主 じぬし a landowner

132. 市 〈市立高校〉 丶 亠 亠 卞 市

おんよみ

市立 しりつ municipal; run by the city
市内 しない within the city
市場 しじょう market
市民 しみん a citizen; an inhabitant in a city
市会 しかい a city assembly
市長 しちょう mayor
都市 とし a city
*~市(三鷹市) ~し(みたかし) City (Mitaka City)

くんよみ

市場 いちば a market-place

地名・人名等

市川 いちかわ

133. 立 〈市立高校〉 丶 亠 亠 六 立

おんよみ

＊立地 りっち location

＊立法 りっぽう legislation

＊国立(の) こくりつ national

＊公立(の) こうりつ public

＊都立(の) とりつ metropolitan

＊私立(の) しりつ private

＊成立(する) せいりつ materialization

樹立(する) じゅりつ establishment; setting up

＊設立(する) せつりつ establishment; organization

＊独立(する) どくりつ independence

孤立(する) こりつ isolation

対立(する) たいりつ opposition

くんよみ

＊立つ たつ stand

立場 たちば standpoint; viewpoint

立ち合い たちあい presence; witnessing

＊巣立つ すだつ go out into the world; graduate from school

立てる たてる set up

＊立役者 たてやくしゃ the leading actor

埋め立て うめたて land reclamation

地名・人名等

立川 たちかわ

134. 高 〈市立高校〉

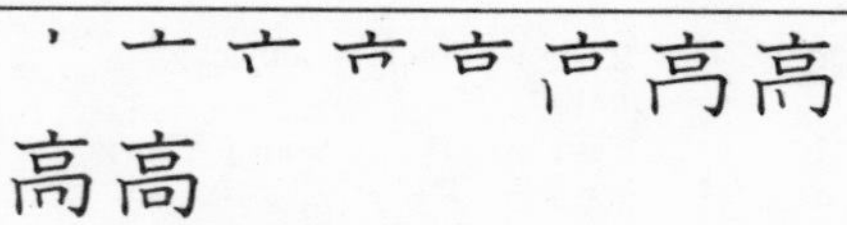

おんよみ

＊高級 こうきゅう high grade; superior

＊高等 こうとう advanced; high grade

＊高(等学)校 こう(とうがっ)こう a high school

＊高騰(する) こうとう a sudden rise in prices

＊高齢 こうれい an advanced age

高度 こうど altitude

＊高速 こうそく high speed

高層ビル こうそうビル a tall building; a many-storied building

高気圧 こうきあつ high atmospheric pressure

＊最高(の) さいこう the highest; the best

くんよみ

＊高い たかい high; tall

＊残高 ざんだか the balance; the remainder

135. 校 〈市立高校〉

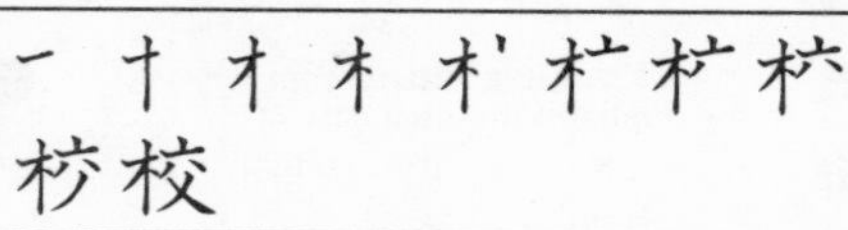

おんよみ

校長 こうちょう the principal

校舎 こうしゃ a school building

校庭 こうてい school yard; campus

学校 がっこう a school

登校する とうこうする go to school

＊母校 ぼこう alma mater

136. 物 〈物理〉 ノ ト 十 牛 牜 牞 物 物

おんよみ

物理(学) ぶつり(がく) physics
* 物価 ぶっか prices
* 物質 ぶっしつ material
見物 けんぶつ sightseeing
* 動物 どうぶつ an animal
植物 しょくぶつ a plant ; vegetation
* 博物館 はくぶつかん a museum
* 貨物 かもつ freight ; cargo
荷物 にもつ luggage
* 書物 しょもつ a book

くんよみ

* 物 もの a thing
* 品物 しなもの merchandise ; an article
* 買い物袋 かいものぶくろ a shopping bag
* 生き物 いきもの a living creature
* 物語る ものがたる narrate ; relate
* 建物 たてもの a building

137. 理 〈物理〉 一 T 千 王 王 玑 玑 珂 珥 理 理

おんよみ

* 理由 りゆう a reason
* 理解(する) りかい understanding
理事 りじ a director ; a trustee
* 理論 りろん a theory
* 管理(する) かんり administration ; control; supervision
管理者 かんりしゃ administrator ; superintendent
合理的(な) ごうりてき rational
* 処理(する) しょり management ; disposition
* 整理(する) せいり arrangement ; curtailment
代理 だいり a substitute ; a deputy ; an agent
* 総理 そうり the Prime Minister
* 総理府 そうりふ the Prime Minister's Office
* 無理(な) むり impossible
* 地理 ちり geography
* 料理 りょうり cooking ; cooked dishes

138. 化 〈化学〉 ノ イ 亻 化

おんよみ

化学 かがく chemistry
* 文化 ぶんか culture
* 変化(する) へんか change
* 消化(する) しょうか digestion
電化(する) でんか electrification

＊激化(する)　げきか　intensification
＊鈍化(する)　どんか　become dull
＊～化(洋風化)　～か(ようふうか) -ization (Westernization)

くんよみ

化け物　ばけもの　a monster

139. 教〈教える〉

一 十 土 耂 耂 考 孝 孝 孝 教教

おんよみ

＊教育(する)　きょういく　education
＊教授(する)　きょうじゅ　a professor; teaching
＊教師　きょうし　a teacher
＊教室　きょうしつ　classroom
＊教養　きょうよう　culture; education; refinement
＊教科書　きょうかしょ　a textbook
教諭　きょうゆ　an elementary school or junior high school teacher
教員　きょういん　a teacher
教会　きょうかい　a church
教団　きょうだん　a religious organization
仏教　ぶっきょう　Buddhism
＊宗教　しゅうきょう　religion
日教組　にっきょうそ　abbreviation of 日本教職員組合 (Japan Teachers Union)

くんよみ

教わる　おそわる　be taught; learn

140. 通〈通信教育〉

フ マ ア 丙 丙 甬 甬 甬 通通

おんよみ

＊通信(する)　つうしん　correspondence; communication
＊通過する　つうかする　pass through
通行(する)　つうこう　passing; traffic
＊通勤(する)　つうきん　commuting
＊通勤客　つうきんきゃく　a commuter
通学(する)　つうがく　attending school
＊通知する　つうちする　notify
＊通常(の)　つうじょう　ordinary; usual
通告(する)　つうこく　notice
＊通達(する)　つうたつ　notification
＊通貨　つうか　currency (money)
＊通帳　つうちょう　a bank note
＊通産相　つうさんしょう　the Minister of International Trade and Industry
交通　こうつう　transportation; traffic
＊交通事故　こうつうじこ　a traffic accident
普通(の)　ふつう　ordinary
通じる・ずる　つうじる・ずる　be connected by; be understood

くんよみ

通る　とおる　pass; go through
～通り(従来通り)　～どおり(じゅうらいどおり)　as (as before)
＊通す　とおす　let pass; let run
通う　かよう　commute

141. 信 〈通信教育〉 ノ イ 亻 仁 仨 信 信 信 信

おんよみ

* 信用(する) しんよう trust; credit
信任(する) しんにん confidence
信頼(する) しんらい reliance
* 信号 しんごう signal
信念 しんねん belief
信託 しんたく trust
* 通信 つうしん correspondence; communication
* 自信 じしん self-confidence
* 確信(する) かくしん firm belief
逓信 ていしん communications; transmission through stages
受信する じゅしんする receive a message
* 所信 しょしん belief; view
* 不信 ふしん distrust
信じる・ずる しんじる; しんずる believe

142. 育 〈通信教育〉 ' 亠 士 云 ☐ 育 育 育

おんよみ

育成する いくせいする bring up; raise
* 育児 いくじ raising a child
* 教育(する) きょういく education
教育費 きょういくひ educational expenses
体育 たいいく physical education
* 保育園 ほいくえん a nursery; a nursery school

くんよみ

* 育つ そだつ be brought up
* 育てる そだてる bring up; raise

143. 資 〈資料〉 丶 冫 冫 冫 次 次 次 资 资 资 資 資 資

おんよみ

* 資料 しりょう material
資金 しきん funds
資本 しほん funds; capital
資産 しさん property
資格 しかく qualifications
資材 しざい materials
* 投資(する) とうし investment
融資(する) ゆうし financing
物資 ぶっし goods; materials

144. 集 〈集める〉 ノ イ 亻 仁 仕 隹 隹 隹 隹 隼 集 集

おんよみ

集中(する)　しゅうちゅう　concentration

集会　しゅうかい　meeting

＊集団　しゅうだん　a group

特集(する)　とくしゅう　a special edition

＊召集する　しょうしゅうする　summon; convoke

募集(する)　ぼしゅう　levy; recruiting

くんよみ

集まる　あつまる　gather; come together

＊集める　あつめる　collect

145. 目〈目的〉丨 冂 月 月 目

おんよみ

目的　もくてき　objective; aim

＊目標　もくひょう　a mark; an objective

目下　もっか　at present

＊注目(する)　ちゅうもく　attention

項目　こうもく　an item

科目　かもく　a subject

＊品目　ひんもく　an item; a list of articles

くんよみ

目で見る　めでみる　see with the eye

目のあたり　まのあたり　in front of one's eyes; vividly

役目　やくめ　a role; function

〜目(三度目)　〜め(さんどめ)　(the third time)

146. 的〈目的〉′ ｲ 冇 白 白 白′ 的 的

おんよみ

＊国際的(な)　こくさいてき　international

＊具体的(な)　ぐたいてき　concrete

＊積極的(な)　せっきょくてき　positive; active

＊消極的(な)　しょうきょくてき　negative

目的　もくてき　target

くんよみ

＊的　まと　the target; the object

147. 法〈方法〉丶 冫 氵 汀 汁 注 法 法

おんよみ

＊法律　ほうりつ　law

＊法案　ほうあん　a bill; a measure

法廷　ほうてい　a court of justice

法規　ほうき　laws and regulations

法務省　ほうむしょう　Ministry of Justice

＊法人　ほうじん　a legal person; corporation

憲法　けんぽう　Constitution

＊方法　ほうほう　method

製法　せいほう　method of manufacture

刑法 けいほう criminal law

＊司法 しほう administration of justice

民法 みんぽう civil law

国際法 こくさいほう international law

148. 感 〈感心〉 丿 厂 厂 后 后 后 咸 咸 咸 咸 感 感 感

おんよみ

＊感心する かんしんする be impressed

＊感情 かんじょう feelings

＊感想 かんそう impression

＊感謝(する) かんしゃ gratitude

感動する かんどうする be impressed; be moved

感覚 かんかく sense

＊感触 かんしょく feeling; sensation

同感(する) どうかん sympathy; the same feeling

＊共感(する) きょうかん sympathy; response

＊感じる かんじる feel

149. 心 〈感心〉 ⼃ 心 心 心

おんよみ

心配する しんぱいする be worried

心臓 しんぞう the heart

心理 しんり psychology

＊中心 ちゅうしん the center

安心する あんしんする feel at ease; feel relieved

＊都心 としん the central part of the city

熱心(な) ねっしん enthusiastic

決心(する) けっしん resolution; determination

＊苦心(する) くしん hardship

くんよみ

＊心 こころ mind; heart

心がける こころがける try to

心づかい こころづかい consideration; concern; solicitude

150. 気 〈電気〉 ′ ⺈ ⺊ 气 気 気

おんよみ

気温 きおん temperature

気候 きこう climate

＊気象 きしょう weather

＊気象庁 きしょうちょう the Meteorological Agency

＊気圧 きあつ air pressure

気分 きぶん feeling; mood

＊気配 けはい sign; indication

＊電気 でんき electricity

＊陽気 ようき weather

＊空気　くうき　air
＊人気　にんき　popularity
＊景気　けいき　business conditions; prosperity
＊元気(な)　げんき　vigor; energy; healthy
＊病気　びょうき　disease
＊根気　こんき　patience; perseverance
＊気がつく(気付く)　きがつく(きづく)　notice; realize
＊気持ち　きもち　feelings

151. 生 〈生活〉 ノ 𠂉 牛 牛 生

おんよみ

＊生活(する)　せいかつ　life; livelihood
＊生産(する)　せいさん　production
＊生産者　せいさんしゃ　a producer
＊生徒　せいと　a pupil
＊生命　せいめい　life
＊生命保険　せいめいほけん　life insurance
生死　せいし　life and death; alive or dead
＊生計　せいけい　livelihood
＊先生　せんせい　a teacher
＊学生　がくせい　a student
＊発生する　はっせいする　occur; be generated
一生　いっしょう　one's whole life
＊誕生(する)　たんじょう　birth
＊厚生省　こうせいしょう　Ministry of Health and Welfare
人生　じんせい　human life; man's life
＊高校生　こうこうせい　a high school student
＊衛生　えいせい　hygiene; sanitation

おんよみ

＊生かす　いかす　revive; make the most of
生きる　いきる　live
＊生まれる　うまれる　be born
生む　うむ　give birth to; produce
生地　きじ　cloth
生もの　なまもの　raw food
生える　はえる　come out; spring up
生やす　はやす　grow
芝生　しばふ　turf; lawn

152. 活 〈生活〉 丶 丷 氵 氵 氵 汘 汘 活 活

おんよみ

＊活用する　かつようする　apply; utilize; make the most of
＊活動(する)　かつどう　activity
活躍する　かつやくする　be active
活発(な)　かっぱつ　active
＊生活　せいかつ　life; livelihood
＊復活(する)　ふっかつ　revival; restoration

くんよみ

活かす　いかす　make the most of
活きる　いきる　be alive; live

153. 楽 〈楽〉 ′ ｒ 白 白 白 冶 泊 泊′ 泊′ 泊'' 楽楽

おんよみ

＊楽団　がくだん　a musical band
楽器　がっき　a musical instrument
楽(な)　らく　easy ; comfortable
楽観する　らっかんする　be optimistic
音楽　おんがく　music
娯楽　ごらく　amusement

くんよみ

楽しい　たのしい　pleasant ; enjoyable

154. 政 〈政府〉 一 丁 下 正 正 正' 正' 政 政

おんよみ

＊政府　せいふ　the government
＊政治　せいじ　politics ; government
＊政権　せいけん　political power
＊政策　せいさく　policy
＊政界　せいかい　political world
＊政令　せいれい　ordinance
政局　せいきょく　the political situation
＊財政　ざいせい　finance
＊行政　ぎょうせい　administration
内政　ないせい　internal affairs

155. 府 〈政府〉 ′ 亠 广 广 庁 庁 府 府

おんよみ

＊政府　せいふ　government
首府　しゅふ　a capital
＊幕府　ばくふ　Shogunate
＊都道府県　とどうふけん　*To, Do, Fu* and *Ken* ; tne urban and rural prefectures

156. 機 〈機関〉 一 十 オ 木 木′ 木′′ 松 松′ 松′′ 松′′ 桦 桦 機 機 機 機

おんよみ

＊機関　きかん　organ ; agency
＊機会　きかい　opportunity
機械　きかい　machine
機構　きこう　organization
＊危機　きき　a crisis
＊投機　とうき　speculation ; speculative investment
有機　ゆうき　organic

無機　むき　inorganic

＊洗濯機　せんたくき　a washing machine

＊掃除機　そうじき　a cleaner

157. 公〈公務員〉

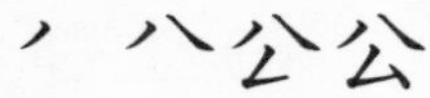

おんよみ

＊公園　こうえん　a park

＊公害　こうがい　pollution; public nuisance

＊公団　こうだん　a public corporation

＊公共　こうきょう　public

公共事業　こうきょうじぎょう　a public enterprise

公民　こうみん　citizen

＊公使　こうし　government minister

公職　こうしょく　a public duty; a public office

公正(な)　こうせい　fair; just

＊公認　こうにん　official recognition

公務　こうむ　official business

公務員　こうむいん　a public servant

＊公約　こうやく　a public pledge; a public promise

＊公営　こうえい　public management

＊公判　こうはん　a public trial

公安　こうあん　the public peace

公開(する)　こうかい　opening to the public

＊公社　こうしゃ　a public corporation

くんよみ

＊公にする　おおやけにする　make something public

158. 務〈公務員；義務〉

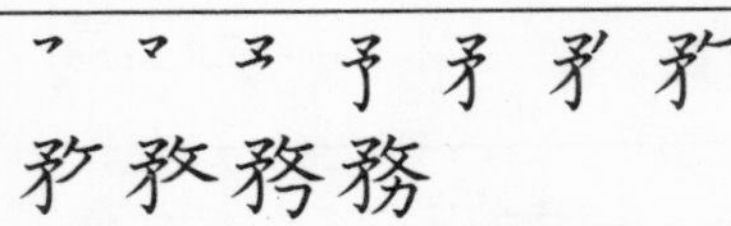

おんよみ

義務　ぎむ　duty; obligation

＊責務　せきむ　responsibility

＊勤務(する)　きんむ　work; duty; service

＊総務　そうむ　general affairs; a manager

労務　ろうむ　labor; service

外務省　がいむしょう　Ministry of Foreign Affairs

＊税務署　ぜいむしょ　tax office

＊高等弁務官　こうとうべんむかん　a high commissioner

くんよみ

務める　つとめる　serve in an office; perform one's duty; work

159. 言〈言う〉

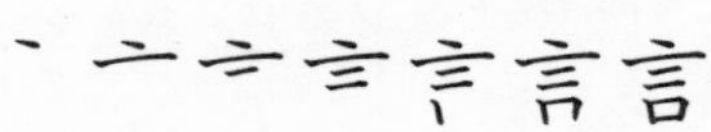

おんよみ

言語　げんご　a language

＊言論　げんろん　speech

言明(する)　げんめい　a statement

証言(する)　しょうげん　a witness; testimony

宣言(する)　せんげん　a declaration

発言(する)　はつげん　utterance; proposal

伝言(する)　でんごん　a verbal message

明言(する)　めいげん　a clear statement; a declaration

＊遺言(する)　ゆいごん；いごん　a will

くんよみ

＊言葉　ことば　a word

ひとり言　ひとりごと　speaking to oneself

言う　いう　say; tell

160. 当 〈当時〉 丨 丨丨 ⺌ 当当当

おんよみ

＊当然　とうぜん　naturally; of course

当局　とうきょく　the authorities concerned

＊当分　とうぶん　for the time being

当日　とうじつ　on that day

＊当時　とうじ　at that time

＊当面(する)　とうめん　present; immediate

当事者　とうじしゃ　the person concerned

＊相当する　そうとうする　correspond to

相当　そうとう　considerably

適当(な)　てきとう　appropriate

＊担当する　たんとうする　be in charge of

本当(の)　ほんとう　true; real

当〜(当店)　とう〜(とうてん)　this (our shop)

くんよみ

＊当たる　あたる　correspond to; hit; be engaged in

＊〜当たり(一日当たり)　〜あたり(いちにちあたり)　per〜 (per day)

当てる　あてる　apply; allot

割当　わりあて　allotment; assignment

161. 首 〈首相〉 丶 丷 䒑 丷 产 产 首首首

おんよみ

＊首相　しゅしょう　Prime Minister

＊首脳　しゅのう　leader

首都　しゅと　the capital

首都圏　しゅとけん　the metropolitan area

首席　しゅせき　the chief; the President; the top of the class

首班　しゅはん　the head; the chief

元首　げんしゅ　the sovereign

党首　とうしゅ　the head of a political party

くんよみ

首　くび　the head; the neck

手首　てくび　the wrist

162. 相 〈首相〉 一 十 才 木 朩 朩 相相相

おんよみ

＊相談(する)	そうだん	consultation
＊相当する	そうとうする	correspond to
相当	そうとう	considerably
＊相場	そうば	the market price; a quotation
相互(の)	そうご	mutual
相違	そうい	difference
＊首相	しゅしょう	Prime Minister
外相	がいしょう	Minister of Foreign Affairs
＊蔵相	ぞうしょう	Minister of Finance
～相(文相)	～しょう(ぶんしょう)	Minister of (Minister of Education)
世相	せそう	social conditions
真相	しんそう	the truth

くんよみ

相手	あいて	a companion, partner; opponent
相撲	すもう	sumo

163. 開 〈開戦〉

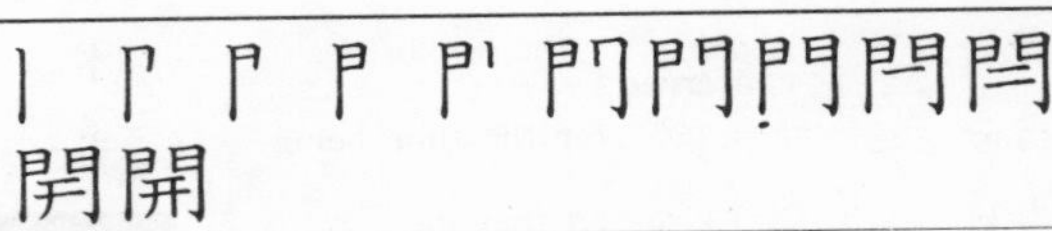

おんよみ

開戦(する)	かいせん	starting a war
＊開発(する)	かいはつ	development; exploitation
開始(する)	かいし	inauguration; start
＊開催する	かいさいする	hold a meeting
開会する	かいかいする	open a meeting
開拓(する)	かいたく	opening up of a land; exploitation
開店する	かいてんする	open a store
＊開設する	かいせつする	establish
＊展開(する)	てんかい	development
再開(する)	さいかい	reopening
＊打開する	だかいする	break (a deadlock)

くんよみ

＊店を開く	みせをひらく	open a store
戸が開く	とがあく	the door opens
戸を開ける	とをあける	open the door

164. 戦 〈開戦〉

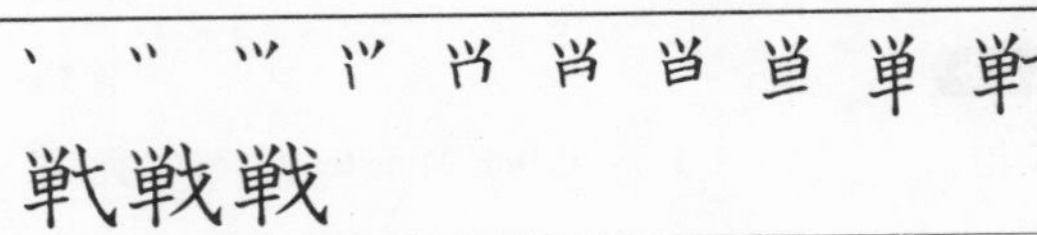

おんよみ

戦争	せんそう	war
戦後	せんご	postwar
戦闘	せんとう	battle; a fight
＊戦線	せんせん	a battle line; a battlefront
戦術	せんじゅつ	tactics
戦場	せんじょう	battlefield
戦略	せんりゃく	strategy
開戦(する)	かいせん	starting a war
作戦	さくせん	tactics; maneuvers
大戦	たいせん	a great war
＊終戦	しゅうせん	the end of a war
敗戦	はいせん	defeat in a war; a lost war
リーグ戦	…せん	a league game

＊挑戦する　ちょうせんする　challenge

くんよみ

戦い　たたかい　a battle; a war

戦う　たたかう　to fight

165. 反〈反対〉 一 厂 万 反

おんよみ

＊反対(する)　はんたい　opposition

反応(する)　はんのう　reaction

反発する　はんぱつする　repel; repulse

反動　はんどう　reaction

反響　はんきょう　response; reverberation

反撃(する)　はんげき　a counterattack

反乱(する)　はんらん　rebellion

＊反論(する)　はんろん　objection

違反(する)　いはん　violation; infringement

166. 対〈反対〉 ' 亠 ナ 文 文 対 対

おんよみ

＊対策　たいさく　a countermeasure

＊対象　たいしょう　object; target

対立(する)　たいりつ　opposition

＊対処(する)　たいしょ　disposal; disposition

対戦する　たいせんする　oppose the enemy; compete with

対抗する　たいこうする　oppose; antagonize

対照(する)　たいしょう　contrast

＊対談(する)　たいだん　a conversation; a talk

対話　たいわ　a dialogue

＊絶対　ぜったい　absolute

＊反対(する)　はんたい　opposition

＊～に対し(て)　～にたいし(て)　against; to

一対　いっつい　a pair; a couple

167. 男〈男性〉 丨 口 口 田 田 男 男

おんよみ

＊男性　だんせい　a man; male

＊男子　だんし　a man; male

＊男女　だんじょ　man and woman

＊長男　ちょうなん　the eldest son

くんよみ

＊男　おとこ　a man; male

168. 性〈男性〉 ' ハ 忄 忄 忄 性 性 性

おんよみ

性　せい　sex ; nature

＊性格　せいかく　character ; nature

＊性能　せいのう　efficiency

＊性質　せいしつ　nature ; disposition

＊性別　せいべつ　sex ; distinction between male and female

＊個性　こせい　individual character

＊男性　だんせい　a man

＊～性（芸術性）　～せい（げいじゅつせい）　～nature (artistic value)

169. 女 〈女性〉 く 女 女

おんよみ

＊女性　じょせい　a woman ; female

＊女子　じょし　a woman ; female

女優　じょゆう　an actress

女王　じょおう　a queen

女史　じょし　Mrs., Miss ; a woman of social standing

少女　しょうじょ　a girl

老女　ろうじょ　an old woman

女高生　じょこうせい　a female high school student

女房　にょうぼう　wife

くんよみ

女　おんな　a woman

170. 同 〈同じ〉 丨 冂 冂 冋 同 同

おんよみ

＊同日　どうじつ　the same day

同時　どうじ　the same time

同夜　どうや　the same night

同社　どうしゃ　the same company

同点　どうてん　the same score ; a tie

同氏　どうし　the same person ; the person mentioned above

同士　どうし　a fellow

＊(女)同士　(おんな)どうし　(women) with (women) ; (women) alone

同年　どうねん　the same year ; the same age

同省　どうしょう　the same Ministry

＊同情(する)　どうじょう　sympathy

同盟　どうめい　a league ; an alliance

＊同～(同市)　どう～(どうし)　the same～ (the same city)

同様　どうよう　similar

＊同僚　どうりょう　one's colleague

共同　きょうどう　cooperation ; collaboration ; common

＊欧州共同体　おうしゅうきょうどうたい　the European Community

くんよみ

同じ　おなじ　the same

171. 権 〈権利〉 一 十 才 木 木 杧 杧 柠 柠 栫 栫 榨 権 権 権

おんよみ

権利	けんり	a right ; a privilege
＊権限	けんげん	power ; authority
権威	けんい	authority
権力	けんりょく	power ; authority
＊政権	せいけん	political power
有権者	ゆうけんしゃ	a qualified person ; a voter
債権	さいけん	credit ; claim
人権	じんけん	human rights
棄権(する)	きけん	the waiving of one's rights ; abstention from voting
スト権	…けん	the right to strike

172. 利 〈権利〉 ノ 二 千 千 禾 利 利

おんよみ

利益	りえき	profit
＊利用(する)	りよう	use ; utilization
利子	りし	interest (on a loan)
利息	りそく	interest (on a loan)
権利	けんり	a right ; a privilege
＊便利(な)	べんり	convenient
勝利	しょうり	victory
有利(な)	ゆうり	advantageous
不利(な)	ふり	disadvantageous

くんよみ

利く	きく	be effective

173. 義 〈義務〉 丶 丷 䒑 䒑 羊 兰 美 羌 差 義 義 義 義

おんよみ

義務	ぎむ	duty ; obligation
義理	ぎり	obligation
主義	しゅぎ	a cause ; an ism
＊意義	いぎ	significance
正義	せいぎ	justice
＊講義(する)	こうぎ	a lecture
定義(する)	ていぎ	definition

174. 持 〈持つ〉 一 十 扌 扌 扌 扌 抖 持 持

おんよみ

＊支持(する)	しじ	support
維持(する)	いじ	maintenance

くんよみ

＊持つ	もつ	have ; hold
＊持ち家	もちいえ	one's own house

175. 作 〈作文〉 ノ イ イ' 作 作 作 作

おんよみ

＊作品　さくひん　a work (of art); a production

作文　さくぶん　a composition

作戦　さくせん　tactics; maneuvers

作曲(する)　さっきょく　composition (of a song)

作家　さっか　a writer; a novelist

＊作業(する)　さぎょう　work; operation

作用(する)　さよう　function

製作(する)　せいさく　manufacture

＊制作(する)　せいさく　a work; production

＊原作　げんさく　the original (work)

工作(する)　こうさく　construction; handicraft; maneuvering

新作　しんさく　a new production

力作　りきさく　a painstaking work

創作(する)　そうさく　a creation

くんよみ

＊作る　つくる　make; build; produce

176. 文 〈作文〉 丶 亠 ナ 文

おんよみ

文　ぶん　a sentence; writings

＊文化　ぶんか　culture

文学　ぶんがく　literature

文芸　ぶんげい　literary works

文明　ぶんめい　civilization

＊文明病　ぶんめいびょう　diseases incidental to civilization

文章　ぶんしょう　sentences; writings

文献　ぶんけん　literature; documentary records

文庫本　ぶんこぼん　a paperback edition

＊文字　もじ　a letter; a character

＊文部省　もんぶしょう　the Ministry of Education

＊論文　ろんぶん　an essay; a thesis; expository writing

例文　れいぶん　an example sentence

重文(重要文化財)　じゅうぶん(じゅうようぶんかざい)　an important cultural asset

注文(する)　ちゅうもん　order; request

くんよみ

恋文　こいぶみ　a love letter

地名・人名等

文京区　ぶんきょうく

177. 初 〈最初〉 丶 ラ ネ ネ ネ 初 初

おんよみ

＊初期　しょき　early times; the first stage

＊初級　しょきゅう　beginning

初歩　しょほ　beginning; the first step

当初　とうしょ　at the beginning

最初(の)　さいしょ　the first

くんよみ

初恋　はつこい　one's first love

初め　はじめ　the beginning

初～(初雪)　はつ～(はつゆき)　first ～ (the first snow)

---

178. 部 〈部分〉

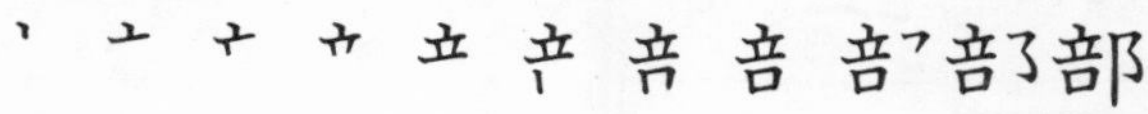

おんよみ

＊部分　ぶぶん　a part; a portion

＊部落　ぶらく　a subdivision of a village

部隊　ぶたい　a unit; a corps

部長　ぶちょう　head of a section or department

部下　ぶか　subordinates; men in one's charge

＊一部　いちぶ　a (small) part

全部　ぜんぶ　all

＊本部　ほんぶ　headquarters

幹部　かんぶ　leaders

支部　しぶ　a branch office

学部　がくぶ　a department of a college

＊内部　ないぶ　the inside

～部(文学部)　～ぶ(ぶんがくぶ)　department (department of literature)

部屋　へや　a room

---

179. 特 〈特に〉

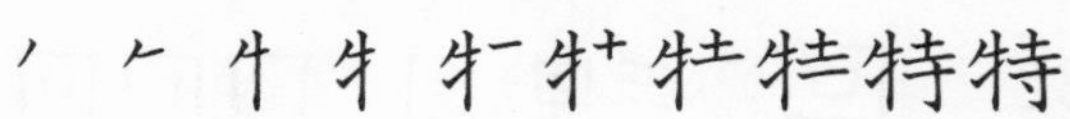

おんよみ

＊特に　とくに　especially

＊特別(の)　とくべつ　special

＊特色　とくしょく　a specific feature

＊特徴　とくちょう　a distinguishing characteristic

特選　とくせん　specially approved; the choice

特殊(な)　とくしゅ　particular; peculiar

特許　とっきょ　a patent

＊特定(の)　とくてい　special

＊特派員　とくはいん　a special correspondent

---

180. 野 〈野球チーム〉

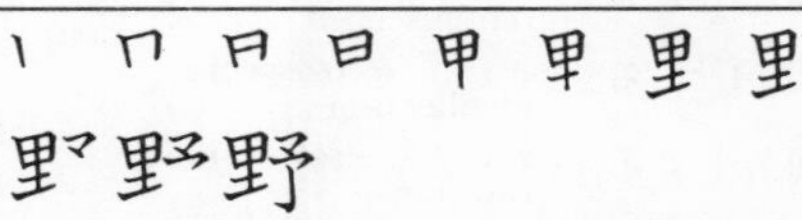

おんよみ

野球　やきゅう　baseball

野外　やがい　in the field; outdoor

野菜　やさい　vegetable

＊野党　やとう　opposition party

平野　へいや　a plain

＊林野　りんや　forests and fields

くんよみ

野原　のはら　an open field

地名・人名等

＊野村　のむら　河野　こうの；かわの

野田　のだ　佐野　さの

中野　なかの　松野　まつの

---

181. 三 〈三回〉 

おんよみ

＊三　さん　three

三権分立　さんけんぶんりつ　the division of powers (executive, legislative, judicial)

三塁　さんるい　third base

三振　さんしん　three strikes

三月　さんがつ　March

第三者　だいさんしゃ　a third person

二、三日　にさんにち　two or three days

くんよみ

三つ　みっつ　three (things)

三日　みっか　the third day; three days

三月　みつき　three months

地名・人名等

三浦　みうら　三井　みつい

三田　みた　三鷹　みたか

三好　みよし

＊三菱　みつびし　(company name)

＊三越　みつこし　(store name)

---

182. 回 〈三回〉 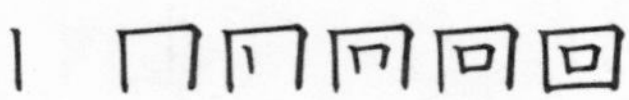

おんよみ

＊～回（三回）　～かい（さんかい）　~times (three times)

＊回答　かいとう　an answer

＊回収（する）　かいしゅう　collection; withdrawal

回数　かいすう　the number of times; frequency

＊回想（する）　かいそう　recollection; reminiscence

回顧（する）　かいこ　retrospect; recollection

回転（する）　かいてん　revolution; rotation

＊今回　こんかい　this time

＊前回　ぜんかい　last time

次回　じかい　next time

毎回　まいかい　every time

くんよみ

回す　まわす　turn; send round

回る　まわる　turn round; go round

＊上回る　うわまわる　surpass

---

183. 連 〈連続〉 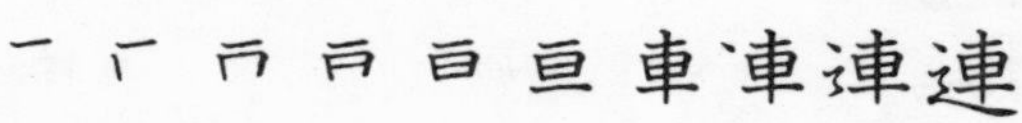

おんよみ

連続する　れんぞくする　continue

＊連絡(する)　れんらく　contact

連合(する)　れんごう　a union ; a league

＊連日　れんじつ　day after day

連勝　れんしょう　successive victories

連邦　れんぽう　a federation

連盟　れんめい　a league ; a confederation

連載(する)　れんさい　publish serially (in a magazine)

＊一連の　いちれんの　a series of

＊国連　こくれん　the United Nations

くんよみ

連れる　つれる　take someone with one

＊〜連れ(家族連れ)　〜づれ(かぞくづれ)　with〜(with one's family members)

道連れ　みちづれ　a companion ; someone to travel with

連らねる　つらねる　link ; put in a row

連らなる　つらなる　range ; lie in a row

地名・人名等

ソ連　…れん　(Soviet Union)

184. 続 〈連続〉

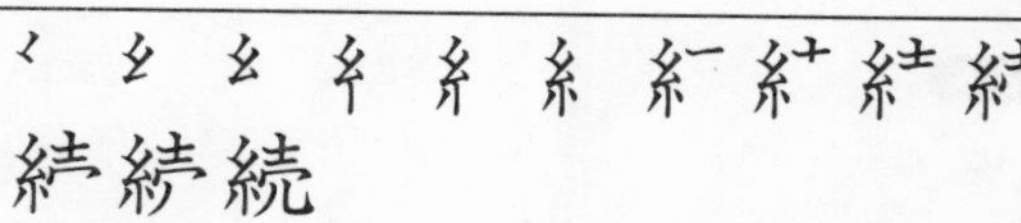

おんよみ

＊続行する　ぞっこうする　continue

継続(する)　けいぞく　continuation

連続する　れんぞくする　continue

持続する　じぞくする　last; endure ; sustain

相続(する)　そうぞく　inherit

くんよみ

＊続く　つづく　continue ; last

手続き　てつづき　procedure ; formalities

＊続ける　つづける　continue ; keep up

185. 区 〈区〉

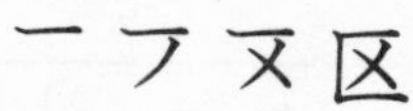

おんよみ

＊区　く　a ward ; a section

区画　くかく　a division ; a section

区民　くみん　inhabitants in a ward

区立　くりつ　run by a ward

区別(する)　くべつ　distinction

＊区域　くいき　an area ; a district

＊地区　ちく　an area ; a region

＊〜区(新宿区)　〜く(しんじゅくく)　〜ward (Shinjuku Ward)

186. 表 〈代表〉

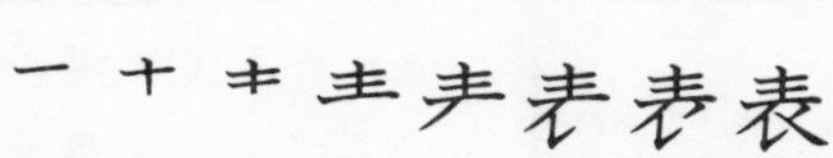

おんよみ

	表	ひょう table; diagram
*	表明する	ひょうめいする express; demonstrate
*	表現する	ひょうげんする express; present; manifest
	表情	ひょうじょう facial expression
	表彰(する)	ひょうしょう commendation; awarding
*	表示(する)	ひょうじ indication; expression
*	表面	ひょうめん the surface
*	代表(する)	だいひょう representative
	公表(する)	こうひょう public notice
	辞表	じひょう a letter of resignation
	～表(時間表)	～ひょう(じかんひょう) table (a timetable)

くんよみ

	表す	あらわす express; manifest
	表れる	あらわれる come out; show itself
*	表	おもて the front

187. 工 〈工場内〉

おんよみ

	工場	こうじょう a factory
	工業	こうぎょう industry
	工事	こうじ construction
	工作(する)	こうさく construction; handicraft
	工学	こうがく engineering
*	工芸	こうげい handicraft
	工員	こういん a factory worker
	商工業	しょうこうぎょう commerce and industry
	加工(する)	かこう processing
	人工(の)	じんこう artificial; man-made
	着工(する)	ちゃっこう starting construction work
	工夫(する)	くふう device
	大工	だいく carpenter
	工合	ぐあい condition; manner

地名・人名等

	工藤	くどう

188. 場 〈工場内〉

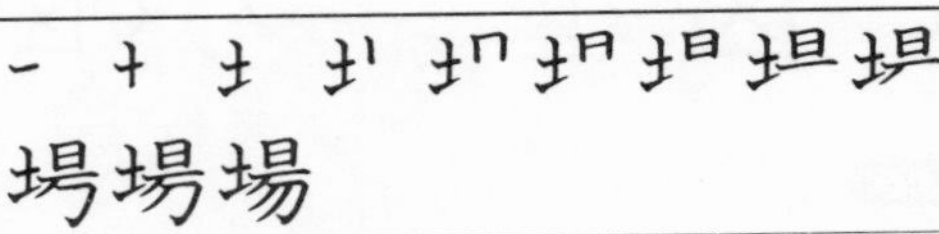

おんよみ

	工場	こうじょう a factory
	市場	しじょう a market
	劇場	げきじょう a theater
	会場	かいじょう a meeting place
*	登場する	とうじょうする appear (on the stage)
	出場(する)	しゅつじょう appearance; participation
*	球場	きゅうじょう a ballpark; a stadium
	ゴルフ場	…じょう a golf course; golf links
	スキー場	…じょう a skiing ground
*	入場(する)	にゅうじょう entrance; admission

くんよみ

*	場合	ばあい a case; a situation
*	場所	ばしょ a place

＊場面	ばめん a situation; an occasion	＊相場	そうば the market price; a quotation
現場	げんば the actual spot	市場	いちば a market
＊職場	しょくば one's place of work	**地名・人名等**	
役場	やくば a public office	馬場	ばば
＊売り場	うりば a counter (in a store)		

---

189. 内 〈工場内〉 丨 冂 内 内

おんよみ

＊内容	ないよう contents
＊内部	ないぶ the inside
＊内閣	ないかく Cabinet
＊内政	ないせい an internal affair
内外	ないがい inside and outside; domestic and foreign
内科	ないか internal medicine
内定(する)	ないてい unofficial decision
国内	こくない in the country; domestic
党内	とうない in the party
社内	しゃない in the company
市内	しない in the city
＊案内する	あんないする show around; guide
＊～内(ビル内)	～ない(…ない) in ～ (in the building)
以内	いない within

くんよみ

内側	うちがわ the inside
＊内訳	うちわけ the items; specifications

地名・人名等

内藤 ないとう　山内 やまうち；やまのうち
内田 うちだ　竹内 たけうち

---

190. 安 〈安全〉 ' ' 宀 ㄆ 安 安

おんよみ

安全(な)	あんぜん safety; security; safe
＊安定(する)	あんてい be stable
安打	あんだ a hit (baseball)
安保	あんぽ Security Pact (日米安全保障条約 Japan-U.S. Security Treaty)
安心する	あんしんする feel at ease
＊安易(な)	あんい easy; easy-going
＊不安(な)	ふあん uneasiness; uneasy
保安	ほあん maintenance of public safety
職安	しょくあん the Public Employment Security Office (職業安定所)

くんよみ

安い	やすい inexpensive

地名・人名等

安藤 あんどう　安井 やすい
安田 やすだ

191. 全〈安全〉ノ 入 亼 仐 仝 全

おんよみ

* 全体　ぜんたい　the whole

全部　ぜんぶ　all

* 全国　ぜんこく　the whole country; nation-wide

全員　ぜんいん　all the members

全集　ぜんしゅう　the complete works (of Dickens, etc.)

全般　ぜんぱん　overall; the whole

* 全身　ぜんしん　all over the body; the whole body

* 全然　ぜんぜん　(not) at all

* 全面　ぜんめん　the whole surface; overall

* 全焼する　ぜんしょうする　be completely burnt down

* 全～(全病院)　ぜん～(ぜんびょういん)　entire～(all the hospitals)

安全(な)　あんぜん　safety; security; safe

* 完全(な)　かんぜん　complete

健全(な)　けんぜん　healthy

くんよみ

全く　まったく　completely; really; indeed

192. 第〈第一〉ノ ⺊ ⺮ 竹 竺 笃 笃 第 第

おんよみ

* 第～(第一)　だい～(だいいち)　(the first)

* 次第に　しだいに　gradually

落第する　らくだいする　fail an examination

193. 考〈考える〉一 十 土 耂 耂 考

おんよみ

考慮(する)　こうりょ　consideration; careful thought

* 考古学　こうこがく　archaeology

* 参考　さんこう　reference

選考(する)　せんこう　selection; screening

くんよみ

* 考える　かんがえる　think

考え直す　かんがえなおす　think better of; reconsider

194. 世〈世界平和〉一 十 廿 廿 世

おんよみ

* 世界　せかい　the world; a world

* 世論　せろん；よろん　public opinion

世代　せだい　a generation

世間　せけん　society; the world

* 世帯　せたい　a household

世話(する)　せわ　care; assistance

＊世紀　せいき　a century

＊近世　きんせい　modern times

～世(ナポレオン三世)　～せい(…さんせい) (Napoleon the third)

くんよみ

世の中　よのなか　the world; society

＊世慣れた　よなれた　worldly-wise; tactful; experienced

＊浮世絵　うきよえ　*ukiyo-e*

---

195. 界 〈世界平和〉 丨 口 田 田 田 甲 界 界 界

おんよみ

＊世界　せかい　the world; a world

＊業界　ぎょうかい　the business world

＊財界　ざいかい　the financial world

芸能界　げいのうかい　the entertainment world

＊限界　げんかい　limit

～界(いけばな界)　～かい(いけばなかい)　～world (the flower-arrangement world)

---

196. 平 〈世界平和〉 一 ㇐ 冖 丷 平

おんよみ

平和(な)　へいわ　peace; peaceful

＊平均　へいきん　average

＊平常　へいじょう　usual; ordinary

平方　へいほう　the square of; square (mile)

＊平日　へいじつ　a weekday

平凡(な)　へいぼん　commonplace

平等(な)　びょうどう　equality; equal

公平(な)　こうへい　fair

和平　わへい　peace

くんよみ

平ら(な)　たいら　even; flat

平泳ぎ　ひらおよぎ　the breast stroke

地名・人名等

大平　おおひら

太平洋　たいへいよう　(the Pacific Ocean)

---

197. 和 〈世界平和〉 ノ 二 千 禾 禾 禾 和 和

おんよみ

和平　わへい　peace

＊和風　わふう　Japanese-style

＊和室　わしつ　a Japanese-style room

＊和服　わふく　Japanese-style clothing; *kimono*

和菓子　わがし　a Japanese-style cake or candy

調和(する)　ちょうわ　harmony

講和　こうわ　peace

昭和　しょうわ　Showa (name of an era, 1926～)

共和国　きょうわこく　a republic

くんよみ

和らげる　やわらげる　moderate; soften

地名・人名等

和田　わだ

和歌山県　わかやまけん　(See p. 120)

198. 各〈各国〉ノクタ夂各各

おんよみ

＊各国　かっこく　each country; various countries

＊各地　かくち　each place; various places

＊各種　かくしゅ　various kinds

＊各省　かくしょう　each Ministry

各党　かくとう　each party

＊各～(各駅)　かく～(かくえき)　each ～ (each station)

くんよみ

各々　おのおの　each; respectively

199. 協〈協力〉一十忄忄忄忄協協

おんよみ

＊協力(する)　きょうりょく　cooperation

＊協定　きょうてい　agreement

協会　きょうかい　a society; an association

＊協議(する)　きょうぎ　conference

協同　きょうどう　cooperation; collaboration

＊妥協(する)　だきょう　a compromise

200. 力〈協力〉フカ

おんよみ

力量　りきりょう　capacity; ability

力説する　りきせつする　emphasize

力む　りきむ　strain oneself

＊協力(する)　きょうりょく　cooperation

＊努力(する)　どりょく　effort

＊勢力　せいりょく　influence; power

暴力　ぼうりょく　violence

＊有力(な)　ゆうりょく　influential; powerful

魅力　みりょく　charm

＊能力　のうりょく　ability

体力　たいりょく　physical strength

＊適応力　てきおうりょく　flexibility; ability to adjust oneself to

全力を傾ける　ぜんりょくをかたむける　exert all one's power

くんよみ

＊力　ちから　power ; strength

＊力を入れる　ちからをいれる　emphasize

201. 必 〈必要〉 丶 ソ 义 必 必

おんよみ

＊必要(な)　ひつよう　necessity ; necessary

必然(の)　ひつぜん　inevitable

＊必死(の)　ひっし　desperate

必至　ひっし　inevitable

くんよみ

＊必ず　かならず　certainly ; by all means

202. 体 〈体〉 ノ イ 仁 什 付 休 体

おんよみ

＊体制　たいせい　establishment ; system ; organization

体育　たいいく　physical education

体力　たいりょく　physical strength

体重　たいじゅう　weight

＊体質　たいしつ　constitution

体温　たいおん　body temperature

体操(する)　たいそう　physical exercise

体裁　ていさい　appearance ; respectability

＊団体　だんたい　a group ; a body

＊具体的(な)　ぐたいてき　concrete ; definite

主体　しゅたい　the subject

＊遺体　いたい　dead body ; corpse

＊死体　したい　dead body ; corpse

＊身体　しんたい　the body

肢体　したい　the limbs

肢体不自由者　したいふじゆうしゃ　the handicapped

くんよみ

体　からだ　body ; health

203. 強 〈強い〉 ㇇ コ 弓 弘 弘 弥 弦 弶 強 強 強

おんよみ

強化する　きょうかする　strengthen

＊強調する　きょうちょうする　emphasize

強制する　きょうせいする　force ; compel

強力(な)　きょうりょく　powerful

強硬(な)　きょうこう　strong ; unyielding

強風　きょうふう　strong wind

強震　きょうしん　strong earthquake

＊強盗　ごうとう　armed rubber ; robbery

＊勉強(する)　べんきょう　studying

増強(する)　ぞうきょう　reinforcement; increase

＊補強(する)　ほきょう　reinforcement

＊富国強兵　ふこくきょうへい　enrich and strengthen the country; a rich country and a strong army

くんよみ

＊強い　つよい　strong

強いる　しいる　force; compel

204. 屋 〈屋外〉

おんよみ

屋上　おくじょう　on the roof; rooftop

屋外　おくがい　outdoor

くんよみ

＊屋根　やね　roof

部屋　へや　a room

小屋　こや　a hut

～屋(酒屋)　～や(さかや)　~store (a liquor store)

地名・人名等

＊名古屋　なごや　(See p. 120)

松坂屋　まつざかや　(store name)

205. 外 〈屋外〉

おんよみ

外国　がいこく　a foreign country

外国人　がいこくじん　a foreigner

外務省　がいむしょう　Ministry of Foreign Affairs

＊外交　がいこう　diplomacy

外貨　がいか　foreign money

＊外部　がいぶ　the outside

＊外遊　がいゆう　going abroad

＊外科　げか　a surgery; the surgical section

以外　いがい　other than

＊意外(な)　いがい　unexpected; surprising

＊案外　あんがい　contrary to expectation

海外　かいがい　overseas

屋外　おくがい　outdoor

内外　ないがい　inside and outside; domestic and foreign

＊郊外　こうがい　the suburbs

＊例外　れいがい　exception

野外　やがい　in the field; in the open air

くんよみ

＊外　そと　outside; out

外の人　ほかのひと　other people; someone else

206. 運 〈運動〉

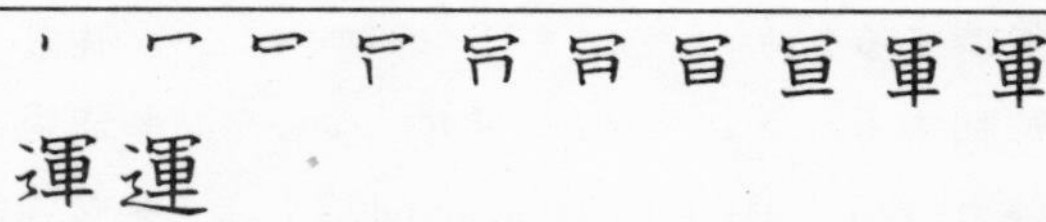

おんよみ

＊運転(する)　うんてん　driving

運動(する)　うんどう　exercise

運輸　うんゆ　transportation

運輸省　うんゆしょう　Ministry of Transport

＊運用する　うんようする　use; make use of; apply

＊運営(する)　うんえい　management

＊運航(する)　うんこう　operation; service

＊運賃　うんちん　freight charges; passenger fares

運送　うんそう　transportation

運がいい　うんがいい　be lucky; be fortunate

幸運　こううん　good luck

不運　ふうん　ill luck

くんよみ

運ぶ　はこぶ　carry

C. 基本構文力テスト (Test in Basic Grammar)

{　　　} 内のa. b. c. の中から正しいものをひとつ選びなさい。
解答は90ページにあります。

Choose the correct word or phrase. The answers are on page 90.

1. 来年大学 {a. に / b. から / c. を} 卒業する予定だが、そのあとどんな仕事を {a. する / b. するか / c. して} はまだ決まっていない。

2. 左の建物は裁判所 {a. で / b. では / c. です}、右は図書館である。

3. 小林氏がきのうの会議に欠席したのは {a. 病気 / b. 病気の / c. 病気のため} である。

4. だれか、この仕事 {a. に / b. を / c. が} 手伝ってくれる人 {a. が / b. に / c. を} さがしている。

5. あまり費用を {a. かけずに / b. かからずに / c. かからないで} 実行できる方法を考える必要 {a. である。 / b. がある。 / c. ある。}

6. そんな事実はない {a. でしょう / b. だろう / c. だ} とは思うが、とにかく一度調査してみよう。

7．その相談(そうだん)は今すぐでなくて、田中課長(かちょう)が { a. 来(き)たから / b. 来(く)るから / c. 来(き)てから } にしてもらいたい。

8．どちら { a. は / b. が / c. を } 重要か、全員(ぜんいん)でよく討議(とうぎ)しよう。

9．急(いそ)いで { a. 行っても / b. 行かないと / c. 行けば } 間(ま)に合(あ)うだろう。

10．経験(けいけん)のために { a. 何(なに)を / b. 何(なん)で / c. 何(なん)でも } やってみたほうがいいと言われたが、この仕事だけはする気(き) { a. がなる。 / b. になる。 / c. になれない。 }

11．この記事(きじ)は高校生(こうこうせい)には { a. むずかしすぎ / b. むずかしすぎる / c. あまりむずかしい } と思う。

12．いくら高(たか)くても必要なものは買(か)わない { a. わけだ。 / b. わけじゃない。 / c. わけにはいかない。 }

13．勉強(べんきょう)するために来たのであって、遊(あそ)びに { a. 来た。 / b. 来たのではない。 / c. 来たのである。 }

14．どろぼうに { a. 金(かね)がとられたら / b. 金をとられたら / c. 金をとったら } すぐ警察(けいさつ)に知(し)らせたほうがいい。

15．手術と { a. いっても / b. いっては / c. いって } 簡単(かんたん)なものだから、入院しなくてもよいそうだ。

16．時間(じかん)が { a. ないで / b. なくて / c. なかって } 十分準備(じゅうぶんじゅんび)ができなかったのが残念(ざんねん)だ。

17. 物価(ぶっか)が高(たか)くなって、月給(げっきゅう)だけ {a. では / b. が / c. に} 生活できないというサラリーマンが多(おお)くなった。

18. 来年の三月(さんがつ)まで東京 {a. に / b. で / c. を} いて、その間(あいだ)に論文(ろんぶん)の資料を {a. 集めよう / b. 集まろう / c. 集まる} と思っている。

19. 仕事(しごと)のじゃまを {a. すれば / b. しては / c. しなければ} いけないと思って、話(はな)しかけなかった。

20. 体の調子(ちょうし)がよくないので、むりな仕事はことわる {a. こと / b. ため / c. わけ} にしている。

21. 不満(ふまん)がある {a. から / b. のに / c. ので} だまっているのは、感心できない。

22. わたしひとりでもやろうと思えば {a. やれないことだ。 / b. やれないことはない。 / c. やれない。}

23. 川上教授(かわかみきょうじゅ)はこのごろ心配(しんぱい) {a. そうな / b. そう / c. の} 顔(かお)をしている。

24. 今週(こんしゅう)じゅうに {a. 作(つく)る / b. 作れ / c. 作るな} と社長に言われたが、ほかの仕事もあって、{a. 間に合いそうだ。 / b. 間(ま)に合(あ)いそうもない。 / c. 間に合うそうもない。} もう少し期限(きげん)をのばしてくれる {a. わけ / b. こと / c. よう} に頼(たの)んでみよう。

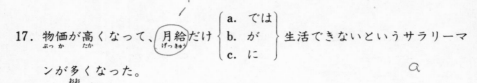

25. 最近多くの企業が体の不自由な人をやとう {a. よう / b. ようになった / c. になった} のは、よい傾向だ。

26. A：ところで、もうそろそろ {a. 時間が / b. 時間じゃ / c. 時間に} ありませんか。

B：そうですね。じゃ、そろそろ始めましょうか。

27. こういう悪い習慣はやめたほうがいい {a. のではないか / b. のではない / c. ではない} と思う。

28. 毎日忙しくて、なかなか手紙 {a. が書けない。 / b. を書いた。 / c. を書く。} 家族は心配しているだろう。電話でもかけて安心 {a. されて / b. して / c. させて} やらなければならない。

29. 練習を始めてからまだ一か月 {a. になる / b. にしかならない / c. にもなる} のだから、上手にできないのは当然だ。

30. これはわたしに {a. とって / b. よって / c. よると} 大切なものだから、人に売ったり貸したり {a. したがらない。 / b. したい。 / c. したくない。}

31. 仕事で夜おそくなって電車がなくなってしまった。 {a. それで / b. それに / c. それは} タクシーで家に帰った。

Cの解答

1. c, b	2. a	3. c	4. b, c	5. a, b
6. b	7. c	8. b	9. c	10. c, c
11. b	12. c	13. b	14. b	15. a
16. b	17. a	18. a, a	19. b	20. a
21. b	22. b	23. a	24. b, b, c	25. b
26. b	27. a	28. a, c	29. b	30. a, c
31. a				

D．構文練習 (Structure Practice)

例にならって文を作りなさい。

Make sentences as in the examples.

I．Particles and Verbs

(1) …に＋verb

例：どこに住む → まずどこに住むか、決定しなければならない。

(where to live → First we have to decide where to live.)

1．どこに集まる (where to get together) → まずどこに集まるか，決定し…
2．どこに入る (where to enter) →
3．どこに捨てる (where to throw it away) →
4．どこに置く (where to place it) →
5．だれに会う (whom to meet) →
6．だれに連絡する (whom to get in contact with) → まずだれに連絡するか，決定し…
7．だれに電話する (whom to call) →
8．だれに頼る (whom to depend on) →
9．何に重点を置く (what to put emphasis on) → 何に重点を置くか
10．何に焦点を合わせる (what to focus on) → 何に焦点を合わせるか

(2) …を＋verb

例：考える → 何か考えているようだが、何を考えているのかわからない。

(to think → He seems to be thinking about something, but I don't know what he is thinking about.)

1．たずねる (to inquire) → 何かたずねているようだが，何をたずねているのかわからない。

2. 手伝う(てつだ)　(to help)→

3. 待つ(ま)　(to wait)→

4. 心配する(しんぱい)　(to worry)→

5. 喜ぶ(よろこ)　(to be happy)→

6. 怒る(おこ)　(to be angry)→

7. 悲しむ(かな)　(to be sad)→

8. 悩む(なや)　(to suffer)→何か悩んでいるようだが、何を悩んでいるのか分からない

9. ほしがる　(to want to have)→

10. 知りたがる(し)　(to want to know)→

(3)　…を＋verb

例：通る(とお)→どこを通ったか、知らせてください。

(to pass→Please let me know where you passed.)

1. 歩く(ある)　(to walk)→

2. 出る　(to leave)→

3. 走る(はし)　(to run)→

4. 飛ぶ(と)　(to fly)→

5. 回る(まわ)　(to go around)→

6. 散歩する(さんぽ)　(to take a walk)→

7. さがす　(to search)→

8. 渡る(わた)　(to cross)→

9. 過ぎる(す)　(to pass by)→

10. 卒業する(そつぎょう)　(to graduate from)→

(4)　…に…を＋verb

例：教える → だれにこれを教えるか、まだ決(き)まっていない。

(to teach → I haven't decided yet who(m) I'm going to teach this to.)

1. 頼(たの)む　(to ask to do) →
2. きく　(to inquire) →
3. 言う　(to tell) →
4. 見(み)せる　(to show) →
5. 伝(つた)える　(to communicate) →
6. 渡(わた)す　(to hand) →
7. 送る　(to send) →
8. 貸(か)す　(to lend) →
9. させる　(to make someone do) →
10. やらせる　(to make someone do) →
11. やってもらう　(to ask someone to do) →
12. あずける　(to entrust with) →

(5)　…が＋verb vs. …を＋verb

例：電燈(でんとう)がつく、つける → 電燈がついている。だれがつけたのだろう。

(the electric light is on, to turn on → The electric light is on. I wonder who turned it on.)

1. 戸(と)がしまる、しめる　(the door is closed, to close) →
2. 電燈が消(き)える、消(け)す　(the electric light is off, to turn off) →
3. 水(みず)がこぼれる、こぼす　(some water is spilled, to spill) →
4. 部屋(へや)がかたづく、かたづける　(the room is straightened up, to straighten up) →
5. 荷物(にもつ)が入(はい)る、入(い)れる　(the luggage is taken in, to take in) →

6. 書類(しょるい)が出る、出(だ)す (the papers are taken out, to take out)→
7. 金(かね)が集まる、集める (some money has been collected, to collect)→
8. 新聞が届(とど)く、届ける (newspapers have been delivered, to deliver)→
9. 針(はり)が落(お)ちる、落とす (a needle has been dropped, to drop)→
10. かぎがかかる、かける (it's locked, to lock)→
11. いすが並(なら)ぶ、並べる (the chairs are lined up, to line up)→
12. 標識(ひょうしき)が立(た)つ、立てる (a sign is standing, to stand up)→

(6) …させる (cause…to…)

例：教育が普及(ふきゅう)する→教育を普及させようと努力(どりょく)した人々(ひとびと)のおかげで、教育は現在かなり普及している。

(education is spread→Thanks to the effort of the people who worked to spread education, education is quite well-spread now.)

1. 技術(ぎじゅつ)が進歩(しんぽ)する (techniques make progress)→
2. 学問(がくもん)が発展(はってん)する (learning develops)→
3. 利用者(りようしゃ)が増加する (users increase)→
4. 幼児(ようじ)の死亡率(しぼうりつ)が低下(ていか)する (infant mortality declines)→
5. 生活水準(すいじゅん)が向上(こうじょう)する (the standard of living is raised)→
6. 手続(てつづ)きが簡略化(かんりゃくか)する (procedures are simplified)→

(7) うけみ (passive)

例：金(かね)をぬすまれる→金をぬすまれたりしては困(こま)るから、ぬすまれないように気(き)をつけている。

(to have my money stolen→It won't do to have my money stolen, so I'm being careful not to have it stolen.)

1. 金(かね)を取(と)られる (to have my money taken)→
2. 財布(さいふ)をすられる (to have my pocket picked)→
3. 家を焼(や)かれる (to have my house burnt down)→
4. 足(あし)をふまれる (to have my foot stepped on)→
5. 機械(きかい)をこわされる (to have my machine damaged)→
6. 窓(まど)ガラスを割(わ)られる (to have the window glass broken)→
7. 洋服(ようふく)をよごされる (to have my clothes dirtied)→
8. かぜをうつされる (to catch a cold)→
9. 子供(ども)を誘(ゆう)かいされる (to have my children kidnapped)→
10. 家の中をのぞかれる (to have my home peeped into)→

(8) …(れ)ば、…なければ

例：急(いそ)げば間(ま)に合(あ)う → 急げば間に合うが、急がなければ間に合わない。

(you'll be in time if you hurry → If you hurry, you'll be in time, but if you don't, you won't be in time.)

1. 働(はたら)けば生活できる (we can make a living if we work)→
2. 洗(あら)えばきれいになる (it will become nice and clean if you wash it)→
3. 包(つつ)めば持(も)てる (you can carry it if you wrap it up)→
4. 休(やす)めば元気(げんき)が出る (you'll feel better if you rest)→
5. 頼(たの)めばやってくれる (he will do it for you if you ask him to)→
6. 薬(くすり)を飲(の)めば直(なお)る (you'll be cured if you take medicine)→
7. 金を払(はら)えば助(たす)かる (you'll be saved if you pay money)→
8. アルバイトをすれば足(た)りる (it will be sufficient if you work part-time)→
9. 休暇(きゅうか)をとれば旅行(りょこう)に行ける (you can go on a trip if you take some days off)→
10. 早(はや)く申(もう)し込(こ)めば予約(よやく)できる (you can make reservations if you apply early)→

II. Form Nouns

(1) ため

例：病気(びょうき) → 成功(せいこう)しなかったのは病気のためである。

(sickness → It's due to his sickness that he did not succeed in it.)

1. 天候(てんこう) (the weather) →
2. 事故(じこ) (an accident) →
3. 不注意(ふちゅうい) (his carelessness) →
4. 急病(きゅうびょう) (his sudden illness) →
5. 経験不足(けいけんぶそく) (lack of experience) →
6. 準備不足(じゅんびぶそく) (lack of preparation) →
7. 資金不足(しきんぶそく) (lack of funds) →
8. 住民(じゅうみん)の無関心(むかんしん) (the inhabitants' indifference) →

(2) の

例：酒(さけ)を飲(の)む → 酒を飲むのが何よりの楽(たの)しみだという人がかなりいる。

(drinking → Quite a few people find their greatest pleasure in drinking.)

1. テレビを見る (watching TV) →
2. 競馬(けいば)に行く (going to see horse races) →
3. 料理(りょうり)をする (cooking) →
4. 週刊誌(しゅうかんし)を読(よ)む (reading weekly magazines) →
5. 子供(ども)と野球(やきゅう)をする (playing baseball with their children) →
6. 友達(ともだち)と電話でしゃべる (talking with their friends on the telephone) →
7. 人のうわさをする (talking about other people) →
8. 金をためる (saving their money) →

(3) こと

例：延期(えんき)される → 大会(たいかい)は延期されることになった。

(be postponed → It was decided that the convention should be postponed.)

1. 来週(らいしゅう)まで延期される (be postponed till next week) →
2. 十月(じゅうがつ)に開(ひら)かれる (be held in October) →
3. 来月(らいげつ)十日(とおか)に開催(かいさい)される (be held on the 10th of next month) →
4. 東京で開かれる (be held in Tokyo) →
5. 中止(ちゅうし)される (be suspended) →
6. 当分(とうぶん)開かれない (will not be held for the time being) →
7. 三日間(みっかかん)にわたって開かれる (be held for three days) →

(4) よう

例：認識(にんしき)される → この問題の重要性(じゅうようせい)が次第(しだい)に認識されるようになってきた。

(be recognized → The importance of this problem has gradually come to be recognized.)

1. 理解(りかい)される (be understood) →
2. 痛感(つうかん)される (be keenly felt) →
3. 論(ろん)じられる (be discussed) →
4. 叫(さけ)ばれる (be widely proclaimed) →
5. 人々(ひとびと)の注目(ちゅうもく)をひく (attract people's attention) →
6. 一般(いっぱん)の関心(かんしん)を集める (attract general concern) →

(5) わけ

例：高(たか)くても買(か)う → いくら高くても、買わないわけには行かない。

(buy even if it's expensive → No matter how expensive it may be, I have to buy it.)

1. むずかしくても読む(よ) (read even if it's difficult) →
2. 苦(くる)しくてもやる (do even if it's difficult) →
3. はずかしくても言う (say even if it's embarrassing) →
4. 重(おも)くても運(はこ)ぶ (carry even if it's heavy) →
5. 遠(とお)くても配達(はいたつ)する (deliver even if it's far away) →
6. つらくても我慢(がまん)する (put up with even if it's hard to bear) →
7. 使(つか)いにくくても使う (use even if it's hard to use) →
8. 楽(たの)しくてもやめる (stop doing even if it's fun) →

III. Written Patterns

(1) …で…である。

例：病院(びょういん)、図書館(としょかん) → 左(ひだり)は病院で、右(みぎ)は図書館である。

(hospital, library → The left one is a hospital, and the right one is a library.)

1. 区役所(くやくしょ)、税務署(ぜいむしょ) (ward office, tax office) →
2. 警察署(けいさつしょ)、裁判所(さいばんしょ) (police station, courthouse) →
3. 劇場(げきじょう)、美術館(びじゅつかん) (theater, art museum) →
4. 旅館(りょかん)、喫茶店(きっさてん) (inn, coffee house) →
5. 放送局(ほうそうきょく)、出版社(しゅっぱんしゃ) (broadcasting station, publishing company) →
6. 貿易会社(ぼうえきがいしゃ)、保険会社(ほけんがいしゃ) (trading company, insurance company) →
7. デパート、スーパー (department store, supermarket) →
8. 学生寮(がくせいりょう)、食堂(しょくどう) (dormitory, dining hall or restaurant) →

(2) …であって…だとは言えない。

例：不便(ふべん)、便利(べんり)→どちらかというと不便であって、あまり便利だとは言えない。

(convenient, inconvenient→It's rather inconvenient ; we can't say it's very convenient.)

1. 不景気(ふけいき)、好景気(こうけいき) (business is bad, business is good)→
2. 不利(ふり)、有利(ゆうり) (disadvantageous, advantageous)→
3. 不幸(ふこう)、幸福(こうふく) (unhappy, happy)→
4. 不親切(ふしんせつ)、親切(しんせつ) (unkind, kind)→
5. 保守的(ほしゅてき)、進歩的(しんぽてき) (conservative ; progressive)→
6. 消極的(しょうきょくてき)、積極的(せっきょくてき) (negative, positive)→
7. 複雑(ふくざつ)、単純(たんじゅん) (complicated, simple)→
8. 平凡(へいぼん)、独創的(どくそうてき) (commonplace, original)→

(3) …ずに

例：費用(ひよう)をかけない→費用をかけずにやれる方法を見出(みいだ)さなければならない。

(not spending money→We have to find some means to do it without spending (much) money.)

1. 労力(ろうりょく)を使(つか)わない (not using (much) labor)→
2. 人をやとわない (not hiring people)→
3. 借金(しゃっきん)をしない (not getting into debt)→
4. 無理(むり)をしない (not overworking ourselves)→
5. 誤解(ごかい)を招(まね)かない (not being misunderstood)→
6. 損害(そんがい)をこうむらない (not suffering a loss)→

7. 人に迷惑(めいわく)をかけない　(not causing people trouble)→

8. 社員(しゃいん)に不安(ふあん)を抱(いだ)かせない　(not making the company employees feel uneasy)→

(4) …べき

例：困難(こんなん)、すること→いかに困難であろうとも、す(る)べきことはしなければならない。

(difficult, something to be done→No matter how difficult it may be, we must do what should be done.)

1. 危険(きけん)、すること　(dangerous, something to be done)→
2. 面倒(めんどう)、やること　(troublesome, something to be done)→
3. 迷惑(めいわく)、我慢(がまん)すること　.(annoying, something to be put up with)→
4. 退屈(たいくつ)、聞(き)くこと　(boring, something to be listened to)→
5. 高価(こうか)、買(か)うもの　(expensive, something to be bought)→
6. 不満(ふまん)、守(まも)る規則(きそく)　(discontented, rules to be observed)→
7. 不愉快(ふゆかい)、協力(きょうりょく)する相手(あいて)(に)　(unpleasant, someone to be cooperated with)→
8. 多忙(たぼう)、会(あ)う人(に)　(busy, someone to be seen)→

IV. Noun Modifiers

(1) modifier＋noun

例：このエンジンは排気(はいき)ガスが少(すく)ない→これは排気ガスの少ないエンジンだ。

(This engine has few exhaust fumes.→This is an engine which has few exhaust fumes.)

1. この新薬(しんやく)は評判(ひょうばん)がよい (This new medicine has a good reputation.)→

2. この漫画(まんが)は人気(にんき)がある (This comic book is popular.)→

3. この法案(ほうあん)は反対者(はんたいしゃ)が多(おお)い (This bill has many opponents.)→

4. この交差点(こうさてん)は事故(じこ)が多い (There are many accidents at this intersection.)→

5. この時間帯(じかんたい)は犯罪(はんざい)が多発(たはつ)する (Many crimes are committed during this period.)→

6. この方法は問題が多数(たすう)出た (There were many problems with this method.)→

7. この制度(せいど)は改善(かいぜん)が必要だ (This system needs improvement.)→

8. この設備(せつび)は管理(かんり)がむずかしい (This equipment requires delicate control.)→

9. この手術は熟練(じゅくれん)が要求(ようきゅう)される (This operation requires experienced skill.)→

10. この損害(そんがい)は見(み)すごされることが多い (This loss is apt to be overlooked.)→

(2) …が＋verb＋noun

例：この研究(けんきゅう)を山田教授(やまだきょうじゅ)が完成(かんせい)した→山田教授が*完成した研究

(Professor Yamada completed this research.→the research that Professor Yamada completed)

1. この本を田村氏(たむらし)が出版(しゅっぱん)した (Mr. Tamura published this book.)→

2. この翻訳(ほんやく)を高橋(たかはし)さんが完成した (Mr. Takahashi completed this translation.)→

3. この絵(え)を西村氏(にしむらし)が病床(びょうしょう)で描(えが)いた (Mr. Nishimura painted this picture while he was sick in bed.)→

4. この小鳥(ことり)をヨシ子(こ)ちゃんが大切(たいせつ)に育(そだ)てた (Yoshiko raised this little bird with love.)→

5. この服(ふく)を幸子夫人(さちこふじん)が心(こころ)をこめて作(つく)った (Madame Sachiko made this dress with great care.)→

6. この金を建一君(けんいちくん)がアルバイトをしてためた (Ken'ichi saved this money by working part-time.)→

7. この危険(きけん)を両氏(りょうし)が先日指摘(せんじつしてき)した (The two gentlemen pointed out this danger the other day.)→

8. この方法を専門家(せんもんか)がすすめている (Specialists recommend this method.)→

*This が is often replaced by の, as in 山田教授の完成した研究.

(3) …(verb)＋noun

The verb in a modifying phrase is often replaced by の.

例：この慣習(かんしゅう)は江戸時代(えどじだい)から続(つづ)いている→江戸時代から続いている慣習→江戸時代からの慣習

(This custom has been observed since the Edo Period.→a custom that has been observed since the Edo Period→a custom from the Edo Period)

1. この伝説(でんせつ)は昔(むかし)から語(かた)り伝(つた)えられている (This legend has been told since olden times.)→
2. この料理法(りょうりほう)はヨーロッパから伝(つた)わった (This way of cooking has been introduced from Europe.)→
3. この金は海外(かいがい)の有志(ゆうし)からおくられた (This money has been sent by foreign sympathizers.)→
4. この規則(きそく)は酔(よ)っぱらいを取(と)り締(し)まるため作られた (This regulation has been enacted to control drunks.)→
5. この税金(ぜいきん)は不動産(ふどうさん)に対(たい)して課(か)せられる (This tax is levied on real estate.)→
6. この電車(でんしゃ)は次(つぎ)の駅(えき)まで行く (This train goes to the next station.)→
7. この対策(たいさく)は今年(ことし)の十月まで用(もち)いられる (This measure will be applied until this October.)→
8. この決定(けってい)は先月の会議(かいぎ)で行(おこな)われた (This provision was decided at the conference last month.)→

(4) …た＋(verb)＋noun

…て in a modifying phrase becomes …た when the following verb is left out.

例：この絵(え)を川上氏(かわかみし)が心(こころ)をこめて描(えが)いた→川上氏の*心をこめて描いた絵→川上氏の心をこめた絵

(Mr. Kawakami painted this picture with all his heart.→the picture that Mr. Kawakami painted with all his heart→Mr. Kawakami's wholehearted picture)

1. この研究(けんきゅう)を教授(きょうじゅ)が長(なが)い年月(ねんげつ)をかけて行(おこな)った (The professor concluded this research over a long period of time.) →

2. このデモを住民(じゅうみん)が環境(かんきょう)汚染(おせん)に反対して行った (The inhabitants made this demonstration against pollution.) →

3. この法案(ほうあん)を松本氏(まつもとし)が調査を重(かさ)ねて上程(じょうてい)した (Mr. Matsumoto submitted this bill to the Diet after repeated investigation.) →

4. この体育館(たいいくかん)を市(し)が大金(たいきん)を費(つい)やして完成(かんせい)した (The City completed this gymnasium spending a great amount of money.) →

5. この金額(きんがく)を税務署(ぜいむしょ)が新(あたら)しい税法(ぜいほう)に基(もと)づいて決定(けってい)した (The tax office decided on this amount based on the new taxation system.) →

6. この寄付金(きふきん)を人々(ひとびと)が中島(なかじま)さんの呼(よ)びかけに応(おう)じて寄付(きふ)した (People contributed this money in response to Miss Nakajima's appeal.) →

* が can also be used; see (2).

E. 見出し（みだ） (Headlines)

I.

日本経済新聞（夕

することにしている。

寒さ緩んで節分

三日は節分。「冬から春の節に移り変わる時」だが、この日の日本列島は移動性高気圧が西日本を中心におおいかぶさり、文字通り"春型"の気圧配置となった。ほぼ全国的に青空が広がり寒さも緩んで通勤客の中にはコートを脱いで手に持つ人も。この陽気のなか、全国各地の神社やお寺では節分祭の行事がにぎやかに行われた。

東京・浅草の浅草寺ではこの日午前、浅草寺幼稚園の園児による豆まきが行われた。園児服の上に裃（かみしも）を着込んだ園児たち七十人は午前十時に雷門前に勢ぞろい。仲見世をにぎやかに行進して浅草寺本堂前で豆のはいったマスをもらい、先生の「病気やケガを持ってくる鬼を元気よく退治しましょう」という節分の話を聞いたあといよいよ豆まき。「ウォー、ウォー」という鬼の声の入ったテープが流れると、職員がふんした赤鬼、青鬼がはりこの金棒を持って登場。一斉に園児から「鬼は一外、福は一内」の声が上がった。力いっぱい投げた豆はパチパチと小気味よく鬼に当たり、鬼は右往左往したあげく、降参。用意した七十八ℓの豆もすぐになくなった。

気象庁によると、三日の各地の最低気温は東京二・三度（平年比二・四度高）、札幌氷点下二・九度（同六・二度高）、大阪二・八度（同〇・三度高）、福岡三・三度（同一・八度高）と各地とも平年より一～三度高目で、三月上旬の暖かさ。"暖冬異変"の気圧配置が居すわっているためだが、気象庁天気相談所では「日曜まではこのままの暖かさが続くが、バイカル方面から寒気団がおりてきているため、来週中には冬型に戻り、冷え込むようになる見通しで、本格的な春はまだまだ先」と話している。

国の物資的援助一点張りのやり方

寒さ緩んで節分

Cold Weather Eases ; *Setsubun*

寒さ	さむさ	coldness
緩む	ゆるむ	become mitigated ; be loosened
節分	せつぶん	a festival (see p. 31)

(「日本経済新聞」1979年2月3日付夕刊)

In full sentence :

寒さが緩んで節分が来た。

The cold has abated, and *Setsubun* is here.

▷ The particle *ga* showing the subject of a sentence is often left out in newspaper headlines. (In the headline above, *ga kita* (came) or *o mukaeta* (we met) is also left out ; see IV for the omission of verbs.)

Examples :

1．現状不満組(が)ふえる

2．イランとイラク(が)新たな武力衝突(をおこした)

3．入院(が)長びく可能性(がある)

4．民社党(が)参院選政策を発表(した)

5．衆院、ちょっぴり若返り—昭和生まれ(が)過半数(になった)

現状	(p. 46)	武力	ぶりょく military force
不満組	ふまんぐみ those who are dissatisfied	衝突(する)	しょうとつ collide ; clash with
イラン	Iran	入院(する)	(p. 53)
イラク	Iraq	長びく	ながびく be prolonged
新たな	(p. 37)	可能性	かのうせい possibility
民社党	Japan Democratic Socialist Party	ちょっぴり	a little bit
参院選	election of the House of Councillors	若返り	わかがえり become young again
政策	(p. 67)	昭和	(p. 82)
発表	(p. 14)	昭和生まれ	しょうわうまれ those born in Showa
衆院	(p. 54)	過半数	かはんすう majority

1. More people are dissatisfied with present conditions.
2. Iran and Iraq again clash militarily.
3. There is a possibility of prolonged hospitalization.
4. The Japan Democratic Socialist Party announces its policy concerning the election of the House of Councillors.
5. The House of Representatives becomes a little younger—more than half its members were born in the Showa Period.

II.

患者の謝礼受け取るな

厚生省 全病院へ強く指導

「病院の医師は患者から謝礼をもらってはダメ」。厚生省は、退院の際など、患者や家族が医師へ謝礼を出す慣習をなくすため、このほど私立を含めた全病院を強く指導するよう都道府県に通知し

破できないというのが実情で、病院と厚生省の根気比べになりそうだ。

「謝礼受け取り禁止」の行政指導は「五十五年度医療監視・経営管理指導の方針」の重点事項の一

の根絶、厳正な勤務体制の確立の指導を求めて来たが、特に患者、家族からの退院時における謝礼の辞退についても監督すべきことを病院管理者に指導すること」としている。

導する。しかし「一、二回でこの慣習が打破されるとはいない。徹底するまで粘り指導を続けていく」（小沢という。

患者の謝礼受け取るな
厚生省、全病院へ強く指導

Welfare Ministry Tells Hospitals : Don't Accept Gifts From Patients

患者	(p. 38)
謝礼	しゃれい honorarium
受け取る	(p. 55)
～な	Don't ～
厚生省	こうせいしょう Ministry of Health and Welfare
全～	(p. 80)
病院	(p. 54)
指導(する)	しどう guide ; instruct

(「毎日新聞」1980年7月7日付夕刊)

In full sentences :

患者の謝礼を受け取るな。

厚生省が全病院へ強く指導する。

Don't accept gifts from patients. The Ministry of Health and Welfare firmly instructs all hospitals.

▷The particle *o* indicating the object of a verb is often left out.

Examples :

1. まず参院全国区(を)改正
2. 200万円(を)奪って逃走
3. 安全措置(を)怠った
4. 熱泥流下の遺体(を)鑑定
5. プレハブ二社が値上げ(を)申請
6. 改正案(を)通常国会に提出
7. 建設省、便乗の動き(を)警戒
8. まず物価安定(を)新内閣に望む

全国区	nationwide constituency
改正	(p. 49)
奪う	うばう rob ; deprive
逃走する	とうそうする flee ; run away
安全	(p. 79)
安全措置	あんぜんそち safety measure
怠る	おこたる neglect
熱泥流下	ねつでいりゅうか under the hot flowing mud
遺体	(p. 83)
鑑定	(p. 16)
プレハブ	prefabricated (house)
二社	にしゃ two companies
値上げ	ねあげ price rise
申請(する)	しんせい apply (for permission)
改正案	かいせいあん revision plan
通常	(p. 62)
国会	(p. 47)
提出	(p. 14)
建設省	けんせつしょう Ministry of Construction
便乗(する)	びんじょう take advantage of
動き	うごき movement ; action
警戒(する)	exercise precaution ; guard against
物価	(p. 61)
安定	(p. 79)
新内閣	しんないかく the new Cabinet
望む	のぞむ wish

1. He will first revise the nationwide constituency system for the House of Councillors.

2. The man stole 2 million yen and fled.

3. He neglected taking safety measures.

4. They examined the dead bodies under the hot flowing mud.

5. Two prefabricated house companies have applied for permission to raise prices.

6. He will submit the plan for revision to the ordinary session of the Diet.

7. The Ministry of Construction is on the lookout for those who might take advantage of it.

8. I want the new Cabinet to first of all stabilize prices.

III.

自転車並み速さで北上　台風10号

大型の台風10号は四日朝、小笠原諸島近海に達し北上している。
気象庁の観測によると、同日正午現在、父島の東北東約二五〇㌔（北緯二八度二〇分、東経一四四度三五分）にあり、毎時一〇㌔と自転車並みのスピードで北に進んでいる。中心気圧は九七〇㍊、中心付近の最大風速は三五㍍で、中心から東側半径二〇〇㌔以内と西側は同一〇〇㌔以内が風速二五㍍以上の暴風雨域。
台風の勢力は大型で並みの強さを保っており、小笠原諸島の近海

雨の中、背広姿
リーマン＝東京

自転車並み速さで北上
台風10号

Typhoon No. 10 Moves North at "Bicycle Speed"

自転車	(p. 40)
～並み	～なみ as ～; like ～
速さ	はやさ speed
北上	(p. 18)
台風	たいふう typhoon
10号	じゅうごう No. 10

（「毎日新聞」1980年8月4日付夕刊）

In full sentence:

台風10号が自転車並みの速さで北上している。

Typhoon No. 10 is moving northward with the speed of a bicycle.

▷ *Suru* (or *shita, shite-iru, sareru*) is very often left out with verbs that are made up of kanji compounds plus *suru*. (Here, *no* is also left out.)

Examples :

1. 厚生省、全病院へ強く指導(する)(p. 106)
2. イラン代表、近く来日(し)、三井と協議(する)
3. 先進国会議へ首相、きょう出発(する)
4. 道路(が)渋滞(した)
5. 車両火災の死者が急増(した)
6. 200万円(を)奪って逃走(した)
7. 価格はね返り負担(が)心配(される)

代表	(p. 78)		渋滞(する)	じゅうたい	be stagnant; be congested
近く	ちかく	in the near future	車両	(p. 45)	
来日(する)	らいにち	visit Japan	火災	かさい	fire
三井	みつい	Mitsui (name of a *zaibatsu*)	死者	(p. 38)	
協議	(p. 41)		急増(する)	(p. 42)	
先進国		advanced country	奪う	うばう	rob; deprive of
会議	(p. 43)		逃走(する)	とうそう	flee; run away
首相	(p. 69)		価格	かかく	price
出発	(p. 14)		はね返り負担	はねかえりふたん	rebounding
道路	どうろ	street	心配される	しんぱいされる	be worried about (p. 65)

1. The Ministry of Health and Welfare firmly instructs all hospitals.
2. Representatives from Iran will come to Japan shortly to have discussions with Mitsui.
3. The Prime Minister will depart today to attend the Advanced Nations Conference.
4. Traffic was congested.
5. Deaths by car fires have suddenly increased.
6. The man robbed 2 million yen and fled.
7. There is worry about rebounding to higher prices.

IV.

3)　毎日新聞

銀行に短銃強盗

3発発射 200万円奪って逃走

福井

一日午前九時五十五分ごろ、福井市春日町二三八の一、福井銀行春日支店＝加藤智正支店長(四四)＝に、三十歳くらいの黒サングラスの男が客を装って入り込み、来店中の同市板垣町下縄手、主婦、菅原貴美代さん(三〇)を後ろからいきなり羽がい絞めにしたうえ、カウンター中央にいた出納係の吉野俊幸さん(三九)にピストルを向け「金を出せ、早く出せ」と脅した。

吉野さんが驚いて立ち上がったとたん、ピストルを三発発射、うち一発は約五㍍離れた吉野さんの机の上の現金受けざらに命中。他の二発は壁に当たった。吉野さんがそばにあった一万円の札束二つ(計二百万円、帯封付き)をカウンターに置くと、男は「こちらにほうれ」と買い物袋を投げ込み、札束を入れて投げ返したとたん、男は袋をわしづかみにして表に飛び出し、同支店西側に止めてあった乗用車で逃走した。

同支店は加藤支店長ら行員八人。うち女性三人。犯行当時支店内には三人の客がいたが、けが人はなかった。犯人が侵入して逃走するまで約五分間だった。

福井県警の調べでは犯人は身長一七五㌢くらい、灰色のシャツを

銀行に短銃強盗
3発発射、200万円奪って逃走

Bank Robber Fires 3 Shots,
Flees With ¥2 Million

銀行	(p. 17)
短銃	たんじゅう pistol ; revolver ; handgun
強盗	(p. 83)
3発発射(する)	さんぱつはっしゃ fire three shots

(「毎日新聞」1980年8月1日付夕刊)

In full sentences :

銀行に短銃強盗が入った。

3発発射し、200万円を奪って逃走した。

A robber with a pistol broke into a bank.

He fired three shots, took 2 million yen, and fled.

(a) Verbs and adjectives are often left out after the subject of a sentence.

1. 東京で国際柔道大会(が開かれる)
2. 元校長に有罪判決(がおりた)
3. 臨時代理に伊東官房長官(がなった)
(がきまった)
4. 入院(が)長びく可能性(がある) (p. 105)
5. サラダには珍しい野菜より身近な野菜(がよい)
(を使おう)
6. 三千万円相当(が)ゴッソリ(ぬすまれる)
—京都で美術品ドロ(が)相次ぐ

国際　(p. 47)
柔道　じゅうどう　judo
大会　(p. 43)
開く　ひらく　hold ; open
元校長　former principal
有罪判決　ゆうざいはんけつ　guilty verdict
判決がおりる　be convicted
臨時　(p. 13)
代理　(p. 21)
伊東　(p. 11)
官房長官　かんぼうちょうかん　chief secretary of the Cabinet
珍しい　めずらしい　unusual
野菜　(p. 75)
身近な　みぢかな　familiar ; common
～相当　そうとう　corresponding to ～ (p. 70)
ゴッソリ　in their entirety ; in a lot
ぬすむ　steal
京都　(p. 11)
美術品　びじゅつひん　pieces of art
～ドロ　robber of ～
相次ぐ　あいつぐ　succeed ; happen one after another

1. An international judo tournament will be held in Tokyo.
2. The former principal was convicted.

3. Mr. Ito, Chief Secretary of the Cabinet, becomes the acting prime minister.
4. There is a possibility of prolonged hospitalization.
5. Common vegetables are better than unusual ones for salads.
6. Articles worth 30 million yen were stolen in their entirety.
—Art robberies in Kyoto continue.

(b) Verbs following the object are often left out.

1. 行政、教育改革に重点(をおく)
2. 最高裁が初の判断(を下した)
3. 下旬に総合景気対策(を実施する)
4. 留守宅に情報(を流す)
(を送る)
(を伝える)
5. 女子三千、深尾が日本新(を出した)
6. インド再び核実験(を行う)か

行政	(p. 17)	総合	(p. 23)
教育	(p. 63)	景気	(p. 66)
改革	かいかく reform	対策	(p. 71)
重点	(p. 48)	実施	(p. 49)
重点をおく	place emphasis	留守宅	るすたく home where the master is absent
最高裁	さいこうさい the Supreme Court	情報	じょうほう information
初の	はつの first	流す	ながす send; transmit; convey
判断	はんだん judgment	送る	おくる send
下す	くだす give	伝える	つたえる convey
下旬	(p. 53)	女子	(p. 72)

三千	さんぜん three thousand (meters)	再び	ふたたび again
深尾	ふかお (personal name)	核実験	かくじっけん nuclear testing
日本新	にほんしん new Japanese record	行う	(p. 18)

1. Emphasis will be placed on reform of administration and education.
2. The Supreme Court has made the first judgment.
3. They will carry out comprehensive measures for improving business conditions during the last ten days of the month.
4. They will transmit the news to the workers' homes.
5. Fukao makes a new Japanese record in the women's 3,000 meter race.
6. Will India carry out nuclear testing again?

(c) Phrases meaning *ni naru* (become) or *ni tassuru* (reach) are often left out.

1. お盆帰り(が)ピーク(に達した)
2. 貯金(が)410万(に)、借金(が)165万(になった)

(に達した)

3. 学園祭で売れっ子に(なった)

お盆帰り	おぼんがえり	借金	(p. 30)
ピーク	peak	学園祭	がくえんさい school festival
達する	たっする reach	売れっ子	うれっこ popular person
貯金	(p. 30)		

1. The number of people coming back after celebrating *bon* has reached its peak.
2. The savings have reached 4.1 million yen, and the debts 1.65 million yen.
3. She has become very popular at school festivals.

(d) Verbs following *o* are often left out.

1. 社会党は柔軟さを(持て)
2. 恵まれない人に愛を(与えよう)

   (示そう)
3. 新聞へのご意見を(お寄せ下さい)
4. 納得のいく説明を(してもらいたい)
5. 自然海岸、立法措置で保護を(図れ)
6. 老後をビューティフルに(送ろう)

   ——頭を使う習慣を(つけよう)

社会党 (p. 40)
柔軟さ じゅうなんさ flexibility
恵まれない めぐまれない unfortunate; poor
愛 あい love
与える あたえる give
示す しめす show; manifest
新聞 (p. 37)
意見 (p. 35)
寄せる よせる send; contribute
納得のいく なっとくのいく can convince others
説明 (p. 20)
自然 (p. 40)
海岸 かいがん coast; seashore
立法措置 りっぽうそち legislative measure
保護 ほご protection
図る はかる attempt; plan
老後 ろうご old age
ビューティフルに beautifully
送る おくる live (a life)
頭 あたま brains; head
使う つかう use; exercise
習慣をつける しゅうかんをつける form a habit

1. The Japan Socialist Party should be more flexible.
2. Let's extend our love to unfortunate people.
3. Please write telling your opinion about newspapers.
4. We want a convincing explanation.
5. We should try to protect the natural coastline by passing laws.
6. For a beautiful old age—Let's form the habit of exercising our brains.

(e) Others.

1. 冷害で減反緩和も(考えられる)

2. 本当は病気なのでは(ないだろうか)

3. 無理しすぎでは(なかったか)

   ——回復を願っていたのに

4. 挙党態勢作りへ(向かう)

5. 国民が納得する形で(行うべきだ)

6. 働く自信こそ(大切)

冷害　れいがい　poor harvest from cold weather

減反　げんたん　curtailment of rice production; movement to decrease rice fields and increase fields for other products

緩和　かんわ　mitigation

考えられる　かんがえられる　possible; can be thought

本当は　ほんとうは　actually (p. 57)

病気なのではないだろうか　びょうき～　Isn't he ill? (p. 66)

無理しすぎではなかったか　むり～　Didn't he overwork himself?

回復　かいふく　recovery

願う　ねがう　wish

挙党　きょとう　all members of the party are united

態勢　たいせい　attitude; setup

～作り　～づくり　making ～

～向かう　～むかう　turn to; proceed to～

国民　(p. 47)

納得する　なっとくする　be convinced; understand

形　かたち　form; shape

行うべきだ　おこなうべきだ　one should do it

働く　はたらく　to work

自信　じしん　self-confidence

大切　(p. 36)

1. It is possible that poor harvests due to cold weather will lead to a lowdown in the curtailment of rice production program.

2. Isn't he really ill?

3. Didn't he overwork himself? —— We were praying for his recovery, but …

4. They are proceeding to develop stronger unity in the party.

5. It should be done in a way that will convince the people.

6. What counts most is the self-confidence that one can work.

V.

小柄だった江戸時代の庶民

浅間山噴火 熱泥流下の遺体鑑定

天明三年（一七八三）浅間山の噴火に伴う熱泥流にのみ込まれ"日本のポンペイ"といわれる群馬県吾妻郡嬬恋村鎌原（旧鎌原村）の第二次調査は今月二十八日から十七日間の予定で行われるが、昨年夏の第一次調査で同村の観音堂石段から発見された二人の遺体は群大法医学教室（古川研教授）の鑑定で、身長が現代人よりかなり低いことがわかり、江戸時代の庶民像に新たな裏付けが加わることになった。

　二遺体は約五十段の石段の下部で折り重なるように埋まっており、石段にたどり着いたとたん熱泥流にのみ込まれたらしい。調査に当たった浅間山麓埋没村落総合調査会（会長・児玉幸多前学習院 [illegible]

鑑定結果がまとまった鎌原観音堂石段の遺体

小柄だった江戸時代の庶民

People in Edo Period

Had Small Physiques

小柄		(p. 28)
江戸時代	えどじだい	the Edo Period (1603—1867)
庶民	しょみん	the common people

（「毎日新聞」1980年7月21日付朝刊）

In full sentences:

江戸時代の庶民は小柄だった

↓

小柄だった江戸時代の庶民

The common people in the Edo period were small.

↓

The common people in the Edo period who were small.

▷A long modifier plus noun structure is common in headlines for brevity.

Examples :

1. 深まる 秋
2. 落とした 財布
3. 明言を避ける 医師団
4. どうなる 投票率
5. よくない 教育人事への介入
6. 千円亭主を支える 奥さん
7. 文化祭で輝く 生徒たちの目
8. 新味(を)見せた 外相の国連演説

深まる	ふかまる	deepen
秋	あき	autumn
落とす	おとす	drop ; lose
財布	さいふ	wallet
明言	(p. 20)	
避ける	さける	avoid
投票率	とうひょうりつ	voting rate
人事	(p. 56)	
介入	かいにゅう	interference
千円亭主	せんえんていしゅ	husband who has 1,000 yen as pocket money for one day
支える	ささえる	support ; make it possible
奥さん	おくさん	housewife
文化祭	ぶんかさい	school festival
輝く	かがやく	sparkle ; glow
生徒	(p. 66)	
目	め	eyes
新味を見せた	しんみをみせた	showed a fresh touch ; impressed with freshness
外相	がいしょう	Minister of Foreign Affairs
国連	(p. 47)	
演説	えんぜつ	public speech

1. Fall deepens.
2. I lost my wallet.
3. The doctors avoid giving a definite statement.
4. What will happen to the voting rate ?

5. Interference with educational personnel is not desirable.
6. Housewives manage to give their husbands 1,000 yen as pocket money.
7. The pupils' eyes sparkle at school festivals.
8. The speech delivered by the Minister of Foreign Affairs at the United Nations displayed a fresh approach.

F. 日本地図 (Map of Japan)

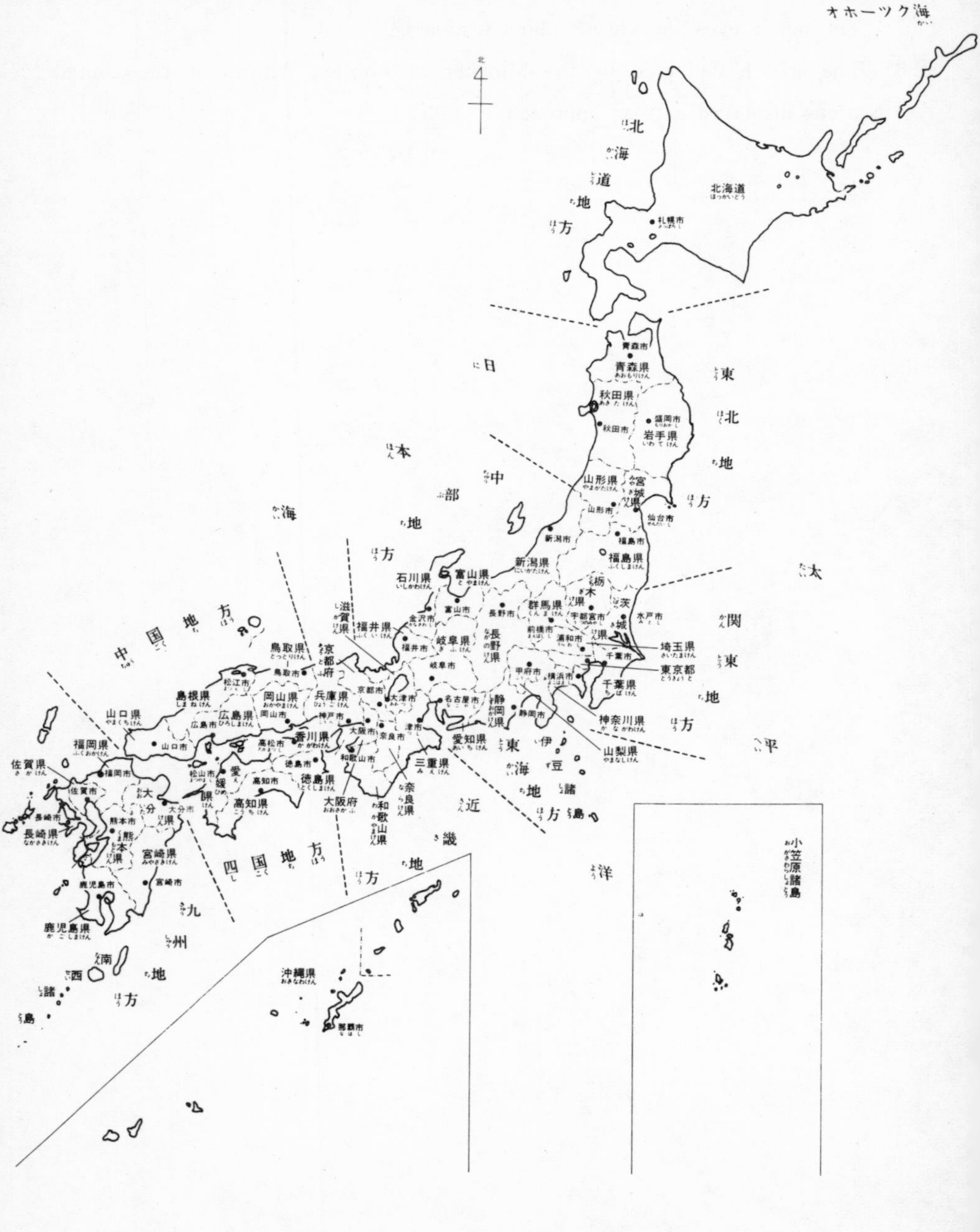

PART II

Part II consists of 12 lessons and each lesson consists of ;

(1) main text
(2) vocabulary list 単語表
(3) notes (when necessary)
(4) translation
(5) exercises LL1-8—練習 ; LL9-12—応用
(6) *kanji* and vocabulary lists 漢字 ; 漢語

(1) The main texts are from actual newspaper articles ; sometimes a section, usually the last, has been omitted for reasons of length, but the texts have been changed very little.

(2) The vocabulary lists are meant to be comprehensive ; when giving English equivalents, that closest to the meaning in the context comes first, and general ones follow. Those words that have already appeared in Part I and preceding lessons in Part II are also listed, together with the number of the pages where they first appeared.

(3) Notes include both those concerning the structure of the sentences and those concerning cultural items.

(4) Translations are given to help the students check their comprehension. They are exact, although not literal, equivalents of the Japanese texts and are not the equivalent stories published in the English newspapers in Japan.

(5) The exercises consist of one or two passages from the main texts and example passages. In lesson 1 to 8, passages are chosen and arranged so that they show typical patterns in newspaper writing, namely, how topics are introduced and developed. The example passages are modelled after ones from newspaper articles, and accompanied by vocabulary lists. In lessons 9 to 12, passages dealing with similar topics as the main texts are given in order to reinforce the understanding of the main texts.

(6) This is a list of *kanji* compounds, similar to those in Section B of Part I. In each lesson approximately 40 *kanji* are selected and listed with their important compounds. Most of the *kanji* are within the first 1,000 in frequency according to 現代新聞の漢字 ; some are within the first 1,000, if they are used in compounds that are frequently used.

第一課

寒さ緩んで節分

三日は節分。ほぼ全国的に青空が広がり寒さも緩んで、通勤客の中にはコートを脱いで手に持つ人も。この陽気のなか、全国各地の神社やお寺では節分祭の行事がにぎやかに行われた。

東京・浅草の浅草寺ではこの日午前、浅草寺幼稚園の園児による豆まきが行われた。園児服の上に裃(かみしも)を着こんだ園児五百七十人は午前十時に雷門前に勢ぞろい。仲見世通りをにぎやかに行進して浅草寺本堂前で豆のはいったマスをもらい、先生の「病気やケガを持ってくる鬼を元気よく退治しましょう」という節分の話を聞いたあといよいよ豆まき。「ウォー、ウォー」という鬼の声の入ったテープが流れると、職員がふんした赤鬼、青鬼がはりこの金棒を持って登場。一斉に園児から「鬼はー外、福はー内」の声が上がった。力いっぱい投げた豆はパチパチと小気味よく鬼に当たり、鬼は右往左往したあげく、降参。用意した七十八キロの豆もすぐになくなった。

「日本経済新聞」1979年2月3日付夕刊

単語表

寒さ	さむさ coldness
緩む	ゆるむ become mild
節分	せつぶん Bean-Throwing Ceremony, (p. 31) (see Notes 1.)

1st paragraph

ほぼ	almost
全国的に	ぜんこくてきに throughout the country (全国 p. 80)
青空	あおぞら blue sky
広がる	ひろがる spread; spread out
通勤客	つうきんきゃく commuter (p. 62)
コート	overcoat
脱ぐ	ぬぐ take off
陽気	ようき weather (p. 65)
各地	かくち various places; each place (p. 18)
神社	じんじゃ shrine (p. 44)
お寺	おてら temple
節分祭	せつぶんさい Setsubun, Bean-Throwing Festival
行事	ぎょうじ annual event (p. 17)
にぎやかに	in a lively way
行う	おこなう observe; carry out (p. 8)

Page numbers in ( ) show where the word first appeared in Section B of Part I or in the 12 lessons of Part II.

2nd par.

浅草　あさくさ　place name (see Notes 4.)

浅草寺　せんそうじ　name of a temple (see Notes 5.)

午前　ごぜん　in the morning; a. m. (p. 11)

幼稚園　ようちえん　kindergarten, nursery school

園児　えんじ　kindergarten pupils

〜による　by〜

豆まき　まめまき　bean-throwing (see Notes 1.)

園児服　えんじふく　kindergarten uniform

裃(かみしも)　an item of traditional formal clothing (see Notes 6.)

着こむ　きこむ　wear (more clothes than usual)

雷門前　かみなりもんまえ　in front of the gate called "Kaminarimon"

勢ぞろい　せいぞろい　gathering together

仲見世通り　なかみせどおり　passageway lined with shops in the precincts of a Shinto shrine or Buddhist temple

行進する　こうしんする　march; parade (p. 17)

本堂　ほんどう　the main building of a temple (p. 58)

マス　ます　a measure used for grains (see Notes 8.)

先生　せんせい　teacher (p. 38)

病気　びょうき　disease (p. 66)

ケガ　けが　injury

持ってくる　もってくる　bring

鬼　おに　devil (see Notes 10.)

元気よく　げんきよく　with high spirits; vigorously

退治する　たいじする　exterminate; kill

いよいよ　finally

声　こえ　voice

〜の入ったテープ　tape recording of

流れる　ながれる　be heard (*lit.* run, flow)

職員　しょくいん　the staff

(〜に)ふんする　disguise oneself (as〜)

赤鬼　あかおに　red devil

青鬼　あおおに　blue devil

はりこ　papier-mâché

金棒　かなぼう　iron rod (traditionally carried by *oni*) (see Notes 11.)

登場(する)　とうじょう　appear (on the stage)

一斉に　いっせいに　all together

「鬼はそと、福は内」　おにはそと、ふくはうち　"Out with the devil, in with good fortune" (phrase said while throwing beans)

力いっぱい　ちからいっぱい　with all one's might (力 p. 82)

投げる　なげる　throw

パチパチ　(the sound of beans hitting the devil)

小気味よく　こきみよく　pleasantly, soundly; roundly; point-blank

〜に当たる　〜にあたる　hit

右往左往する　うおうさおうする　run about in confusion (*lit.* going to the right and to the left)

〜(た)あげく　after〜

降参する　こうさんする　surrender

用意する　ようい する　prepare　　　七十八キロ　ななじゅうはち…
78 kilograms

■Notes

1. **Setsubun**　Usually February the 3rd. In the evening people throw roasted soybeans inside and outside of their houses to get rid of evil spirits and invite good luck in, while shouting "Fuku-wa uchi, oni-wa soto, fuku-wa uchi." At temples and shrines, famous personalities such as sumo wrestlers are often invited to throw the beans.
2. コートを脱いで手に持つ人も。　After *hito-mo,* such phrases as *ita* or *mirareta* (were seen) have been omitted.
3. Lines 1 to 4 form a summary of the article, and the details come later. Newspaper articles usually follow this pattern.
4. **Asakusa**　A section of Tokyo, famous for Sensoji Temple and Asakusa Park ; it includes the Nakamise shopping street and a large amusement quarter.
5. Sensoji Temple in Asakusa, said to have been built in the early 7th century.
6. ***kamishimo***

7. 勢ぞろい。　After this *shita* has been omitted. *shita* has also been omitted after 登場.
8. ***masu***

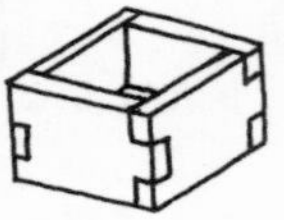

9. いよいよ豆まき。　After this *ga hajimatta* (started) has been omitted.
10. ***oni***

11. ***kanabo***

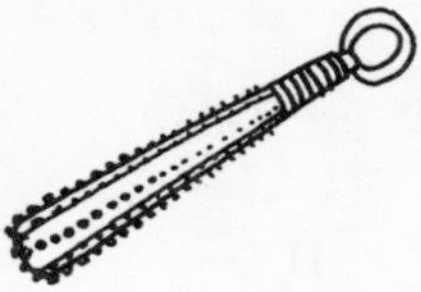

■Translation

Cold Weather Eases, and Setsubun Is Here

Today, the third, was Setsubun. The sky was blue through almost the entire country. It was not as cold as before, so that some commuters were seen carrying their overcoats instead of wearing them. In this warm weather, the *Setsubun* Festival was observed at shrines and temples everywhere in Japan.

In the morning, the children of the Sensoji Nursery School threw beans at Sensoji Temple, Asakusa, Tokyo, to celebrate *Setsubun*. The 570 children wearing *kamishimo* over their uniforms gathered at 10 o'clock in front of the Kaminarimon, paraded merrily along Nakamise street, and then received boxes of beans in front of the main hall of the temple. They listened to their teacher who said that they should expel the devils that bring disease and injury, and then finally the time for the bean-throwing had come. When a tape of devils shouting "Woo, woo" was started, staff who had disguised themselves as red or blue devils appeared carrying iron clubs as regular devils should. The children shouted all together, "Out with the devil, in with good fortune!" The beans thrown by them with all their might hit the devils soundly, and the devils, after running about in confusion, finally surrendered. The 78 kilograms of beans provided for the event were soon used up.

練　習

I.

三日は節分。ほぼ全国的に青空が広がり寒さも緩んで、通勤客の中にはコートを脱いで手に持つ人もあった。この陽気のなか、全国各地の神社やお寺では、節分祭の行事がにぎやかに行われた。

【例Ｉ】

三日は文化の日。東京地方では前夜までの雨も止み、青空が広がった。この晴天のもと、宮殿では、文化の日の行事、文化勲章の伝達式が行われた。

文化の日	ぶんかのひ	Culture Day; November 3rd
前夜	ぜんや	the previous night
雨	あめ	rain
止む	やむ	stop
晴天	せいてん	clear sky

宮殿　きゅうでん　the Palace

文化勲章　ぶんかくんしょう　Order of Culture

伝達式　でんたつしき　presentation ceremony

【例２】

十五日は成人の日。全国的に平年よりも二、三度低い寒さで、ところによっては雪も降ったが、この厳しい寒さの中で、各地で厳粛な中にもはなやかに成人式の行事が行われた。

成人の日　せいじんのひ　Coming-of-Age Day (Jan. 15)

平年　へいねん　average year

低い　ひくい　low

ところによっては　depending on the location

雪　ゆき　snow

降る　ふる　fall

厳しい　きびしい　severe

厳粛な　げんしゅくな　solemn

はなやか　colorful

【例３】

五日は新学年の始まり。桜の花の咲き始めた中で、都内の各小学校では新しく一年生になる児童を迎えて、うれしい入学式が行われた。

新学年　しんがくねん　new school year

桜の花　さくらのはな　cherry blossoms

咲き始める　さきはじめる　start to bloom

都内　とない　in Tokyo

小学校　しょうがっこう　elementary school

一年生　いちねんせい　children of the first year ; firstgrader

児童　じどう　children

迎える　むかえる　receive ; greet

うれしい　joyful

入学式　にゅうがくしき　entrance ceremony

II.

> 東京、浅草の浅草寺では、園児服の上に裃（かみしも）を着こんだ園児五百七十人がこの日午前十時雷門前に勢ぞろいし、仲見世をにぎやかに行進した。

【例１】

宮殿の松の間では、東京理科大学学長小谷氏ほか四氏が、天皇陛下の前に進み、かたわらの鈴木首相の手から文化勲章を受けた。

松の間　まつのま　name of a hall

東京理科大学　とうきょうりかだいがく　Tokyo College of Natural Sciences

学長　がくちょう　president

小谷氏　こたにし　Mr. Kotani

天皇陛下　てんのうへいか　His Majesty the Emperor

かたわら　beside ; near

鈴木首相　すずきしゅしょう　Prime Minister Suzuki

【例２】

東京池袋のＳデパートの地下特設売場では、十五日から二十二日まで、生活の中のムダをなくそうという消費者団体の人たちが、今までゴミとして捨てられていた本を持ち寄って古本市を開催する。

池袋　いけぶくろ　(place name)

地下特設売場　ちかとくせつうりば　special corner in the basement

ムダ　waste ; wastefulness

なくす　eliminate

消費者団体　しょうひしゃだんたい　consumers' group

ゴミ　refuse; garbage

捨てる　すてる　discard

持ち寄る　もちよる　bring

古本市　ふるほんいち　used book market

開催する　かいさいする　open

【例 3】

広島球場では、あす十一月二日、３勝３敗同士の広島カープと近鉄バッファローズ両チームのナインが対決し、昭和五十五年度プロ野球日本一の座を争う。

広島球場　ひろしまきゅうじょう　Hiroshima Stadium

３勝３敗同士　さんしょうさんぱいどうし　both with 3 wins and 3 losses

広島カープ　ひろしま…　the Hiroshima Carp

近鉄バッファローズ　きんてつ…　the Kintetsu Buffalos

両チーム　りょう…　two teams

ナイン　baseball team (from the nine players who play at any one time)

対決する　たいけつする　fight; confront each other

プロ野球　…やきゅう　professional baseball

日本一の座　にっぽんいちのざ　the number one rank

争う　あらそう　strive for; compete for

漢字・漢語

1. **寒**　〈寒さ〉

寒風　かんぷう　cold wind

防寒　ぼうかん　protection against tne cold

寒い　さむい　cold

2. **節**　〈節分〉

節句　せっく　annual festival

節約(する)　せつやく　economizing

季節　きせつ　a season; the time of the year

調節(する)　ちょうせつ　adjustment (p. 50)

使節　しせつ　envoy

関節　かんせつ　joint (of the body)

節　ふし　joint; melody; point

3. **青**　〈青空〉

青年　せいねん　youth

青少年　せいしょうねん　young people

青い　あおい　blue

地名・人名等

青森県　あおもりけん　(see p. 120)

青山　あおやま；青木　あおき

4. **空**　〈青空〉

空気　くうき　air; atmosphere (p. 66)

空中　くうちゅう　in the air

空間　くうかん　space

空軍　くうぐん　Air Force

空前(の)　くうぜん　unprecedented

空白　くうはく　blank

空路　くうろ　air route

空港　くうこう　airport

航空機　こうくうき　airplane; aircraft

架空(の)　かくう　imaginary

空家　あきや　empty house

空ける　あける　open up; leave (space); empty (a bottle, etc.)

空っぽ　からっぽ　empty

空　そら　sky

空しい　むなしい　empty ; vacant

5. 広 〈広がる〉

広告　こうこく　advertisement

広報　こうほう　public information ; publicity

広い　ひろい　spacious ; wide

地名・人名等

広島県　ひろしまけん　(see p. 120)

6. 勤 〈通勤客〉

勤務　きんむ　work ; duty (p. 68)

勤労　きんろう　work ; labor

勤勉(な)　きんべん　diligent

出勤する　しゅっきんする　go to work (p. 14)

通勤(する)　つうきん　commuting (p. 62)

勤める　つとめる　work ; hold a position

7. 客 〈通勤客〉

客　きゃく　visitor ; guest ; passenger ; customer

客席　きゃくせき　theater seat ; passenger seat

客室　きゃくしつ　guest room

来客　らいきゃく　visitor (p. 35)

乗客　じょうきゃく　passenger

旅客　りょかく ; りょきゃく　passenger

観客　かんきゃく　spectators ; audience

観光客　かんこうきゃく　sight-seer

8. 脱 〈脱ぐ〉

脱する　だっする　escape ; get out

脱出(する)　だっしゅつ　escape

脱税(する)　だつぜい　tax evasion

脱退(する)　だったい　withdrawal ; secession

脱走(する)　だっそう　escape ; desertion

脱皮(する)　だっぴ　casting off

離脱(する)　りだつ　separation ; breakaway

9. 陽 〈陽気〉

陽光　ようこう　sunshine

太陽　たいよう　the sun

10. 神 〈神社〉

神宮　じんぐう　grand shrine

神道　しんとう　Shintoism

神経　しんけい　a nerve ; nerves

神聖(な)　しんせい　sacred

神話　しんわ　myth (p. 29)

精神　せいしん　spirit ; mind

神　かみ　gods ; a god

神主　かんぬし　Shinto priest

氏神　うじがみ　patron god (p. 22)

地名・人名等

神奈川県　かながわけん　(see p. 120)

11. 寺 〈お寺 ; 浅草寺〉

寺院　じいん　temple

～寺(東大寺)　～じ(とうだいじ)　～Temple (Tojaiji)

12. 祭 〈節分祭〉

祭日　さいじつ　festival day ; national holiday

～祭(学園祭)　～さい(がくえんさい)　～festival (school festival)

祭り　まつり　festival

ひな祭り　ひなまつり　Doll Festival (March 3rd)

13. 浅 〈浅草 ; 浅草寺〉

浅い　あさい　shallow (opp. 深い ふかい)

地名・人名等

浅間山　あさまやま ; 浅野　あさの

浅井　あさい

14. 草 〈浅草；浅草寺〉

草案　そうあん　draft; rough draft

起草(する)　きそう　drafting

海草　かいそう　seaweed

雑草　ざっそう　weeds

草　くさ　grass; grasses

15. 幼 〈幼稚園〉

幼児　ようじ　little child

乳幼児　にゅうようじ　babies and little children

幼い　おさない　very young; infant

16. 園 〈幼稚園；園児〉

園長　えんちょう　a chief (of a kindergarten, etc.)

園芸　えんげい　gardening

公園　こうえん　park (p. 68)

学園　がくえん　school; campus (p. 37)

遊園地　ゆうえんち　playground; recreation ground; amusement park

田園　でんえん　the country; fields and gardens

霊園　れいえん　cemetery park

園　その　garden

花園　はなぞの　flower garden

地名・人名等

園田　そのだ

17. 児 〈園児〉

児童　じどう　school children

育児　いくじ　raising a child

男児　だんじ　little boy

女児　じょじ　little girl

小児　しょうに　child (p. 27)

地名・人名等

鹿児島県　かごしまけん　(see p. 120)

18. 豆 〈豆〉

大豆　だいず　soy beans

豆腐　とうふ　*tofu*; bean curd

地名・人名等

伊豆諸島　いずしょとう　the Izu Islands (see p. 120)

19. 服 〈園児服〉

服装　ふくそう　clothes; style of dressing

服飾　ふくしょく　dress and its ornaments

服従(する)　ふくじゅう　obedience

服用する　ふくようする　take (medicine, etc.)

衣服　いふく　clothes

洋服　ようふく　Western clothes

和服　わふく　Japanese-style clothing; kimono (p. 81)

制服　せいふく　uniform

征服(する)　せいふく　conquest

～服(婦人服)　～ふく(ふじんふく)　clothing (ladies' wear)

20. 着 〈着こむ〉

着陸(する)　ちゃくりく　(airplane) landing

着工する　ちゃっこうする　start construction

着手(する)　ちゃくしゅ　the start

到着(する)　とうちゃく　arrival

先着順　せんちゃくじゅん　first come, first served

着る　きる　to wear

着く　つく　arrive; stick to

着ける　つける　attach

21. 門 〈雷門〉

専門　せんもん　specialty; major

部門　ぶもん　class ; type

入門する　にゅうもんする　become a pupil of ; start studying (p. 54)

表門　おもてもん　front gate

裏門　うらもん　back gate

肛門　こうもん　anus

門松　かどまつ　pine trees set up by one's gate as New Year's decoration

22. 勢 〈勢ぞろい〉

勢力　せいりょく　power ; influence

大勢　たいせい　the general trend

大勢　おおぜい　many people

情勢　じょうせい　situation ; state of things

姿勢　しせい　attitude ; pose

態勢　たいせい　attitude ; setup ; preparedness

形勢　けいせい　situation ; state of affairs

優勢(な)　ゆうせい　predominant

勢い　いきおい　vigor ; force

23. 仲 〈仲見世〉

仲介　ちゅうかい　mediation

仲　なか　relationship

仲人　なこうど　a go-between

24. 進 〈行進する〉

進歩(する)　しんぽ　progress

進展(する)　しんてん　development

進出(する)　しんしゅつ　advance (p. 14)

進行(する)　しんこう　progress ; going onward

推進(する)　すいしん　propulsion ; drive

促進(する)　そくしん　promotion

先進国　せんしんこく　developed country

前進する　ぜんしんする　go forward (p. 12)

進む　すすむ　go forward

進める　すすめる　put forward ; advance

25. 堂 〈本堂〉

講堂　こうどう　lecture room ; auditorium

食堂　しょくどう　dining room ; restaurant (p. 33)

公会堂　こうかいどう　public hall

26. 病 〈病気〉

病院　びょういん　hospital (p. 54)

病人　びょうにん　patient ; sick person (p. 57)

看病(する)　かんびょう　tending a sick person

疾病　しっぺい　disease

病　やまい　disease

病む　やむ　become ill ; be ill with

27. 元 〈元気よく〉

元日　がんじつ　New Year's Day

元金　がんきん　the principal ; capital (p. 30)

紀元　きげん　an epoch

還元(する)　かんげん　reduction ; restoration

中元　ちゅうげん　mid-year present (p. 26)

次元　じげん　dimension

手元　てもと　near one's hand ; close at hand

28. 退 〈退治〉

退職(する)　たいしょく　retirement from work

退場(する)　たいじょう　exit ; leave

退院(する)　たいいん　leaving a hospital

退陣(する)　たいじん　decampment ; retirement

退学する　たいがくする　leave a school (p. 37)

引退(する)　いんたい　retirement

後退(する)　こうたい　retreat

撃退(する)　げきたい　repulse; driving back

脱退(する)　だったい　withdrawal; secession

辞退(する)　じたい　declining; refusal

退く　しりぞく　retreat

退ける　しりぞける　repel; drive back

29. 声 〈声〉

声明　せいめい　statement; declaration

声援(する)　せいえん　encouragement; cheer

歓声　かんせい　shout of joy; yell

音声　おんせい　voice; sound

銃声　じゅうせい　sound of firing a gun

30. 流 〈流れる〉

流行(する)　りゅうこう　fashion; fad

流通(する)　りゅうつう　circulation; distribution

流出(する)　りゅうしゅつ　outflow

主流　しゅりゅう　the main current (p. 59)

交流　こうりゅう　exchange; interchange

気流　きりゅう　current of air

漂流(する)　ひょうりゅう　drifting

上流　じょうりゅう　upper stream

下流　かりゅう　downstream

～流(草月流)　～りゅう(そうげつりゅう)　～style; ～school; ～rank (Sogetsu School)

流す　ながす　let flow; pour

流れる　ながれる　flow

31. 職 〈職員〉

職業　しょくぎょう　occupation; profession

職場　しょくば　one's place of work; one's job

職務　しょくむ　duties; work

職人　しょくにん　craftsman; artisan

職種　しょくしゅ　type of occupation

就職(する)　しゅうしょく　finding employment

退職(する)　たいしょく　retirement from work

辞職(する)　じしょく　retirement from work; resignation

汚職　おしょく　corruption

無職　むしょく　without occupation

内職　ないしょく　household industry; side job

殉職(する)　じゅんしょく　dying at one's post of duty

～職(管理職)　～しょく(かんりしょく)　managerial position

32. 赤 〈赤鬼〉

赤痢　せきり　dysentery

赤外線　せきがいせん　infrared ray

赤道　せきどう　the equator

赤い　あかい　red

赤ん坊　あかんぼう　baby

真っ赤　まっか　very red; crimson

地名・人名等

赤坂　あかさか；赤羽　あかばね

33. 登 〈登場〉

登山(する)　とざん　mountain climbing

登録(する)　とうろく　registration

登校(する)　とうこう　going to school; attending school

登記(する)　とうき　registration

登板(する)　とうばん　going up to the mound (baseball)

登る　のぼる　climb

34. 福 〈福は内〉

福祉　ふくし　welfare; well-being

福引　ふくびき　lottery

幸福(な)　こうふく　happiness; happy

祝福　しゅくふく　blessing

福島県　ふくしまけん　(see p. 120)
福岡県　ふくおかけん　(see p. 120)
福田　ふくだ；福山　ふくやま

35. 投　〈投げる〉

投じる・ずる　とうじる；とうずる　throw
投票(する)　とうひょう　voting
投資(する)　とうし　investment
投書(する)　とうしょ　contribution (to newspapers, magazines)
投機　とうき　speculation (financial) (p. 67)
投手　とうしゅ　pitcher
投球(する)　とうきゅう　throwing a ball
投下(する)　とうか　throwing down
投入(する)　とうにゅう　throwing in

36. 味　〈小気味よく〉

意味　いみ　meaning
興味　きょうみ　interest
趣味　しゅみ　hobby；interest
風味　ふうみ　flavor
味方　みかた　friend；ally
味　あじ　taste

37. 右　〈右往左往〉

右翼　うよく　right wing；rightists
右派　うは　rightists；the Right
左右　さゆう　left and right
右　みぎ　right；the Right
右足　みぎあし　right leg；right foot

38. 往　〈右往左往〉

往復(する)　おうふく　going and returning；round trip
往々　おうおう　sometimes

39. 左　〈右往左往〉

左翼　さよく　left wing；leftists
左派　さは　leftist；the left
左記　さき　the following
左　ひだり　left；the Left
左きき　ひだりきき　left-handed；a drinker

40. 降　〈降参〉

降下(する)　こうか　falling；dropping
降伏(する)　こうふく　surrender
以降　いこう　since
降りる　おりる　descend；get off
降ろす　おろす　take down；let down
降る　ふる　fall (p. 126)

41. 参　〈降参〉

参加(する)　さんか　participation (p. 42)
参拝(する)　さんぱい　worship；visit (a shrine, etc.)
参謀　さんぼう　staff officer；adviser
参照(する)　さんしょう　reference；consultation
参考　さんこう　reference (p. 80)
参(議)院　さん(ぎ)いん　the House of Councillors (p. 54)
持参する　じさんする　bring
参る　まいる　come (humble)
墓参り　はかまいり　visiting a grave

42. 用　〈用意〉

用紙　ようし　a blank form；stationery
用語　ようご　terms；wording
利用(する)　りよう　use；utilization
使用(する)　しよう　use；employment
信用(する)　しんよう　trust；credit；confidence (p. 63)

採用(する)　さいよう　adoption; employment

適用(する)　てきよう　adaptation; application

雇用　こよう　employment; hiring

費用　ひよう　cost; expense

乗用車　じょうようしゃ　passenger car (p. 45)

専用　せんよう　exclusive use

用いる　もちいる　use

43. 意　〈用意〉

意見　いけん　an opinion (p. 35)

意味　いみ　meaning

意向　いこう　intention

意義　いぎ　significance (p. 73)

意識　いしき　consciousness

意欲　いよく　will; volition

意外(な)　いがい　unexpected (p. 84)

注意(する)　ちゅうい　care; caution

決意(する)　けつい　resolution

同意(する)　どうい　agreement

合意　ごうい　agreement

得意　とくい　pride; triumph; one's strong point; a customer

熱意　ねつい　enthusiasm

第二課

自転車並み速さで 北上 台風10号

大型の台風10号は四日朝、小笠原諸島近海に達し北上している。

気象庁の観測によると、同日正午現在、父島の東北東約二五〇キロ（北緯二八度二〇分、東経一四四度三五分）にあり、毎時一〇キロと自転車並みのスピードで北に進んでいる。中心気圧は九七〇ミリバール、中心付近の最大風速は三五メートルで、中心から東側半径二〇〇キロ以内と西側は同一〇〇キロ以内が風速二五メートル以上の暴風雨域。

台風の勢力は大型で並みの強さを保っており、小笠原諸島の近海は大シケになっている。台風10号は五日午前三時には、鳥島の東約四〇〇キロの海上に達する見込みで、伊豆諸島近海も次第にシケとなり、関東、東海地方の太平洋岸ではうねりも高くなる。

「毎日新聞」1980年8月4日付夕刊

単語表

自転車　じてんしゃ　bicycle

自転車並み　じてんしゃなみ　like a bicycle

〜並み　〜なみ　like〜

速さ　はやさ　speed

北上(する)　ほくじょう　go to the north (p. 18), (opp. 南下　なんか)

台風　たいふう　typhoon

10号　じゅうごう　number 10

1st paragraph

大型　おおがた　big (opp. 小型　こがた)

四日朝　よっかあさ　the morning of the 4th

小笠原諸島　おがさわらしょとう　the Ogasawara (Bonin) Islands (see Note)

小笠原諸島近海　〜きんかい　off the Ogasawara Islands

(〜に)達する　たっする　reach

2nd par.

気象庁　きしょうちょう　the Meteorological Agency (p. 65)

観測　かんそく　observation

〜によると　according to〜

同日　どうじつ　the same day (p. 72)

正午　しょうご　noon (p. 11)

現在　げんざい　at present (p. 46)

父島　ちちじま　place name, one of the Ogasawara Islands

東北東　とうほくとう　east-northeast (p. 11)

約～　やく～　about; approximately

北緯　ほくい　latitude north (p. 18), cf. 南緯　なんい (latitude south)

28度20分　にじゅうはちどにじっぷん　28°20′

東経　とうけい　longitude east (p. 11)

～にあり　exists in ～ and

毎時　まいじ　per hour

～と　in this way

スピード　speed

北　きた　north (p. 18)

進む　すすむ　move; proceed (p. 130)

中心　ちゅうしん　central; center (p. 26)

気圧　きあつ　atmospheric pressure (p. 65)

ミリバール　millibars

付近　ふきん　vicinity

最大　さいだい　maximum (p. 36)

風速　ふうそく　wind velocity

東側　ひがしがわ　the east side (p. 11)

半径　はんけい　radius (p. 14), cf. 直径　ちょっけい (diameter)

以内　いない　within (p. 32)

西側　にしがわ　the west side (p. 17)

同　どう　the same; here, 半径

～以上　～いじょう　～or more (p. 32)

暴風雨　ぼうふうう　typhoon; storm

～域　～いき　area

3rd par.

勢力　せいりょく　power (p. 82)

並みの　なみの　ordinary

強さ　つよさ　strength; power

(～を)保つ　たもつ　maintain

大シケ　おおしけ　extremely rough (seas)

鳥島　とりしま　place name

東　ひがし　east (p. 11)

海上　かいじょう　on the sea (p. 32)

見込み　みこみ　prospects; forecast; expectation (p. 35)

伊豆諸島　いずしょとう　the Izu Islands (see Note) (p. 129)

次第に　しだいに　gradually (p. 80)

シケ　rough (sea)

関東(地方)　かんとう　the Kanto District (see p. 120)

東海地方　とうかいちほう　the Tokai District (see p. 120)

太平洋　たいへいよう　the Pacific Ocean (see p. 120)

～岸　～がん　the coast of～

うねり　surges; high waves

高い　たかい　high (p. 60)

Note

Translation

Typhoon No. 10 Moves North at 'Bicycle Speed'

The large typhoon No. 10 had reached the sea off the Ogasawara Islands and was still moving north as of the morning of the 4th.

According to the Meteorological Agency, the typhoon was, as of noon the same day, about 250 kilometers east-northeast of Chichijima Island (latitude 28° 20′ N, longitude 144° 35′ E), and was moving north at 10 kilometers per hour as fast as a bicycle. The central atmospheric pressure is 970 millibars ; the maximum velocity near the center is 35 meters ; for 200 kilometers to the east and 100 kilometers to the west of the center, it is stormy with a wind velocity of more than 25 meters.

This typhoon is large in size with average strength, causing rough seas near the Ogasawara Islands. It is expected to reach a point 400 kilometers east of Torishima Island by 3 a. m. on the 5th. The sea near the Izu Islands will gradually become rough, and the waves will become high along the Pacific coast of the Kanto and Tokai Districts.

練　習

I.

大型の台風10号は四日朝、小笠原諸島近海に達し北上している。気象庁の発表によると、同日正午現在、父島の東北東約250キロにあり、毎時10キロと自転車並みのスピードで北に進んでいる。

【例 1】

大型で並みの勢力の台風13号は、十日夜、奄美大島近海に達し、南西諸島を暴風域に巻き込んだ。気象庁の観測によると、台風は十一日午前零時現在、屋久島の南西約120キロの海上にあり、毎時35キロと、以前よりやや速度を上げながら北に進んでいる。

奄美大島　あまみおおしま　name of an island south of Kyushu (see Note)
南西諸島　なんせいしょとう　group of islands south of Kyushu
暴風域　ぼうふういき　storm area
巻き込む　まきこむ　involve
午前零時　ごぜんれいじ　zero a. m. (midnight)
屋久島　やくしま　island south of Kyushu
南西　なんせい　southwest (p. 17)
やや　somewhat

【例 2】

エベレスト登頂をめざす立川女子高校パーティ十二人は、三十日午後、第三ベースに到着した。同隊からの連絡によると、一行は明朝早く出発、エベレストの展望台ゴーキョ・ピークに向かう予定。

エベレスト登頂　…とうちょう　climbing Mt. Everest
めざす　aim at
立川女子高校パーティ　たちかわじょしこうこう…　party of people from Tachikawa Girls' High School
第三ベース　だいさん…　the third base
同隊　どうたい　the party; the group
連絡　れんらく　information; communication
一行　いっこう　the group
明朝　みょうちょう　tomorrow morning
展望台　てんぼうだい　observatory
ゴーキョ・ピーク　one of the peaks of Mt. Everest
向かう　むかう　make for

II.

台風10号は五日午前三時には鳥島の東約400キロの海上に達する見込みで、伊豆半島近海も次第にシケとなり、関東・東海地方の太平洋岸ではうねりも高くなる。

【例 1】

台風はこのまま進むと十一日朝には大隅半島に上陸し、同日夜には山陰地方に達する見込み。この影響で本州の南海上一帯は大シケになっている

このまま　as it is now
大隅半島　おおすみはんとう　Osumi Peninsula (see Note)
上陸する　じょうりくする　to land
山陰地方　さんいんちほう　San'in District (Shimane, Tottori, Fukui Prefectures, see Note.)
影響　えいきょう　influence

本州　ほんしゅう　Honshu, the main island of Japan

南海上一帯　みなみかいじょういったい　all over the sea south of (the main island)

大シケ　おおしけ　very rough (sea)

【例２】

日本の人口は1976年の厚生省人口問題研究所の推計によると、2000年には１億３千万人に達する見込みで、高齢人口の割合も急速に増大し、大きな社会問題になると考えられる。

人口　じんこう　population (p. 56)

厚生省　こうせいしょう　Ministry of Health and Welfare

人口問題研究所　じんこうもんだいけんきゅうじょ　Institute of Population Problems

推計　すいけい　estimation

１億３千万人　いちおくさんぜんまんにん　130 million people

～に達する　～にたっする　amount to ; reach

高齢人口　こうれいじんこう　number of older people

割合　わりあい　rate (p. 23)

急速に　きゅうそくに　rapidly

増大する　ぞうだいする　increase

漢字・漢語

1.　**転**　〈自転車〉

転じる・ずる　てんじる；てんずる　to turn ; to revolve ; to change

転換(する)　てんかん　conversion ; transfer

転覆(する)　てんぷく　overthrow

転機　てんき　turning point

転職(する)　てんしょく　change of occupation

運転(する)　うんてん　driving ; operation

逆転(する)　ぎゃくてん　reversion ; reversal

移転(する)　いてん　a move ; moving ; change of address

転がす　ころがす　turn round ; roll

転がる　ころがる　roll

転ぶ　ころぶ　fall ; stumble

2.　**並**　〈自転車並み〉

並行(する)　へいこう　parallel

並木　なみき　line of trees (p. 19)

並ぶ　ならぶ　be lined up

並べる　ならべる　line up

3.　**速**　〈速さ；風速〉

速度　そくど　speed

速記　そっき　stenography ; shorthand

速達　そくたつ　special delivery

高速　こうそく　high speed

急速(な)　きゅうそく　rapid

速い　はやい　fast

速やか　すみやか　swift

4.　**台**　〈台風〉

舞台　ぶたい　stage (theater)

屋台　やたい　stall

土台　どだい　foundation

～台　～だい　counter for vehicles & machines

5.　**風**　〈台風〉

風速　ふうそく　wind velocity

風景　ふうけい　landscape

風波　ふうは　wind and waves; rough seas

風水害　ふうすいがい　damage by wind and flooding

風俗　ふうぞく　manners; customs

風呂　ふろ　bath

暴風雨　ぼうふうう　storm

～風　～ふう　～fashion; ～style

風　かぜ　wind; a cold

風邪　かぜ(ふうじゃ)　a cold

6. 号 〈10号〉

信号　しんごう　signal

番号　ばんごう　number

第～号　だい～ごう　No. ～

7. 型 〈大型〉

模型　もけい　model; miniature

典型　てんけい　type; model

新型　しんがた　new type

中型　ちゅうがた　midium size(d)

小型　こがた　small size(d)

型録　かたろぐ　catalogue

8. 朝 〈四日朝〉

朝食　ちょうしょく　breakfast

朝刊　ちょうかん　morning edition of a newspaper

早朝　そうちょう　early morning

明朝　みょうちょう　tomorrow morning

朝　あさ　morning

朝晩　あさばん　morning and night

今朝　けさ　this morning

9. 原 〈小笠原諸島〉

原因　げんいん　cause; origin

原子　げんし　atom

原始　げんし　primitive

原作　げんさく　original work

原案　げんあん　original plan; draft

原則　げんそく　principle

原理　げんり　principle; fundamental rule

原料　げんりょう　raw material

原稿　げんこう　manuscript

原油　げんゆ　crude oil

原動力　げんどうりょく　motive power

原水爆　げんすいばく　atomic and hydrogen bombs

地名・人名等

原　はら；原田　はらだ

石原　いしはら；いしわら

藤原　ふじわら

10. 諸 〈小笠原諸島〉

諸～　しょ～　various

諸国　しょこく　various countries (p. 47)

諸説　しょせつ　various theories; various opinions

11. 島 〈小笠原諸島；父島〉

島民　とうみん　inhabitants of an island

半島　はんとう　peninsula

列島　れっとう　chain of islands; archipelago

島　しま　island

島々　しまじま　islands

地名・人名等

島根県　しまねけん　(see p. 120)

島田　しまだ；島崎　しまざき
島村　しまむら；中島　なかじま
高島　たかしま；小島　こじま
大島　おおしま；長島　ながしま
三島　みしま

12. 近 〈近海；付近〉

近代　きんだい　modern times; recent ages
近所　きんじょ　neighborhood (p. 22)
近郊　きんこう　suburb
近況　きんきょう　recent conditions
近世　きんせい　modern times (p. 81)
近年　きんねん　recent years
最近　さいきん　recently (p. 47)
接近(する)　せっきん　approach proximity; come close

地名・人名等

近畿地方　きんきちほう　the Kinki District (see p. 120)
近藤　こんどう

13. 海 〈近海；海上；東海地方〉

海外　かいがい　overseas
海岸　かいがん　coast; seashore
海運　かいうん　marine transportation
海軍　かいぐん　the navy
海底　かいてい　the bottom of the sea
海中　かいちゅう　in the sea
海面　かいめん　the surface of the sea
海洋　かいよう　ocean
海兵隊　かいへいたい　the marine corps
海流　かいりゅう　ocean current
航海　こうかい　navigation
南海　なんかい　sounthern seas; the South Seas
北海　ほっかい　northern seas; the North Sea
公海　こうかい　the open sea
領海　りょうかい　territorial waters
～海(日本海)　～かい(にほんかい)　sea (Japan Sea)
海　うみ　a sea

地名・人名等

北海道　ほっかいどう　(see p. 120)
熱海　あたみ
上海　シャンハイ　Shanghai

14. 達 〈達する〉

達成(する)　たっせい　achievement
発達(する)　はったつ　development (p. 14)
配達(する)　はいたつ　delivery
通達　つうたつ　notice; notification (p. 62)
速達　そくたつ　special delivery (p. 138)
上達(する)　じょうたつ　improvement; progress in a skill
友達　ともだち　friend

15. 象 〈気象庁〉

象徴　しょうちょう　symbol
気象　きしょう　weather (p. 65)
印象　いんしょう　an impression
現象　げんしょう　phenomenon (p. 46)
象　ぞう　elephant

16. 庁 〈気象庁〉

官庁　かんちょう　government office
省庁　しょうちょう　ministries and agencies
都庁　とちょう　the Metropolitan Government Office
～庁(文化庁)　～ちょう(ぶんかちょう)　Agency (Agency for Cultural Affairs)

17. **観** 〈観測〉

観光　かんこう　sightseeing
観客　かんきゃく　spectator; audience (p. 128)
観衆　かんしゅう　spectators; onlookers
観念　かんねん　idea
楽観(する)　らっかん　be optimistic
悲観(する)　ひかん　be pessimistic
主観的(な)　しゅかんてき　subjective
客観的(な)　きゃっかんてき　objective
観る　みる　see; observe

18. **測** 〈観測〉

推測(する)　すいそく　conjecture; surmise
予測(する)　よそく　anticipation
測る　はかる　measure

19. **父** 〈父島〉

父兄　ふけい　parents; guardian
父母　ふぼ　parents
祖父　そふ　grandfather
父親　ちちおや　father
お父さん　おとうさん　Father; father

20. **約** 〈約〉

約束(する)　やくそく　promise
契約　けいやく　contract
条約　じょうやく　treaty
予約(する)　よやく　reservation; advance booking (p. 16)
婚約(する)　こんやく　engagement for marriage
公約　こうやく　public promise (p. 68)
節約(する)　せつやく　economizing (p. 127)
要約(する)　ようやく　summary
集約(する)　しゅうやく　concentrated; intensive

21. **経** 〈東経〉

経済　けいざい　economy
経営(する)　けいえい　management
経験(する)　けいけん　experience
経過(する)　けいか　process
経費　けいひ　expense
経由(する)　けいゆ　via; through
神経　しんけい　a nerve; nerves (p. 128)
経る　へる　go through

22. **毎** 〈毎時〉

毎日　まいにち　every day (p. 57)
毎年　まいねん；まいとし　every year
毎週　まいしゅう　every week
毎月　まいつき；まいげつ　every month (p. 39)
毎朝　まいあさ　every morning
毎晩　まいばん　every evening; every night
毎～(毎土曜日)　まい～(まいどようび)　every (every Saturday)
～毎(各車毎)　～ごと(かくしゃごと)　every (every car)

23. **圧** 〈気圧〉

圧する　あっする　press down; overwhelm
圧迫する　あっぱくする　oppress
圧倒する　あっとうする　overwhelm
血圧　けつあつ　blood pressure
弾圧(する)　だんあつ　oppression

24. **付** 〈付近〉

付属(する)　ふぞく　attachment
付録　ふろく　supplement
寄付(する)　きふ　contribution; donation

交付(する)　こうふ　delivery; grant
付く　つく　be attached
付ける　つける　attach
受付　うけつけ　reception desk; receptionist

25. 側 〈東側；西側〉
側面　そくめん　side; flank
側　がわ　near; close
向こう側　むこうがわ　the other side
～側(東側)　～がわ(ひがしがわ)　side (the east side)

26. 暴 〈暴風雨〉
暴露(する)　ばくろ　exposure; disclosure
暴力　ぼうりょく　violence (p. 82)
暴行(する)　ぼうこう　violence; rape (p. 18)
暴動　ぼうどう　disturbance
暴風　ぼうふう　storm
乱暴(する)　らんぼう　violence; rape
暴く　あばく　expose; reveal
暴れる　あばれる　be violent

27. 雨 〈暴風雨〉
雷雨　らいう　thunderstorm
豪雨　ごうう　heavy rain
雨　あめ　rain (p. 125)
雨戸　あまど　shutters
小雨　こさめ　light rain
梅雨　つゆ；ばいう　the rainy season (June-July)

28. 域 〈暴風雨域〉
地域　ちいき　area; region (p. 18)
区域　くいき　area; district (p. 77)
～域(暴風雨域)　～いき(ぼうふうういき)　area (rain-storm area)

29. 保 〈保つ〉
保護(する)　ほご　protection
保険　ほけん　insurance
保障(する)　ほしょう　security
保証(する)　ほしょう　guarantee
保存(する)　ほぞん　preserve; keep
保安　ほあん　maintenance of public peace (p. 79)
保守的(な)　ほしゅてき　conservative
保母　ほぼ　day nurse
確保(する)　かくほ　secure
留保(する)　りゅうほ　reservations about something; deferring a decision

30. 鳥 〈鳥島〉
白鳥　はくちょう　swan
野鳥　やちょう　wild bird
鳥　とり　bird
小鳥　ことり　little bird

地名・人名等

鳥取県　とっとりけん　(see p. 120)

31. 込 〈見込み〉
込む　こむ　be put into; be crowded
込める　こめる　put in
着込む　きこむ　wear (p. 123)

32. 伊 〈伊豆諸島〉

地名・人名等

伊勢　いせ；伊藤　いとう (p. 43)

33. 次 〈次第に〉
次第　しだい　order; procedure; circumstances

次長　じちょう　vice-chief

次元　じげん　dimension (p. 180)

次男　じなん　second son

次期　じき　next period

次　つぎ　next

次ぐ　つぐ　rank next to; come after

次いで　ついで　next; and then

34. 太 〈太平洋〉

太陽　たいよう　the sun (p. 128)

太い　ふとい　thick

地名・人名等

樺太　からふと　Sakhalin

太田　おおた

35. 洋 〈太平洋〉

洋風　ようふう　Western style

洋式　ようしき　Western style

洋服　ようふく　Western clothes (p. 129)

洋裁　ようさい　Western sewing; dress-making

洋食　ようしょく　Western food

西洋　せいよう　the West

東洋　とうよう　the Orient

大洋　たいよう　ocean

遠洋　えんよう　ocean; deep sea

36. 岸 〈太平洋岸〉

海岸　かいがん　coast; seashore (p. 140)

沿岸　えんがん　along the coast

対岸　たいがん　the other side (of the river, etc.)

岸　きし　the bank; shore

第三課

車両火災の死者が急増　上半期、自殺増え

一日当たり六人が焼死、四億五千万円が灰になった――消防庁は十日、今年上半期の全国の火災概況を発表した。

それによると、出火件数は三万六千三百八十五件。これは前年同期に比べて二千八百四十九件（七・三％）の減少だが、一日当たり二百件、七分に一件の割合で発生したことになる。大半（五八・七％）は建物の火災。次いで林野火災（九・六％）、車両火災（五・三％）、船舶火災（〇・二％）、その他（二六・一％）の順。車両火災だけが前年同期に比べ七十八件（四・二％）増えている。

死傷者五千五百九十八人のうち死者は千百五十四人で、前年同期より百二十七人（九・九％）減っている。建物火災による死者が一番多くて八百四十七人、車両火災による死者も九十七人にのぼっている。これは車にガソリンをかけて自殺する人が多くなったためで、前年同期より四十人増えている。負傷者は四千四百四十四人で前年同期より二百六十三人（五・六％）減っているが、一日当たり二十四人がケガをしている。

焼けた建物は二万八千九百三十八棟で、一日当たり百五十九棟、被災世帯は二万一千九百八十三世帯となっている。林野の焼損などを含めた損害の総額は八百二十七億八千六百八十七万円だった。

「毎日新聞」1980年 8 月11日付朝刊

単語表

車両　しゃりょう　vehicles (p. 45)

火災　かさい　fire

死者　ししゃ　the dead (p. 38)

車両火災の死者　deaths in fires involving vehicles

急増(する)　きゅうぞう　increase suddenly (p. 42)

上半期　かみはんき　the first half-year (opp. 下半期 しもはんき)

自殺　じさつ　suicide (p. 40)

増える　ふえる　increase

1st paragraph

一日当たり　いちにちあたり　per day (p. 69)

焼死(する)　しょうし　person burnt to death; deaths in fires

四億五千万円　よんおくごせんまんえん　450 million yen

灰　はい　ashes

消防庁　しょうぼうちょう　the Fire Defense Agency

今年　ことし　this year (p. 28)

全国　ぜんこく　throughout the country (p. 80)

概況　がいきょう　general situation

発表する　はっぴょうする　announce; report (p. 14)

2nd par.

出火件数　しゅっかけんすう　number of fires (件数 p. 42)

前年　ぜんねん　previous year (p. 12)

同期　どうき　corresponding period

～に比べ(て)　～にくらべ(て)　in comparison with

減少　げんしょう　decrease

割合　わりあい　rate (p. 23)

発生する　はっせいする　start (p. 14)

～ことになる　it comes to ～; it means ～

大半　たいはん　majority; the greater part (p. 14)

建物　たてもの　building (p. 61)

次いで　ついで　next (p. 143)

林野　りんや　forests and fields (p. 76)

船舶　せんぱく　vessels; ships

その他　そのた　others

順　じゅん　order

3rd par.

死傷者　ししょうしゃ　the dead and injured

減る　へる　decrease

～による死者　～によるししゃ　deaths by ～

一番多い　いちばんおおい　the greatest in number; the most

～にのぼる　amount to ～

車にガソリンをかける　くるま～　douse a car with gasoline

自殺する　じさつする　kill oneself; commit suicide

負傷者　ふしょうしゃ　the injured

ケガをする　be hurt (p. 123)

4th par.

焼ける　やける　be burned

～棟　～むね　counter for buildings

被災　ひさい　be a victim of

世帯　せたい　household (p. 80)

被災世帯　households that suffer from fire

焼損　しょうそん　loss by fire

～を含める　～をふくめる　include

損害　そんがい　loss

総額　そうがく　total amount

億　おく　10,000,000

■Translation

Deaths in Car Fires Show Increase
—Suicides Rise in 1st Half of Year

Six people died and 450 million yen was lost in fires per day, according to the report on nationwide fires during the first half of this year which was issued by the Fire Defense Agency on the 10th.

The report says that there were 36,365 fires, 2,649 (7.3%) less than the first half of the previous year; this means that there were 200 fires a day, or one fire every 7 minutes. More than half of them (58.7%) were fires in buildings, followed by forest fires (9.6%), vehicle fires (5.3%), ship fires (0.2%), and others. Only fires involving vehicles increased greatly, by 78 (4.2%) from the same period of the previous year.

Among the 5,598 persons dead and injured, the dead numbered 1,154, 127 (9.9 %) less than last. The greatest number of deaths were caused by building fires, 847; deaths in car fires climbed to 97. This increase in car fire death, 40 more than last year, was caused by the fact that more people committed suicide by dousing cars with gasoline. The total number of injured was 1,444, 263 less than last year; this means that 24 persons were hurt each day.

A total of 2,893 buildings was burned down, 159 per day, and 21,983 households suffered from fire. The total amount of loss, including losses in forests and fields, was 82,786,870,000 yen.

練　習

I.

消防庁は十日、今年上半期の全国の火災概況を発表した。それによると、出火件数は三万六千三百八十五件、これは前年同期に比べて七・三%の減少だが、一日当たり二百件、七分に一件の割合で発生したことになる。

【例 I】

都公害局は五十四年度の都内の大気汚染状況を二十八日まとめた。それによると、一酸化炭素などは前年度より良好になっているが、自動車の排ガスの影響が最も大きい二酸化窒素は前年より多いところもある。

都公害局　とこうがいきょく　Bureau of Environmental Protection, Metropolitan Office
五十四年度　ごじゅうよねんど　the 1979 fiscal year (Showa 54)
都内　となない　within Tokyo
大気汚染状況　たいきおせんじょうきょう　the state of air pollution
まとめる　collect data
一酸化炭素　いっさんかたんそ　carbon monoxide
良好　りょうこう　good
排ガス　はい…　exhaust fumes

影響　えいきょう　affect; influence (p. 137)

二酸化窒素　にさんかちっそ　nitrogen dioxide

【例2】

東京のタウン誌「むさしの」は竹製品専門店竹清堂の主人、田中清さんとのインタビューの記事を掲載した。それによると、「最近は本物の竹製品がよく売れるようになった。一時はプラスチックで竹ふうのものに押されていたが、近ごろ本物志向が強くなって竹製品が復活してきた」という。

タウン誌　…し　local magazine

むさしの　name of a magazine (Musashino is an old name for the Tokyo area.)

竹製品　たけせいひん　bamboo product

専門店　せんもんてん　speciality shop

竹清堂　ちくせいどう　name of a shop

田中清　たなかきよし　(personal name)

インタビュー　interview

記事　きじ　article

掲載する　けいさいする　publish (in a magazine, newspaper, etc.)

最近　さいきん　recently (p. 47)

本物　ほんもの　the real thing; natural product

売れる　うれる　be sold; sell

一時　いちじ　for a time (p. 13)

プラスチック　plastic

竹ふうのもの　たけ…　things that look like bamboo

〜に押される　〜におされる　be overwhelmed by 〜

近ごろ　ちかごろ　recently

本物志向　ほんものしこう　liking for real things

復活する　ふっかつする　revive

II.

> 火災による死者千百五十四人のうち、建物火災による死者が一番多くて八百四十七人、車両火災による死者も九十七人にのぼっている。これは、車にガソリンをかけて自殺する人が多くなったためで、前年同期より四十人増えている。

【例1】

二酸化窒素は多摩地区では平均測定値が前年度より高くなっている。これは、都内の自動車の走行量は横ばい状態なのに、ディーゼル車など大型車が増えたためとみられる。

多摩地区　たまちく　Tama area (a suburb of Tokyo)

平均測定値　へいきんそくていち　average amount measured (平均 p. 81)

走行量　そうこうりょう　amount of car travel

横ばい状態　よこばいじょうたい　remain on the same level

ディーゼル車　…しゃ　diesel vehicle

大型車　おおがたしゃ　large-sized vehicle (大型 p. 134)

【例2】

最近はデパートでも竹すだれ、竹のさら、竹の茶碗、竹のおもちゃなどがよく売れる。これは、マンション生活のあまりの西欧化にあきて、生活にうるおいを求める傾向が出てきたためであろう。

竹すだれ　たけすだれ　bamboo screen

茶碗　ちゃわん　cup

マンション生活　…せいかつ　living in a condominium (生活 p. 66)
西欧化　せいおうか　Westernization
うるおいを求める　うるおいをもとめる　seek for the spiritual in life
傾向　けいこう　tendency

漢字・漢語

1. **両**　〈車両〉

両国　りょうこく　both countries (p. 47)
両親　りょうしん　parents
両日　りょうじつ　both days
両者　りょうしゃ　the two; both
両氏　りょうし　the two gentlemen (p. 22)
両方　りょうほう　both
両党　りょうとう　the two parties
両〜(両手)　りょう〜(りょうて)　both (both hands) (p. 54)

2. **火**　〈火災；出火〉

火事　かじ　fire (p. 34)
火曜日　かようび　Tuesday
火山　かざん　volcano (p. 52)
火力　かりょく　heating power; steam power
出火　しゅっか　start of a fire
放火　ほうか　arson
防火　ぼうか　fire prevention
消火　しょうか　fire fighting; extinguishing fire
火　ひ　fire

3. **災**　〈火災〉

災害　さいがい　disaster; calamity
災難　さいなん　mishap; calamity
震災　しんさい　earthquake
戦災　せんさい　war damage
防災　ぼうさい　disaster prevention
災い　わざわい　disaster; misfortune

4. **死**　〈死者；焼死〉

死亡する　しぼうする　die
死去する　しきょする　die; pass away
死体　したい　dead body; corpse (p. 83)
死傷(する)　ししょう　deaths and injuries
死刑　しけい　capital punishment
必死　ひっし　desperate (p. 83)
〜死(事故死)　〜し(じこし)　be killed in an accident
死ぬ　しぬ　die

5. **急**　〈急増〉

急行　きゅうこう　express (train) (p. 18)
急用　きゅうよう　urgent business
急速(な)　きゅうそく　rapid (p. 138)
急激(な)　きゅうげき　sudden; drastic
急進的(な)　きゅうしんてき　radical; extreme
急務　きゅうむ　urgent duty
緊急　きんきゅう　emergency
救急車　きゅうきゅうしゃ　ambulance
早急　さっきゅう；そうきゅう　at once
至急　しきゅう　urgent; in a hurry
急ぐ　いそぐ　be in a hurry

6. **期**　〈上半期〉

期する　きする　expect; hope for; look forward to

期間　きかん　period of time; term (p. 31)

期待(する)　きたい　expectation; anticipation; hopes

期限　きげん　term; deadline; time limit

期日　きじつ　deadline; due date

時期　じき　period; time (p. 13)

定期　ていき　regular; periodical (p. 16)

定期券　ていきけん　a pass; a commuter ticket (p. 16)

長期　ちょうき　a long period (p. 44)

延期(する)　えんき　postponement

早期　そうき　early stage

学期　がっき　school term

画期的(な)　かっきてき　epoch-making (p. 34)

任期　にんき　period of duty

予期(する)　よき　expect; anticipate

初期　しょき　early days; the first period (p. 75)

後期　こうき　later period; the later period

～期(青年期)　～き(せいねんき)　period (adolescence; youth)

最期　さいご　death; one's end

7. 殺 〈自殺〉

殺人　さつじん　murder (p. 56)

殺害(する)　さつがい　kill

殺菌(する)　さっきん　sterilization; disinfection

殺到(する)　さっとう　rush to; throng to

暗殺(する)　あんさつ　assassinate

射殺(する)　しゃさつ　shoot to death

併殺(する)　へいさつ　double play (baseball)

殺す　ころす　kill

8. 焼 〈焼死〉

焼身　しょうしん　(suicide by) burning oneself

全焼する　ぜんしょうする　be completely burned down

燃焼　ねんしょう　combustion

焼く　やく　burn; bake; grill

焼ける　やける　burn; be baked; be grilled

9. 億 〈四億五千万円〉

億万長者　おくまんちょうじゃ　billionaire

数億　すうおく　several hundred millions

10. 消 〈消防庁〉

消息　しょうそく　news; information

消化(する)　しょうか　digestion (p. 61)

消火(する)　しょうか　extinguishing fire (p. 148)

消毒(する)　しょうどく　disinfection

消極的(な)　しょうきょくてき　negative; passive (p. 64)

解消(する)　かいしょう　dissolution; liquidation

消える　きえる　disappear

消す　けす　distinguish; turn off

11. 防 〈消防庁〉

防止(する)　ぼうし　prevention

防衛(する)　ぼうえい　defense

防火　ぼうか　prevention of fire

防水　ぼうすい　waterproof

防犯　ぼうはん　crime prevention

国防　こくぼう　national defense (p. 47)

予防(する)　よぼう　prevention (p. 16)

防ぐ　ふせぐ　prevent

12. 概 〈概況〉

概算　がいさん　rough estimate; rough calculation

概念　がいねん　general idea; conception

概して　がいして　in general

13. 況 〈概況〉

活況 かっきょう activity

状況 じょうきょう state of things

不況 ふきょう depression; recession (p. 48)

盛況 せいきょう prosperity

14. 件 〈出火件数〉

事件 じけん event; affair; incident (p. 33)

条件 じょうけん condition; term

人件費 じんけんひ personnel expenses

15. 比 〈比べる〉

比する ひする compare

比較(する) ひかく comparison

比率 ひりつ ratio

比例する ひれいする be proportionate

比重 ひじゅう gravity; relative importance

16. 減 〈減少; 減る〉

減ずる・じる げんずる; げんじる decrease

減税(する) げんぜい tax reduction

減産(する) げんさん decrease in production

加減(する) かげん adding and subtraction; degree; adjustment

削減(する) さくげん curtailment

急減(する) きゅうげん sudden decrease

～減(乗客減) ～げん(じょうきゃくげん) decrease in (decrease in the number of passengers)

(十パーセント減) (じっ…げん) decrease by (decrease by 10 percent)

減らす へらす decrease

17. 割 〈割合〉

分割(する) ぶんかつ division (p. 31)

割る わる divide; split

割れる われる be split; be broken

割く さく tear; sever

18. 建 〈建物〉

建設(する) けんせつ construction

建築 けんちく architecture

建国 けんこく founding a country

再建(する) さいけん reconstruction; rebuilding

建つ たつ be built

建てる たてる build

19. 林 〈林野〉

農林 のうりん agriculture and forestry

山林 さんりん mountains and forests

林 はやし woods

地名・人名等

林 はやし; 小林 こばやし

20. 船 〈船舶〉

船長 せんちょう ship's captain

船員 せんいん crew

漁船 ぎょせん fishing boat

客船 きゃくせん passenger boat

造船 ぞうせん shipbuilding

貨物船 かもつせん cargo boat

～船(宇宙船) ～せん(うちゅうせん) ship (spaceship)

船 ふね ship; boat

船酔い ふなよい seasickness

小船 こぶね small boat

21. 他 〈その他〉

他人 たにん stranger; outsider

他国　たこく　foreign country

他方　たほう　on the other hand

〜に他ならない　〜にほかならない　is nothing other than

22. 順　〈順〉

順調(な)　じゅんちょう　smooth ; favorable

順位　じゅんい　order ; rank

順当(な)　じゅんとう　proper ; right

順番　じゅんばん　turn ; order

手順　てじゅん　procedure ; arrangement

筆順　ひつじゅん　stroke order (of *kanji*)

23. 傷　〈死傷者 ; 負傷〉

傷害　しょうがい　harm ; injury

重傷　じゅうしょう　serious injury (p. 48)

軽傷　けいしょう　slight injury

傷む　いたむ　be damaged ; be spoiled

傷める　いためる　injure

傷　きず　a wound

24. 番　〈一番〉

番組　ばんぐみ　program

番号　ばんごう　number

番地　ばんち　street number

交番　こうばん　police box

順番　じゅんばん　order ; turn

25. 多　〈多い〉

多数　たすう　many (p. 41)

多少　たしょう　more or less ; amount

多額　たがく　large amount

多分　たぶん　perhaps

多様(な)　たよう　various

26. 負　〈負傷者〉

負担　ふたん　burden

勝負　しょうぶ　match ; game

抱負　ほうふ　aspiration

負う　おう　carry on one's back ; bear (responsibility)

負かす　まかす　beat ; defeat

負ける　まける　be beaten ; lose

27. 被　〈被災〉

被害　ひがい　injury ; damage

被告　ひこく　defendant ; the accused

被〜(被保険者)　ひ〜(ひほけんしゃ) (an insured person)

28. 帯　〈世帯〉

地帯　ちたい　zone (p. 18)

携帯用　けいたいよう　portable

熱帯　ねったい　the tropical zone

包帯　ほうたい　bandage

連帯　れんたい　solidarity ; joint 〜

〜帯(時間帯)　〜たい(じかんたい) zone (time zone ; time period)

帯　おび　sash ; belt

帯びる　おびる　wear ; put on

29. 損　〈焼損 ; 損害〉

損得　そんとく　loss and gain

破損　はそん　damage

30. 含　〈含める〉

含蓄　がんちく　implication

含む　ふくむ　include

31. 害　〈損害〉

被害　ひがい　injury ; damage

障害　しょうがい　obstacle

公害　こうがい　pollution (p. 68)

侵害(する)　しんがい　invasion

妨害(する)　ぼうがい　hindrance

傷害　しょうがい　injury (p. 151)

災害　さいがい　disaster (p. 148)

弊害　へいがい　an evil practice

利害　りがい　interest ; gain and loss

有害(な)　ゆうがい　harmful

32. 総 〈総額〉

総じて　そうじて　in general

総合(する)　そうごう　synthesis (p. 23)

総数　そうすう　total number

総理(大臣)　そうり(だいじん)　Prime Minister ; Premier

総裁　そうさい　president

総長　そうちょう　president (of a university) (p. 44)

総監　そうかん　chief ; superintendent general

総括(する)　そうかつ　generalization

総会　そうかい　a general meeting (p. 43)

総評　そうひょう　the General Council of Trade Unions of Japan（日本労働組合総評議会）

33. 額 〈総額〉

金額　きんがく　amount of money

全額　ぜんがく　total amount

増額(する)　ぞうがく　increase in amount

多額　たがく　large amount (p. 151)

半額　はんがく　a half amount

額面　がくめん　face value

〜額　〜がく　amount

額　がく　plaque ; framed picture

第四課

お盆帰りピーク

列車満員　道路渋滞

月遅れのお盆を故郷で過ごした帰省客のUターンが十七日ピークとなり、国鉄の列車や高速道路、空の便はこの夏最高の混雑だった。おみやげを両手に抱えた家族連れ、長い渋滞にうんざり顔のマイカー組。国内航空便も運賃値上げによる乗客減をはね返した。帰省ラッシュは夜半まで続き、十八日からは夏休み明けで平常業務に戻る会社も多い。

国鉄の調べによると、新幹線は「ひかり」が始発の博多駅で定員の二・五倍前後となり、広島、岡山ではいずれも定員の三倍。

一方、道路では東名高速道の上り線が午前から早くも車があふれ、最高三十㌔近い渋滞。東北自動車道も、午前中から断続的に渋滞が始まり、最高十㌔近く車がつながったまま動かず、ノロノロ運転。

国内の空の足もこの日、上り便がピークを迎えた。日本航空、全日空、東亜国内航空では三社計十七便の臨時便を運航、それでも福岡、鹿児島空港では乗り切れずにこの日の〝帰り〟をあきらめる人がかなり出た。

「毎日新聞」1980年8月18日付朝刊

単語表

お盆帰り	おぼんがえり　returning home after celebrating *obon,* see Notes 1.
ピーク	peak
列車	れっしゃ　trains (p. 45)
満員	まんいん　full (p. 41)
道路	どうろ　road
渋滞	じゅうたい　be congested; congestion

1st paragraph

月遅れ	つきおくれ　one month behind, see Notes 1. (p. 39)
故郷	こきょう　hometown
過ごす	すごす　spend (time)
帰省客	きせいきゃく　people who had returned to their hometowns
Uターン	U turn
国鉄	こくてつ　Japanese National Railways
高速道路	こうそくどうろ　expressway
空の便	そらのびん　air flight; air transportation
この夏	このなつ　this summer

最高　さいこう　highest; biggest (p. 47)

混雑　こんざつ　congestion

おみやげ　presents, see Notes 2.

両手　りょうて　both hands (p. 54)

抱える　かかえる　hold

家族連れ　かぞくづれ　together with family members

長い　ながい　long (p. 44)

うんざり顔　うんざりがお　weary look; look sick and tired of

マイカー組　～ぐみ　those who drive their own cars

国内航空便　こくないこうくうびん　domestic airlines

運賃　うんちん　fare (p. 85)

値上げ　ねあげ　rise

乗客減　じょうきゃくげん　decrease of passengers (p. 150)

はね返す　はねかえす　repel

帰省ラッシュ　きせい～　rush of people returning from their hometowns

夜半　やはん　midnight (p. 14)

続く　つづく　continue (p. 77)

夏休み明け　なつやすみあけ　after summer holidays (p. 20)

平常業務　へいじょうぎょうむ　regular work (平常 p. 81 業務 p. 46)

戻る　もどる　return

会社　かいしゃ　company (p. 43)

2nd par.

調べ　しらべ　investigation (p. 50)

新幹線　しんかんせん　Shinkansen (new trunk line) (p. 37)

「ひかり」　name of Shinkansen trains

始発　しはつ　starting (p. 15)

博多駅　はかたえき　Hakata Station (in Fukuoka)

定員　ていいん　seating capacity (p. 16)

二・五倍前後　にてんごばいぜんご　around two and a half times as

広島　ひろしま　place name (see p. 120, p. 128)

岡山　おかやま　place name (see p. 120)

いずれも　every one of them

三倍　さんばい　three times as

3rd par.

一方　いっぽう　on the other hand (p. 19)

東名高速道　とうめいこうそくどう　Tomei Expressway (from Tokyo to Nagoya)

上り線　のぼりせん　up (going to Tokyo) lane

あふれる　overflow; be too many

三十キロ近い　さんじっ…ちかい　almost 30 kilometers

東北自動車道　とうほくじどうしゃどう　Tohoku Highway (from Tokyo to Tohoku)

断続的に　だんぞくてきに　intermittently

車がつながったまま　くるま…　cars are lined up one after the other

動かず　うごかず　not moving; did not move

ノロノロ運転　…うんてん　driving very slowly

4th par.

空の足　そらのあし　transportation by air

上り便　のぼりびん　flights going to Tokyo

～を迎える　～をむかえる　meet; greet
日本航空　にほんこうくう　Japan Air Lines
全日空　ぜんにっくう　All Nippon Airways
東亜国内航空　とうあこくないこうくう　Toa Domestic Air Lines
三社計十七便　さんしゃけいじゅうしちびん　17 flights in total flown by three airlines
臨時便　りんじびん　extra flights
運航(する)　うんこう　fly (p. 85)
福岡　ふくおか　place name (see p. 120, p. 132)
鹿児島　かごしま　place name (see p. 120)
空港　くうこう　airport (p. 127)
乗り切れずに　のりきれずに　unable to board; there were too many passengers
あきらめる　give up; resign oneself

■Notes

1. ***Obon*** *Bon* or *Obon* is observed in the middle of July or August, depending on the area. When it is observed in August it is called *"tsukiokure"* (one month behind). According to popular belief, ancestral spirits come to visit their descendants and stay with them during the *obon* festival. People receive the returning spirits on the 13th and entertain them until the 16th, when they see them off. When the spirits return to the other world, many lanterns are lit and put into the rivers so that they can find their way back. During this time, people offer food to the spirits and dance together in the evening to entertain them. This is also the season of family reunions; those who have left their homes to work in big cities return to their hometowns. *Obon* and the New Year holidays are the two main occasions when so many people go back to the country that the traffic becomes quite thick.
2. ***Omiyage*** Both on their way to the country and back from the country, people carry a lot of presents, which are called *"omiyage." Omiyage* are presents for those who have stayed at home instead of going on the trip.

■Translation

Trains Packed After Obon Visits; Roads Congested Too

The rush of people coming back to Tokyo after spending the one-month-late Bon season in their hometowns reached its peak on the 17th. Japanese National Railways' trains, expressways, and airplanes were packed more fully than any other day this summer. There were families with their arms full with presents; car drivers looked weary at the endless congestion. Domestic airlines were full, springing back from the decrease in passengers caused by raising of fares. The back-to-Tokyo rush continued into the small hours of the morning. Many companies resume regular business after the summer holidays on the 18th.

According to reports by the JNR, Hikari super-express trains on the Shinkansen Line were already filled to 2.5 times capacity at Hakata Station, their starting point, and reached 3 times capacity at Hiroshima and Okayama.

As for the roads, the east bound lanes of the Tomei Expressway were already congested in the morning, with the longest line of cars extending nearly 30 kilometers. Congestion along the Tohoku Expressway also started in the morning and continued intermittently; the longest line of cars extended almost 10 kilometers, with cars moving as slowly as snails.

Domestic airlines also had a peak day of passenger traffic to Tokyo. The three airlines, Japan Air Lines, All Nippon Airways, and Toa Domestic Air Lines, together flew 17 extra flights, but there were some passengers at the Fukuoka and Kagoshima Airports who could not get flights and had to give up going back to Tokyo that day.

練　習

I.

月遅れのお盆を故郷で過ごした帰省客のUターンが十七日ピークとなり、国鉄の列車や高速道路、空の便はこの夏最高の混雑だった。

国鉄の調べによると、新幹線は「ひかり」が始発の博多駅で定員の二・五倍前後となり、広島、岡山ではいずれも定員の三倍。

一方、道路では東名高速道の上り線が午前から早くも車があふれ、最高三十キロ近い渋滞。

国内の空の足もこの日上り便がピークを迎えた。

【例 1】

御用始めを前にして、三日の日本列島は「Uターン」する人たちでごった返した。

国鉄本社の調べだと、同日午後すぎから上野駅に着いた特急、急行列車は軒並み180—200パーセントの乗車率。国鉄各駅はおみやげをかかえた家族連れであふれた。

東京へつながる幹線ハイウェーはどこも平日の数倍にのぼるマイカーがじゅずつなぎとなった。

一方、成田空港ではどの方面も満席が続き、国際線到着ロビーでは、グアムなどで海水浴焼けした家族連れやサーフィンボードをかついだ若者たちの姿が目立った。

御用始め　ごようはじめ　the first business day of the new year. It is customary to stop business on December 28th and resume it after the New Year holidays on January 4th.

～を前にして　～をまえにして　before

日本列島　にほんれっとう　the Japanese Archipelago; the whole of Japan

ごった返す　ごったがえす　be in confusion

本社　ほんしゃ　the main office (p. 57)

上野駅　うえのえき　Ueno Station (in Tokyo)

着く　つく　arrive (p. 129)

特急(列車)　とっきゅう(れっしゃ)　special express (train)

急行列車　きゅうこうれっしゃ　express train

軒並み　のきなみ　every one of them

乗車率　じょうしゃりつ　rate of passengers riding in a train

つながる　lead into

幹線ハイウェー　かんせん…　trunk highway; main highway

平日　へいじつ　weekdays

数倍　すうばい　several times more

じゅずつなぎ　lined up bumper to bumper

成田空港　なりたくうこう　Narita Airport (New Tokyo International Airport)

方面　ほうめん　direction (p. 19)

満席　まんせき　full; all seats are occupied

国際線到着ロビー　こくさいせんとうちゃく…　international flight arrival lobby

グアム　Guam

海水浴焼け　かいすいよくやけ　getting suntanned by bathing in the sea

サーフィンボード　surfboard

かつぐ　carry on the shoulder

若者　わかもの　youth; young people

姿　すがた　figure; appearance

目立つ　めだつ　be remarkable; be conspicuous

【例２】

恒例の雪まつりを迎えて、札幌のホテルはどこも満員、東京方面からの空の便も全便満席となり、札幌の町は観光客であふれた。全日空の調べによると、東京からの下り便は十五日まですべて満席で、羽田空港ではキャンセル待ちの人が列を作っているという。

一方、札幌から東京への上り便は、きょう、あすの二日間はまだ席があるが、明後日十三日はすでに予約で満席になっている。

恒例　こうれい　customary; practiced regularly

雪まつり　ゆきまつり　snow festival

札幌　さっぽろ　place name (a city in Hokkaido, see p. 120)

全便　ぜんびん　all flights

観光客　かんこうきゃく　sightseer; tourist (p. 128)

キャンセル待ち　…まち　waiting for a cancellation

列を作る　れつをつくる　stand in a line

席　せき　seat

明後日　みょうごにち　the day after tomorrow

予約　よやく　reservation (p. 16)

漢字・漢語

1. 帰 〈お盆帰り〉

帰する　きする　attribute to ; result in

帰国(する)　きこく　return to one's own country

帰京(する)　ききょう　return to Tokyo (p. 11)

帰宅(する)　きたく　return home

帰化(する)　きか　naturalization

復帰(する)　ふっき　return ; reinstatement

帰す　かえす　send back

帰る　かえる　go back ; go home

2. 列 〈列車〉

列　れつ　row ; line

列島　れっとう　chain of islands

行列　ぎょうれつ　procession ; line (p. 17)

系列　けいれつ　succession

序列　じょれつ　order ; grade

～列(三列)　～れつ(さんれつ)　rows (three rows)

3. 満 〈満員〉

満足(する)　まんぞく　contentment ; satisfaction

満期　まんき　expiration (of a term)

満々　まんまん　full

満塁　まんるい　full bases (baseball)

不満　ふまん　discontentedness (p. 49)

未満　みまん　under ; less than

満たす　みたす　fill

満ちる　みちる　be filled

4. 道 〈道路〉

道具　どうぐ　tool

道徳　どうとく　morals ; morality

報道(する)　ほうどう　news ; information ; report

水道　すいどう　waterworks ; water service

鉄道　てつどう　railway

歩道　ほどう　sidewalk ; pedestrians' walk

軌道　きどう　orbit ; track

国道　こくどう　national road

街道　かいどう　highway

人道　じんどう　humanity

柔道　じゅうどう　judo

書道　しょどう　calligraphy

道　みち　road ; way

地名・人名等

北海道　ほっかいどう　(see p. 120)

5. 路 〈道路〉

路線　ろせん　route

路上　ろじょう　on the road

通路　つうろ　passage ; pathway

航路　こうろ　sea route

空路　くうろ　air route (p. 127)

回路　かいろ　circuit

進路　しんろ　course ; way

家路　いえじ　way home

路　みち　way ; road ; path

6. 渋 〈渋滞〉

渋い　しぶい　astringent ; quiet ; sober

(出し)渋る　(だし)しぶる　unwilling to (pay)

7. 滞 〈渋滞〉

滞在(する) たいざい a stay; sojourn

沈滞(する) ちんたい stagnation; dullness

停滞(する) ていたい stagnation; accumulation; tie-up

滞る とどこおる be delayed

8. 遅 〈月遅れ〉

遅刻(する) ちこく being late

遅らす おくらす delay; put off

遅れる おくれる be late

遅い おそい late

9. 故 〈故郷〉

故障(する) こしょう breakdown; out of order

故国 ここく one's native country

事故 じこ accident (p. 23)

故に ゆえに therefore

10. 郷 〈故郷〉

郷里 きょうり hometown

郷土 きょうど homeland

地名・人名等

本郷 ほんごう; 西郷 さいごう

東郷 とうごう

11. 過 〈過ごす〉

過去 かこ the past

過程 かてい process; course

過剰 かじょう surplus

過失 かしつ error

過半数 かはんすう majority; the greater part

通過(する) つうか passing; transit

超過(する) ちょうか excess

経過(する) けいか course of events; progress

過ち あやまち make a mistake

過ぎる すぎる pass by; go to extremes

12. 省 〈帰省客〉

各省 かくしょう each ministry

~省(文部省) ~しょう(もんぶしょう) Ministry (Ministry of Education)

反省(する) はんせい reflection; self-examination

帰省(する) きせい visiting one's hometown

省みる かえりみる look back; reflect upon

省く はぶく leave out; eliminate

13. 鉄 〈国鉄〉

鉄 てつ iron

鉄道 てつどう railway (p. 154)

鉄鋼 てっこう iron and steel

鉄鉱 てっこう iron ore

鉄砲 てっぽう gun

製鉄 せいてつ iron manufacture

鋼鉄 こうてつ steel

14. 便 〈空の便; 航空便〉

便利(な) べんり convenient (p. 73)

便所 べんじょ lavatory; toilet (p. 22)

郵便 ゆうびん mail

不便(な) ふべん inconvenient (p. 49)

15. 夏 〈この夏; 夏休み〉

夏季 かき summer

初夏 しょか early summer

春夏秋冬 しゅんかしゅうとう spring, summer, autumn, and winter; the four seasons

夏 なつ summer

16. 混 〈混雑〉

混乱(する)　こんらん　confusion

混血　こんけつ　mixed blood; racial mixture

混紡(する)　こんぼう　mixed spinning

混ざる　まざる　be mixed

混じる　まじる　be mixed

混ぜる　まぜる　mix; mingle

17. 雑 〈混雑〉

雑音　ざつおん　noise; static

雑談　ざつだん　chat; relaxed conversation

雑誌　ざっし　magazine

雑貨　ざっか　miscellaneous goods; sundries

雑多(な)　ざった　sundry; miscellaneous

複雑(な)　ふくざつ　complicated

18. 族 〈家族連れ〉

家族　かぞく　family (p. 28)

民族　みんぞく　a race; a people; a nation (p. 40)

親族　しんぞく　relatives

遺族　いぞく　the bereaved

19. 顔 〈うんざり顔〉

洗顔(する)　せんがん　washing one's face

顔　かお　face

顔色　かおいろ　complexion; facial expression

20. 組 〈マイカー組〉

組織(する)　そしき　organization

組　くみ　class; group

組合　くみあい　association; union (p. 23)

～組(マイカー組)　～ぐみ(…ぐみ) group (those who drive their own cars)

取り組む　とりくむ　grapple with

21. 航 〈航空便〉

航空　こうくう　aircraft

航空便　こうくうびん　airmail; airlines (p. 154)

航海　こうかい　voyage (p. 140)

難航(する)　なんこう　difficult voyage

運航(する)　うんこう　navigation (p. 85)

密航(する)　みっこう　secret passage; smuggling

22. 賃 〈運賃〉

賃金　ちんぎん　wages (p. 30)

賃貸(する)　ちんたい　rental; lease

賃上げ　ちんあげ　wage increase

家賃　やちん　house rent (p. 29)

～賃(電車賃)　～ちん(でんしゃちん) fare (train fare)

23. 値 〈値上げ〉

価値　かち　value

値段　ねだん　price

値上がり　ねあがり　price rise

値下がり　ねさがり　price drop

～値(小売値)　～ね(こうりね) price (retail price)

24. 乗 〈乗客減〉

乗客　じょうきゃく　passenger

乗車(する)　じょうしゃ　riding in a car (p. 45)

乗用車　じょうようしゃ　passenger car (p. 45)

乗せる　のせる　carry; give someone a ride

乗る　のる　ride

乗組員　のりくみいん　crew

乗り換え　のりかえ　transfer; changing cars

25. 返 〈はね返す〉

- 返事(する)　へんじ　a reply (p. 34)
- 返済(する)　へんさい　repayment
- 返還(する)　へんかん　return; restoration
- 返信　へんしん　reply; answer
- 返す　かえす　return
- 返る　かえる　be returned

26. 休 〈夏休み明け〉

- 休憩(する)　きゅうけい　break; rest; intermission
- 休暇　きゅうか　vacation
- 休日　きゅうじつ　holiday
- 休業(する)　きゅうぎょう　be closed to business
- 休戦(する)　きゅうせん　armistice; ceasefire
- 休養(する)　きゅうよう　recuperation
- 定休日　ていきゅうび　regular holiday
- 連休　れんきゅう　consecutive holidays
- 休む　やすむ　take a rest; be absent from
- 休まる　やすまる　be rested
- 休める　やすめる　rest

27. 常 〈平常〉

- 常識　じょうしき　common sense
- 常務　じょうむ　managing director
- 常任　じょうにん　standing; permanent
- 非常(な)　ひじょう　extraordinary; emergency
- 異常(な)　いじょう　abnormal
- 通常(の)　つうじょう　usual; common (p. 62)
- 正常(な)　せいじょう　normal (p. 49)
- 日常　にちじょう　every day; daily life (p. 57)
- 常に　つねに　always

28. 幹 〈新幹線〉

- 幹部　かんぶ　management; leaders
- 幹事　かんじ　manager
- 幹線　かんせん　trunk line
- 幹　みき　trunk; bole

29. 線 〈新幹線〉

- 線　せん　line
- 線路　せんろ　rail line; tracks
- 幹線　かんせん　trunk line
- 沿線　えんせん　along the railway
- 戦線　せんせん　battle line; front
- 内線　ないせん　telephone extension; indoor wiring
- 本線　ほんせん　the main line
- 無線　むせん　wireless; radio
- 有線　ゆうせん　wire; cable
- ～線(東海道線)　～せん(とうかいどうせん)　line (Tokaido Line)

30. 始 〈始発〉

- 始末　しまつ　circumstances; disposal
- 開始(する)　かいし　inauguration; start (p. 70)
- 終始　しゅうし　from beginning to end; always
- 年始　ねんし　the beginning of the year (p. 35)
- 始まる　はじまる　begin; start
- 始める　はじめる　begin; start

31. 博 〈博多駅〉

- 博士　はくし；はかせ　doctor; Ph. D.
- 博物館　はくぶつかん　museum
- 万博　ばんぱく　exposition; fair
- ～博(工博)　～はく(こうはく)　doctor (doctor of engineering)

32. 駅 〈博多駅〉

駅　えき　station

駅長　えきちょう　station master (p. 44)

各駅停車　かくえきていしゃ　local train

33. 倍 〈二・五倍〉

倍増(する)　ばいぞう　be doubled

～倍(三倍)　～ばい(さんばい)times as big (3 times as big)

33. 岡 〈岡山；福岡〉

岡　おか　hill

地名・人名等

静岡　しずおか　(p. 120)

岡本　おかもと；岡野　おかの

35. 早 〈早くも〉

早朝　そうちょう　early morning

早期　そうき　early stage

早々　そうそう　already；early

早急に　さっきゅうに；そうきゅうに　immediately (p. 148)

早速　さっそく　immediately

早い　はやい　early；quick

お早う　おはよう　Good morning.

36. 断 〈断続的〉

断続(する)　だんぞく　intermittent

断定(する)　だんてい　conclusion；judgment

断固　だんこ　decisive；firm

断行する　だんこうする　carry out resolutely

断念(する)　だんねん　resignation；giving up

判断(する)　はんだん　judgment

横断(する)　おうだん　crossing；going across

中断(する)　ちゅうだん　interruption

診断(する)　しんだん　diagnosis

切断(する)　せつだん　cutting；amputation

断る　ことわる　refuse

断つ　たつ　sever

37. 足 〈空の足〉

満足(する)　まんぞく　satisfaction

不足(する)　ふそく　shortage (p. 48)

～足(二足)　～そく(にそく)　pair (2 pairs of shoes, etc.)

足す　たす　add

足りる　たりる　be sufficient

足　あし　foot；leg

38. 迎 〈迎える〉

歓迎(する)　かんげい　welcome

出迎え　でむかえ　going to meet a person

39. 臨 〈臨時便〉

臨時　りんじ　extra；special (p. 13)

臨海　りんかい　seaside

臨む　のぞむ　look out on；face；confront

40. 港 〈空港〉

港湾　こうわん　harbors

出港する　しゅっこうする　depart from a port

入港する　にゅうこうする　enter a port (p. 53)

寄港する　きこうする　stop at a port

港　みなと　port

41. 切 〈乗り切れず〉

切断(する)　せつだん　cutting；amputation

切実(な)　せつじつ　earnest；urgent

大切(な)　たいせつ　important；valuable (p. 35)

親切(な)　しんせつ　kind

適切(な)	てきせつ appropriate ; fitting	裏切る	うらぎる betray
切る	きる cut	切れる	きれる be cut

第五課

銀行に短銃強盗
3発発射　200万円奪って逃走

福井

一日午前九時五十五分ごろ、福井市春日町二三八の一、福井銀行春日支店＝加藤智正支店長(四四)＝に、三十歳くらいの黒サングラスの男が客を装って入り込み、来店中の同市板垣町下縄手、主婦、菅原貴美代さん(三〇)を後ろからいきなり羽がい絞めにしたうえ、カウンター中央にいた出納係の吉野俊幸さん(三九)にピストルを向け「金を出せ、早く出せ」と脅した。

吉野さんが驚いて立ち上がったとたん、ピストルを三発発射、うち一発は約五メートル離れた吉野さんの机の上の現金受けざらに命中。他の二発は壁に当たった。吉野さんがそばにあった一万円の札束二つ(計二百万円、帯封付き)をカウンターに置くと、男は「こちらにほうれ」と買い物袋を投げ込み、札束を入れて投げ返したとたん、男は袋をわしづかみにして表に飛び出し、同支店西側に止めてあった乗用車で逃走した。

同支店は加藤支店長ら行員八人。うち女性三人。犯行当時支店内には三人の客がいたが、けが人はなかった。犯人が侵入して逃走するまで約五分間だった。

福井県警の調べでは犯人は身長一七五センチくらい、灰色のシャツを着ており、白い登山帽をかぶっていた。

「毎日新聞」1980年8月1日付夕刊

単語表

銀行	ぎんこう	bank (p. 17)
短銃	たんじゅう	pistol; revolver; handgun
強盗	ごうとう	armed thief; robbery (p. 83)
3発	さんぱつ	three bullets (p. 15)
発射(する)	はっしゃ	shoot
奪う	うばう	rob; deprive
逃走する	とうそうする	flee
福井	ふくい	city in Fukui Prefecture (see p. 120)

1st paragraph

春日町	かすがちょう	name of a town
支店	してん	branch [office, store] (p. 20)
加藤智正	かとうともまさ	(personal name)

支店長　してんちょう　director of a branch office

三十歳　さんじっさい　30 years old

黒サングラス　くろさんぐらす　black sunglasses

〜を装う　〜をよそおう　disguise oneself as 〜; pretend to be 〜

入り込む　はいりこむ　get into; enter

来店中　らいてんちゅう　while visiting the bank (or store)

同市　どうし　the same city (p. 72)

板垣町下縄手　いたがきちょうしもなわて　place name

主婦　しゅふ　housewife (p. 59)

菅原貴美代　すがわらきみよ　(personal name)

後ろ　うしろ　back; behind (p. 15)

羽がい絞めにする　はがいじめにする　pinion someone

〜したうえ　after

カウンター　counter

中央　ちゅうおう　center (p. 26)

出納係　すいとうがかり　cashier (p. 14)

吉野俊幸　よしのとしゆき　(personal name)

ピストル　pistol

向ける　むける　turn; aim at

脅す　おどす　intimidate; threaten

2nd par.

驚く　おどろく　be surprised

立ち上がる　たちあがる　stand up

(〜た)とたん　at the moment (when 〜)

一発　いっぱつ　one shot (p. 15)

離れる　はなれる　be distant from

机　つくえ　desk

現金　げんきん　cash (p. 30)

受けざら　うけざら　saucer (to place money in)

命中(する)　めいちゅう　hit (p. 26)

壁　かべ　wall

札束　さつたば　bundle of bank notes

計　けい　total (p. 156)

帯封付き　おびふうつき　with a paper band

置く　おく　place; put

男　おとこ　the man (p. 71)

ほうれ　throw it to me (<ほうる)

買い物袋　かいものぶくろ　shopping bag

投げ込む　なげこむ　throw in

投げ返す　なげかえす　throw it back

袋　ふくろ　bag

わしづかみにする　grab

表　おもて　front; outside (p. 78)

飛び出す　とびだす　rush; run out

西側　にしがわ　the west side (p. 17)

止める　とめる　park

乗用車　じょうようしゃ　passenger car (p. 45)

3rd. par.

〜ら　and others

行員　こういん　bank employee (p. 17)

女性	じょせい women (p. 72)	調べ	しらべ investigation (p. 50)
犯行当時	はんこうとうじ at the time when a crime is committed (当時 p. 69)	身長	しんちょう stature; height
けが人	けがにん injured person	灰色	はいいろ gray
犯人	はんにん culprit (p. 56)	白い	しろい white
侵入する	しんにゅうする break into (p. 54)	登山帽	とざんぼう mountaineering hat; alpine hat
4th par.		かぶる	wear (a hat, cap)
福井県警	ふくいけんけい Fukui Prefectural Police		

■Translation

Bank Robber Takes 3 Shots, Flees with 2 Million Yen in Fukui

Around 9:55 on the morning of the lst, a man about 30 years old entered the Kasuga Branch of the Fukui Bank at 238-1 Kasugacho, Fukui City (Kato Tomomasa, 44, director) pretending to be a customer. The man, wearing sunglasses, seized a customer, Mrs. Kimiyo Sugawara (housewife, 30) of Shimonawate, Itagakicho of the city, and turned a gun on Mr. Toshiyuki Yoshino (29), cashier, who was at the center of the counter, demanding "Give me money, quick!"

When Mr. Yoshino stood up suddenly in surprise, the man fired three shots; one of them hit the cash saucer on Mr. Yoshino's desk about 5 meters from him, and the other two hit the wall. Mr. Yoshino placed two bundles of ten thousand yen notes (a total of 2 million yen, in bundles with paper bands). The man threw in a shopping bag to him, saying "Throw the money here." When Mr. Yoshino threw him the bag filled with cash, the man grabbed the money, ran out the front door, and fled in a car which had been parked at the west side of the bank.

At the time of the robbery, eight bank employees, including Mr. Kato the direcor, three female employees, and three customers were present in the bank, but no one was hurt. The entire robbery, from break-in to getaway, took only about 5 minutes.

According to the Fukui Prefectural Police, the man is about 175 centimeters tall, and was wearing a gray shirt and white alpine hat.

練　習

I.

> 一日午前九時五十五分ごろ、福井市春日町の福井銀行春日支店に、三十歳ぐらいの黒サングラスの男が客を装って入り込み、出納係の吉野俊幸さんにピストルを向け「金を出せ、早く出せ」と脅した。

【例1】

二十日午後三時半ごろ、神奈川県藤原町にある川治プリンスホテルの一階ボイラー室付近から出火、火はまたたく間に燃え広がり、四階建ての同ホテルを全焼、同六時四十分すぎに鎮火した。

神奈川県藤原町	かながわけんふじわらまち	place name (see p.120 for Kanagawa Pref.)
川治プリンスホテル	かわじ…	name of a hotel
一階	いっかい	the first floor
ボイラー室付近	…しつふきん	near the boiler room
出火(する)	しゅっか	fire starts (p. 14)
火	ひ	fire (p. 148)
またたく間に	またたくまに	in an instant
燃え広がる	もえひろがる	fire spreads
四階建て	よんかいだて	four-story
全焼する	ぜんしょうする	be completely burned
鎮火する	ちんかする	be extinguished

【例2】

七日午前零時十分ごろ、新潟県北魚郡守門（すもん）村で、大規模な雪崩が起き、住宅四棟が押しつぶされて全壊、十五人が生き埋めとなった。七人は自力で脱出したり、救助されて助かったが、八人が死亡した。

午前零時	ごぜんれいじ	twelve midnight
新潟県北魚郡守門村	にいがたけんきたうおぐんすもんむら	place name (see p. 120 for Niigata Pref.)
大規模な	だいきぼな	large-scale
雪崩	なだれ	avalanche
起きる	おきる	occur
住宅	じゅうたく	house (p. 21)
押しつぶされる	おしつぶされる	be crushed
全壊する	ぜんかいする	be completely destroyed
生き埋め	いきうめ	be buried alive
自力	じりき	by their own efforts unassisted
脱出する	だっしゅつする	get out
救助する	きゅうじょする	rescue
死亡する	しぼうする	die

II.

> 同支店は加藤支店長ら行員八人。うち女性三人。犯行当時支店には三人の客がいたが、けが人はなかった。犯人が侵入してから逃走するまで約五分間だった。

【例1】

同ホテルは最近新館を増築したばかり。当夜は百三十人の泊まり客がおり、大部分は必死で逃げたが、逃げ遅れた四人が焼け跡から焼死体で発見された。泊まり客は大半が週末をすごしに来ていた団体客だった。

新館	しんかん	new building
増築する	ぞうちくする	build (in addition)
当夜	とうや	that night
泊まり客	とまりきゃく	customers staying at the hotel
大部分	だいぶぶん	the greater part (部分 p. 75)
必死で	ひっしで	desperately (p. 83)
逃げる	にげる	escape ; run away ; flee
逃げ遅れる	にげおくれる	be late in getting away ; fail to escape
焼け跡	やけあと	ruins
焼死体	しょうしたい	(burnt) body
発見する	はっけんする	find ; discover (p. 15)
大半	たいはん	the greater part
週末	しゅうまつ	weekend
団体客	だんたいきゃく	customers in a group

【例２】

この雪崩のため現場近くでは電線が切断され、埋没されていた水道管も寸断された。停電は午前三時ごろまでに復旧したが、水道管は雪が深いため作業が難航、復旧の見込みはたっていない。

現場近く	げんばちかく	near the actual spot (現場 p. 46)
電線	でんせん	electric wires
切断する	せつだんする	cut ; sever (p. 162)
埋没する	まいぼつする	bury under the ground
水道管	すいどうかん	water main ; water pipe
寸断する	すんだんする	cut in pieces
停電	ていでん	stoppage of electricity ; blackout (p. 29)
復旧する	ふっきゅうする	be restored
雪が深い	ゆきがふかい	the snow is deep
作業	さぎょう	work ; operation (p. 46)
難航する	なんこうする	difficult to proceed
復旧の見込みがたたない	ふっきゅうのみこみ…	the possible time of restoration is not known. (見込み p. 135)

漢字・漢語

1. 銀 〈銀行〉

銀	ぎん	silver
水銀	すいぎん	mercury
賃銀	ちんぎん	wages（＝賃金）

2. 短 〈短銃〉

短期	たんき	short period
短縮(する)	たんしゅく	shortening ; curtailment
短所	たんしょ	defects ; shortcomings
短波	たんぱ	shortwave
短(期)大(学)	たん(き)だい(がく)	junior college
短い	みじかい	short

3. 銃 〈短銃〉

銃	じゅう	gun
銃声	じゅうせい	sound of a gun (p. 131)
けん銃	けんじゅう	revolver

4. 盗 〈強盗〉

盗難　とうなん　burglary; robbery

盗塁(する)　とうるい　base stealing (baseball)

盗む　ぬすむ　steal; rob

5. 射 〈発射〉

射撃(する)　しゃげき　shooting

射殺(する)　しゃさつ　killing by shooting

放射能　ほうしゃのう　radioactivity

注射　ちゅうしゃ　injection; a shot (of medicine)

反射　はんしゃ　reflection; reverberation

射る　いる　shoot

6. 逃 〈逃走〉

逃避(する)　とうひ　escape; flee

逃がす　にがす　set free; miss; lose

逃げる　にげる　flee; run away

見逃す　みのがす　overlook; pass over

逃れる　のがれる　flee; escape

7. 走 〈逃走〉

走者　そうしゃ　runner

脱走(する)　だっそう　desertion (p. 128)

暴走(する)　ぼうそう　run recklessly

走る　はしる　run

8. 井 〈福井〉

地名・人名等

井上　いのうえ；新井　あらい

酒井　さかい；桜井　さくらい

土井　どい；つちい；永井　ながい

安井　やすい；高井　たかい

9. 春 〈春日町〉

春秋　しゅんじゅう　spring and autumn; years

春季　しゅんき　spring; springtime

春夏秋冬　しゅんかしゅうとう　spring, summer, autumn, and winter; the four seasons (p. 159)

青春　せいしゅん　youth; the prime of youth

来春　らいしゅん　next spring (p. 35)

今春　こんしゅん　this spring (p. 28)

売春　ばいしゅん　prostitution

春闘　しゅんとう　spring labor offensive

春　はる　spring; springtime

10. 支 〈支店〉

支持(する)　しじ　support; backing

支配(する)　しはい　management; control

支援(する)　しえん　support; assistance

支社　ししゃ　branch office (p. 44)

支出(する)　ししゅつ　expenditure

支障　ししょう　obstacle

支給(する)　しきゅう　supply; payment

支払う　しはらう　to pay

支える　ささえる　to support

11. 歳 〈三十歳〉

歳出　さいしゅつ　annual expenditure

歳入　さいにゅう　annual income

歳末　さいまつ　the year-end

何歳　なんさい　how old?

歳暮　せいぼ　year-end gift

12. 黒 〈黒サングラス〉

黒板　こくばん　blackboard

黒人　こくじん　negro; blacks

黒　くろ　black

黒字　くろじ　be in the black (opp. 赤字)

黒幕　くろまく　wirepuller; mastermind

浅黒い　あさぐろい　dark (complexion)

地名・人名等

黒田　くろだ；黒川　くろかわ

黒沢　くろさわ；目黒　めぐろ

13. 装 〈装う〉

装置　そうち　equipment

装備　そうび　equipment; outfit

装飾　そうしょく　ornament

武装(する)　ぶそう　armament

服装　ふくそう　clothes (p. 129)

舗装(する)　ほそう　pavement

包装　ほうそう　wrapping

14. 板 〈板垣町〉

看板　かんばん　signboard

板　いた　board

15. 婦 〈主婦〉

婦人　ふじん　a woman (p. 56)

夫婦　ふうふ　man and wife

～婦(看護婦)　～ふ(かんごふ)　woman (nurse)

16. 羽 〈羽がいじめ〉

羽毛　うもう　feather; plume

羽根；羽　はね　feather; wing; fan

～羽(二羽)　～わ(にわ)　birds (2 birds)

地名・人名等

羽田　はねだ；赤羽　あかばね

17. 納 〈出納係〉

納税　のうぜい　payment of taxes

納得(する)　なっとく　consent; being convinced

納屋　なや　barn

納まる　おさまる　can be contained in; be satisfied

納める　おさめる　pay; supply; deliver

18. 係 〈出納係〉

関係　かんけい　relation; relationship

～係(出納係)　～がかり(すいとうがかり)　person in charge of (cashier)

係る　かかわる　concern oneself in; have to do with

19. 吉 〈吉野〉

吉日　きちじつ　lucky day; auspicious day

大吉　だいきち　great luck

不吉　ふきつ　unlucky; inauspicious

地名・人名等

吉田　よしだ (p. 26)；吉永　よしなが

吉川　よしかわ；きっかわ

20. 向 〈向ける〉

向上(する)　こうじょう　rise; improvement

傾向　けいこう　inclination; trend

方向　ほうこう　direction (p. 19)

意向　いこう　intention (p. 133)

一向に　いっこうに　(not) at all

向かう　むかう　face; confront; proceed to

向く　むく　face; be suited for

前向き　まえむき　forward-looking; positive

向こう　むこう　the other side

21. 脅 〈脅す〉

脅威　きょうい　threat

脅迫(する)　きょうはく　blackmail

脅かす　おどかす；おびやかす　intimidate; threaten

22. **驚**　〈驚く〉

驚異　きょうい　wonder

驚かす　おどろかす　surprise

23. **離**　〈離れる〉

離婚(する)　りこん　divorce

離陸(する)　りりく　take-off; getting afloat

距離(する)　きょり　distance

分離(する)　ぶんり　separation; division (p. 31)

離す　はなす　separate; divide

24. **命**　〈命中〉

命令(する)　めいれい　order; command

革命　かくめい　revolution; revolutionary upheaval

生命　せいめい　life (p. 66)

運命　うんめい　destiny

致命的　ちめいてき　fatal; lethal

亡命する　ぼうめいする　exile oneself; take refuge

寿命　じゅみょう　span of life

命　いのち　life

25. **壁**　〈壁〉

壁画　へきが　mural painting

岸壁　がんぺき　quay; wharf

壁新聞　かべしんぶん　wall newspaper

26. **札**　〈札束〉

札入れ　さついれ　wallet

改札　かいさつ　wicket; ticket gate

入札(する)　にゅうさつ　bid; a tender (p. 53)

表札　ひょうさつ　name plate

～札(千円札)　～さつ(せんえんさつ)　bill; note (1,000 yen note)

札　さつ　bank note; paper money

切り札　きりふだ　trump card

27. **束**　〈札束〉

束縛(する)　そくばく　restriction

約束(する)　やくそく　promise (p. 141)

拘束(する)　こうそく　restriction; confinement; custody

結束(する)　けっそく　get united

束ねる　たばねる　bundle

28. **封**　〈帯封〉

封　ふう　seal; closing

封印　ふういん　seal

封書　ふうしょ　sealed letter

封筒　ふうとう　envelope

封鎖(する)　ふうさ　blockade

密封する　みっぷうする　seal up

同封する　どうふうする　enclose a letter

封建的(な)　ほうけんてき　feudalistic

29. **置**　〈置く〉

措置　そち　measure; step

装置(する)　そうち　equipment

配置(する)　はいち　arrangement; disposition

設置(する)　せっち　establishment; founding

処置(する)　しょち　disposal; measure

位置　いち　location

拘置(する)　こうち　keep in custody

前置き　まえおき　preface; introductory remarks

30. **買**　〈買い物袋〉

買収(する)　ばいしゅう　bribery

売買(する)　ばいばい　buying and selling
買う　かう　buy
買い物　かいもの　shopping
仲買　なかがい　brokerage

31. 袋 〈買い物袋〉

袋入り　ふくろいり　contained in a bag
浮き袋　うきぶくろ　life preserver; tire tube
手袋　てぶくろ　gloves; mittens
足袋　たび　*tabi* (socks used with kimono)

32. 飛 〈飛び出す〉

飛行する　ひこう　flight
飛躍(する)　ひやく　jump; leap
雄飛(する)　ゆうひ　play an active part
飛ばす　とばす　let fly
飛ぶ　とぶ　fly

33. 止 〈止める〉

防止(する)　ぼうし　prevention (p. 149)
禁止(する)　きんし　prohibition; ban
停止(する)　ていし　suspension; stoppage
廃止(する)　はいし　abolition
阻止(する)　そし　obstruction; check
止まる　とまる　stop; come to a stop
立ち止まる　たちどまる　stop walking
止める　とめる　stop; put a stop to
止む　やむ　stop; come to an end

34. 犯 〈犯行；犯人〉

犯罪　はんざい　crime
防犯　ぼうはん　prevention of crime (p. 149)
主犯　しゅはん　the principal offender
共犯　きょうはん　conspiracy
侵犯(する)　しんぱん　invasion; infringement; invasion
犯す　おかす　commit (a crime); invade; rape

35. 侵 〈侵入〉

侵略(する)　しんりゃく　invasion
侵害(する)　しんがい　infringement (p. 152)
侵犯(する)　しんぱん　violation; infringement; invasion
侵す　おかす　invade; infringe

36. 県 〈県警〉

県　けん　prefecture
県民　けんみん　inhabitants of a prefecture
県庁　けんちょう　prefectural government
～県(群馬県)　～けん(ぐんまけん)　Prefecture (Gunma Prefecture)

37. 警 〈県警〉

警察　けいさつ　police
警官　けいかん　policeman
警視庁　けいしちょう　the Metropolitan Police Board
警戒(する)　けいかい　warning; guard
警報　けいほう　an alarm; warning signal

38. 身 〈身長〉

身体　しんたい　body
身辺　しんぺん　one's person
自身　じしん　self; oneself
出身　しゅっしん　be a native of; be a graduate of
全身　ぜんしん　the whole body
心身　しんしん　mind and body; body and soul
終身　しゅうしん　all one's life
焼身　しょうしん　burn oneself to death (p. 149)

独身　どくしん　single; unmarried

身　み　person; body

身近　みぢか　familiar; close to one (p. 112)

身分　みぶん　one's status

身元　みもと　one's identity

身上　みのうえ；しんじょう　one's history; one's situation

中身　なかみ　contents; the interior (p. 27)

39. 色 〈灰色〉

色彩　しきさい　colors

色素　しきそ　pigments

物色する　ぶっしょくする　hunt up; look for

特色　とくしょく　characteristics

異色　いしょく　unique

原色　げんしょく　primary colors

脚色(する)　きゃくしょく　dramatization

難色　なんしょく　disapproval; reluctance

～色(天然色)　～しょく(てんねんしょく)　color (natural color)

色　いろ　color

黄色　きいろ　yellow

顔色　かおいろ　complexion

～色(小麦色)　～いろ(こむぎいろ)color of ～ (light brown)

40. 白 〈白い〉

白人　はくじん　Caucasians; whites

白書　はくしょ　a white paper; report

白鳥　はくちょう　swan (p. 142)

告白(する)　こくはく　confession

漂白(する)　ひょうはく　bleach

空白　くうはく　blank (p. 127)

蛋白　たんぱく　protein

黒白　こくびゃく　black and white; right and wrong

青白い　あおじろい　pale

第六課

患者の謝礼受け取るな
厚生省　全病院へ強く指導

「病院の医師は患者から謝礼をもらってはダメ」。厚生省は、退院の際など、患者や家族が医師へ謝礼を出す慣習をなくすため、このほど私立を含めた全病院を強く指導するよう都道府県に通知した。事実上の「謝礼受け取り禁止令」である。

患者、家族からの謝礼は、一部の医師にとって〝副収入〟になっており、医療の世界に深く根ざした慣習。厚生省があえて挑戦した理由は「謝礼の慣習をこのまま認めていては、患者が治療上の差別を受けることにつながる恐れがある」と判断したため。しかし、根の深い慣習だけにおいそれとは打破できないというのが実情で、病院と厚生省の根気比べになりそうだ。

謝礼の辞退は「現金だけでなく、品物を含めて一切」（小沢壮六・医務局指導助成課長）と説明している。現在、全国に八千六百カ所の国、公、私立の病院があり、わが国の医師十五万人のうち、約半分が勤めている。都道府県では年一回以上病院に出かけ医療監視、指導している。

この際、今年度からは病院管理者に対し「謝礼の辞退」を強く指導する。しかし「一、二回の指導でこの慣習が打破されるとは考えていない。徹底するまで粘り強く指導を続けていく」（小沢課長）という。

「毎日新聞」1980年7月7日付夕刊

単語表

患者　かんじゃ　a patient (p. 38)

謝礼　しゃれい　renumeration; reward

受け取るな　うけとるな　don't accept it! (p. 55)

厚生省　こうせいしょう　Ministry of Health and Welfare (p. 66)

全病院　ぜんびょういん　all hospitals (病院 p. 54)

強く　つよく　strongly

指導(する)　しどう　direct; guide; lead

1st paragraph

医師　いし　doctor

退院(する)　たいいん　leave a hospital (p. 54)

～の際	～のさい	at the time of ～ing
家族	かぞく	family (p. 28)
慣習	かんしゅう	custom
なくす		abolish; do away with
このほど		this time
私立	しりつ	private (p. 60)
～を含めた	～をふくめた	including ～ (p. 175)
都道府県	とどうふけん	the metropolis and districts (*To* stands for Tokyo, *Do* for Hokkaido, *Fu* for Osaka and Kyoto) (p. 16)
通知する	つうちする	notify (p. 56)
事実上	じじつじょう	actually; in effect; virtually (事実 p. 33)
禁止令	きんしれい	ban

2nd par.

一部	いちぶ	a (small) part (p. 13)
～にとって		to; for
副収入	ふくしゅうにゅう	additional income
医療	いりょう	medical treatment
世界	せかい	world; field (p. 81)
深く根ざした	ふかくねざした	deep-rooted
あえて～する		dare
挑戦する	ちょうせんする	challenge (p. 71)
理由	りゆう	reason (p. 61)
このまま		as it is; without doing anything about it
認める	みとめる	approve; accept; recognize
治療上	ちりょうじょう	in terms of medical treatment (p. 21)
差別	さべつ	discrimination
～につながる		lead to
～恐れがある	～おそれがある	there is a possibility of; it is feared that
判断する	はんだんする	judge
根の深い慣習だけに	ねのふかいかんしゅうだけに	since it is a deep-rooted custom
～だけに		as might be expected of
おいそれとは～ない		cannot easily
打破する	だはする	destroy
実情	じつじょう	actual circumstances (p. 49)
根気比べ	こんきくらべ	patience contest; endurance contest

3rd par.

辞退(する)	じたい	refuse; decline (p. 123)
現金	げんきん	cash (p. 30)
品物	しなもの	merchandise; goods (p. 61)
一切	いっさい	(not) at all (p. 13)
小沢壮六	おざわそうろく	(personal name)
医務局	いむきょく	medical affairs bureau
助成	じょせい	subsidy
説明する	せつめいする	explain (p. 20)
～カ所	～…しょ	counter for places
国、公、私立	こく、こう、しりつ	national, public, private (p. 60)
約半分	やくはんぶん	about half (半分 p. 14)
勤める	つとめる	work; be employed (p. 128)

監視(する)	かんし supervise; inspect	～に対し	～にたいし to; against (p. 71)
この際	このさい now; on this occasion	徹底する	てっていする be thorough; be thoroughly practiced
今年度	こんねんど this fiscal year	粘り強く	ねばりづよく persistently
管理者	かんりしゃ administrator		

■Translation

Don't Accept Gifts from Patients!
Ministry of Health and Welfare Strongly Instructs All Hospitals

Doctors at hospitals should not accept gifts from patients. The Ministry of Health and Welfare has notified all local governments to strongly give this instruction to all hospitals, including private ones, in order to do away with the present custom of patients and their families giving gifts to doctors when leaving hospitals and on other occasions. This is a virtual ban on accepting gifts of gratitude.

Gifts from patients and their families have become a source of additional income for some doctors; this custom is deeply rooted in the medical world. The Ministry of Health and Welfare has taken the step of boldly challenging this custom because of the danger it considers that this custom has in leading to discrimination in terms of medical treatment if left as is. But this custom is so deeply rooted that it cannot possibly be eradicated easily. The hospitals and the Ministry face a long battle of wills ahead.

All gifts, not only cash but goods, must be refused, according to the explanation of Ozawa Soroku, chief of the medical treatment instruction and assistance section of the Ministry. There are some 8,600 national, public, and private hospitals in the country, where approximately half of the 150,000 doctors in Japan work. Local governments send officials to these hospitals once a year or more to supervise and guide them in medical treatment.

From this year on, at the time of these visits the hospital management will be strongly urged to implement this policy of refusing gifts. However, according to section chief Ozawa, the Ministry does not expect this custom to be abolished by giving guidance once or twice, and it is determined to persist until this policy is fully implemented.

練　習

> 厚生省は退院の際など患者や家族が医師へ謝礼を出す慣習をなくすため、このほど私立を含めた全病院を強く指導するよう、都道府県に通知した。
>
> 厚生省が医療の世界に深く根ざしたこの慣習にあえて挑戦した理由は、「謝礼の慣習をこのまま認めていては、患者が治療上の差別を受けることにつながる恐れがある」と判断したため。
>
> しかし、根の深い慣習だけに、おいそれとは打破できないというのが実情で、病院と厚生省の根気比べになりそうだ。

【例１】

政府は、石油消費の７％節約を達成するため、五日「省エネルギー、省資源対策推進会議」を開き、夏の冷房温度を二十八度以下に冷やしすぎないことの徹底や終夜営業小売店・飲食店などの営業時間短縮を決定した。

政府がこの厳しい「省エネルギー対策」を決定した理由は、昨年から実施している対策だけでは不十分で、徹底をはかる必要があると判断したため。

しかし、公共機関はともかくも、民間の風俗営業や終夜営業の飲食店などが簡単に営業時間を変更することは容易ではないので、対策の完全実施には時間がかかりそうである。

政府	せいふ	government (p. 67)
石油	せきゆ	petroleum; oil
消費	しょうひ	consumption (消費者 p. 126)
節約	せつやく	economizing (p. 127)
達成する	たっせいする	achieve
省エネルギー	しょう…	saving energy
省資源	しょうしげん	saving resources
対策	たいさく	a countermeasure (p. 71)
推進	すいしん	promotion (p. 130)
開く	ひらく	open; hold (p. 70)
冷房	れいぼう	air-conditioning
温度	おんど	temperature (p. 50)
冷やす	ひやす	cool (a room)
終夜営業	しゅうやえいぎょう	open all night
小売店	こうりてん	retail shop
飲食店	いんしょくてん	restaurants (p. 33)
営業時間	えいぎょうじかん	business hours (営業 p. 46; 時間 p. 13)
短縮	たんしゅく	curtailment
決定する	けっていする	decide (p. 16)
厳しい	きびしい	strict
昨年	さくねん	last year (p. 36)
実施する	じっしする	enforce (p. 49)
不十分	ふじゅうぶん	insufficient
はかる		attempt
公共機関	こうきょうきかん	public organ (公共 p. 68; 機関 p. 67)
民間	みんかん	private (p. 37)
風俗営業	ふうぞくえいぎょう	clubs, cabarets, etc. where women entertain men
簡単	かんたん	easy; simple
変更する	へんこうする	change

容易　　ようい　easy

完全　　かんぜん　complete (p. 80)

【例2】

通産省は二十六日、再び摩擦の強まってきた日米自動車問題の対応策として、来週中にトヨタ、日産など自動車業界各社と個別に協議、各社の自主判断によって輸出を自粛するよう要請することを決めた。

通産省が各社に個別に自主規制を求めることにした理由は、五月にすでに日米政府間で対米投資促進など〝協定〟を結んだばかりであるため、政府ベースの対応策は打ち出さず、業界が個別に実質的な自主規制を行うことが得策とみたためである。

しかし、五月には日本の自動車メーカーの対米投資の促進に合意しており、また、米政府も現状では輸入規制に反対しているなど、問題は複雑化しそうだ。

通産省　　つうさんしょう　Ministry of Trade and Industry; MITI (p. 62)

再び　　ふたたび　again

摩擦　　まさつ　conflict; friction

強まる　　つよまる　be strengthened; be heightened

日米自動車問題　　にちべいじどうしゃもんだい　the problem of automobile trade between Japan and the United States

対応策　　たいおうさく　countermeasure

来週中　　らいしゅうちゅう　within the coming week

トヨタ　　name of an automobile manufacturer

日産　　にっさん　〃　〃

自動車業界各社　　じどうしゃぎょうかいかくしゃ　various companies having to do with automobiles

個別に　　こべつに　respectively

協議する　　きょうぎする　confer with (p. 41)

自主　　じしゅ　independent; on one's own

輸出　　ゆしゅつ　export (p. 14)

自粛する　　じしゅくする　exert self-discipline

要請する　　ようせいする　request (p. 48)

決める　　きめる　decide (p. 52)

規制　　きせい　control

求める　　もとめる　demand (p. 148)

日米政府間　　にちべいせいふかん　between the Japanese and American governments (日米 p. 57; 政府 p. 67)

対米投資　　たいべいとうし　investment in American enterprises

促進　　そくしん　promotion (p. 130)

協定　　きょうてい　agreement (p. 82)

政府ベース　　せいふ…　official; directed by the government

打ち出す　　うちだす　propose

実質的　　じっしつてき　actual (実質 p. 49)

行う　　おこなう　carry out; perform (p. 18)

得策　　とくさく　advantageous

合意する　　ごういする　agree

現状　　げんじょう　the present condition (p. 46)

輸入　　ゆにゅう　import (p. 54)

複雑化する　　ふくざつかする　become more complicated

漢字・漢語

1. 謝 〈謝礼〉

謝意　しゃい　gratitude
感謝　かんしゃ　gratitude; thanks (p. 65)
月謝　げっしゃ　monthly fee
謝る　あやまる　apologize

2. 礼 〈謝礼〉

礼をする　れいをする　bow; salute
(お)礼をする　れいをする　give something as a sign of gratitude; pay
礼儀　れいぎ　courtesy; etiquette
礼状　れいじょう　letter of thanks
失礼　しつれい　rudeness; impoliteness
婚礼　こんれい　wedding
一礼する　いちれいする　make a bow

3. 取 〈受け取る〉

取材(する)　しゅざい　gather data; report
取得　しゅとく　aquisition
聴取(する)　ちょうしゅ　listening; hearing
取引(する)　とりひき　transaction

4. 厚 〈厚生省〉

厚生　こうせい　welfare
厚相　こうしょう　Minister of Health and Welfare
厚い　あつい　thick

5. 指 〈指導〉

指定(する)　してい　designation; appointment
指摘(する)　してき　pointing out
指令(する)　しれい　order; instruction
指示(する)　しじ　indication; instruction
指揮(する)　しき　command; direction
指数　しすう　index
指名(する)　しめい　nomination
指標　しひょう　index
指紋　しもん　fingerprint
指す　さす　point to; indicate
指　ゆび　finger; toe
指輪　ゆびわ　ring (for finger)

6. 導 〈指導〉

導入(する)　どうにゅう　introduction; importation
誘導(する)　ゆうどう　guidance
先導(する)　せんどう　guidance; leadership
導く　みちびく　lead

7. 医 〈医師；医療〉

医者　いしゃ　doctor (p. 38)
医薬　いやく　medicine
医学　いがく　medical science (p. 37)
医院　いいん　hospital; clinic
～医(外科医)　～い(げかい)　doctor (surgeon)
法医学　ほういがく　legal medicine

8. 師 〈医師〉

師団　しだん　army division
教師　きょうし　teacher; instructor (p. 62)
講師　こうし　lecturer
技師　ぎし　engineer
牧師　ぼくし　pastor; clergyman
恩師　おんし　one's (former) teacher; one's respected teacher

漁師　りょうし　fisherman

9. 際 〈～の際〉

交際(する)　こうさい　association; friendship; fellowship
国際　こくさい　international (p. 37)
手際　てぎわ　skill

10. 慣 〈慣習〉

慣行　かんこう　habitual practice; custom
慣用句　かんようく　idiom
習慣　しゅうかん　custom
慣らす　ならす　accustom; make used to
慣れる　なれる　be accustomed; be used to

11. 習 〈慣習〉

習慣　しゅうかん　custom
習字　しゅうじ　calligraphy
学習　がくしゅう　studying; learning
演習　えんしゅう　practice; drill; maneuvers
練習　れんしゅう　practice; drill
習う　ならう　learn

12. 私 〈私立〉

私学　しがく　private school
私書箱　ししょばこ　post office box
私的　してき　private; personal
私服　しふく　plain clothes; civilian clothes
私　わたくし　I; me; private

13. 禁 〈禁止令〉

禁じる・ずる　きんじる；きんずる　ban; prohibit
禁止(する)　きんし　ban; prohibition
禁煙(する)　きんえん　stop smoking; No Smoking
禁酒(する)　きんしゅ　temperance; abstinence

14. 令 〈命令〉

命令(する)　めいれい　order (p. 171)
指令(する)　しれい　order; instruction (p. 179)
政令　せいれい　ordinance (p. 67)
司令部　しれいぶ　headquarters
発令(する)　はつれい　official announcement

15. 副 〈副収入〉

副業　ふくぎょう　side business; sideline
副～(副社長)　ふく～(ふくしゃちょう)　vice-(vice-president)

16. 収 〈副収入〉

収入　しゅうにゅう　income; earnings (p. 54)
収支　しゅうし　income and expenditure
収益　しゅうえき　profit
収拾する　しゅうしゅうする　cope with; control
収容する　しゅうようする　accommodate; receive
収録する　しゅうろくする　record; gather; collect
収穫　しゅうかく　harvest
収賄　しゅうわい　accepting a bribe
吸収(する)　きゅうしゅう　absorption; collect
増収　ぞうしゅう　increase in income
徴収(する)　ちょうしゅう　levy; collection
買収(する)　ばいしゅう　bribery
収まる　おさまる　be settled; be paid
収める　おさめる　obtain; pay

17. 療 〈医療；治療〉

医療　いりょう　medical treatment (p. 175)
診療所　しんりょうじょ　clinic

18. 深 〈深く〉

深刻(な)　しんこく　grave; serious

深い　ふかい　deep

根深い　ねぶかい　deep-rooted

注意深い　ちゅういぶかい　careful

19. 根 〈根ざす〉

根拠　こんきょ　base; ground; foundation

根本　こんぽん　root; foundation

根　ね　root

屋根　やね　roof

地名・人名等

箱根　はこね

20. 由 〈理由〉

自由　じゆう　freedom (p. 40)

経由　けいゆ　via; through

～の由　～のよし　it is said that ～

21. 認 〈認める〉

認識(する)　にんしき　recognition

認可(する)　にんか　approval; permission

認定(する)　にんてい　sanction; authorization

確認(する)　かくにん　confirmation

承認(する)　しょうにん　acknowledgment

公認　こうにん　official recognition; authorization (p. 68)

否認(する)　ひにん　denial

22. 差 〈差別〉

交差点　こうさてん　intersection

格差　かくさ　difference; gap

大差　たいさ　great difference

～差(温度差)　～さ(おんどさ)　difference (difference in temperature)

差し上げる　さしあげる　give (humble)

23. 別 〈差別〉

別の　べつの　different; another

別～(別世界)　べつ～(べっせかい)　another ～ (another world)

別々　べつべつ　separately; respectively

別荘　べっそう　villa; country house

特別　とくべつ　special (p. 75)

格別　かくべつ　particular; special

送別会　そうべつかい　farewell party

告別式　こくべつしき　funeral service

～別(年齢別)　～べつ(ねんれいべつ)　classified by (classified by age)

24. 恐 〈恐れ〉

恐怖　きょうふ　fear

恐慌　きょうこう　panic

恐縮する　きょうしゅくする　deeply appreciate

恐れる　おそれる　fear

恐ろしい　おそろしい　fearsome; horrible

25. 判 〈判断〉

判決　はんけつ　judgment; decision

判事　はんじ　a judge (p. 34)

裁判　さいばん　trial; court

批判(する)　ひはん　criticism

審判　しんぱん　umpiring; refereeing

公判　こうはん　trial

判る　わかる　can be understood

26. 打 〈打破〉

打撃　だげき　shock; blow

打者　だしゃ　batter (baseball)

打開(する)　だかい　break through (a deadlock) (p. 70)

打倒(する)　だとう　overthrow
打〜(打電)　だ〜(だでん)　hit; send (send a telegraph)
〜打(本塁打)　〜だ(ほんるいだ)　hit (home run)
打つ　うつ　hit
打ち切る　うちきる　stop
不意打ち　ふいうち　surprise attack

27. 破 〈打破〉

破壊(する)　はかい　destruction
破棄(する)　はき　cancellation; reverse
破局　はきょく　collapse; catastrophe
破損(する)　はそん　damage
破片　はへん　fragment; piece
突破(する)　とっぱ　break through
爆破(する)　ばくは　explosion; blowing up
破る　やぶる　break; tear
破れる　やぶれる　be torn; be broken

28. 情 〈実情〉

情勢　じょうせい　conditions; situation (p. 130)
情報　じょうほう　information
情熱　じょうねつ　enthusiasm
愛情　あいじょう　love; affection
感情　かんじょう　feelings (p. 65)
友情　ゆうじょう　friendship
表情　ひょうじょう　facial expression (p. 78)
事情　じじょう　circumstances (p. 34)
同情　どうじょう　sympathy (p. 72)
苦情　くじょう　complaint
陳情　ちんじょう　petition; appeal
人情　にんじょう　human feelings (p. 56)
情け　なさけ　mercy

29. 辞 〈辞退〉

辞書　じしょ　dictionary; glossary (p. 23)
辞典　じてん　dictionary
辞職(する)　じしょく　resignation (from job, etc.) (p. 131)
辞任(する)　じにん　resignation (from job, etc.)
辞令　じれい　written appointment; commission
世辞　せじ　compliment; flattery

30. 品 〈品物〉

品がいい　ひんがいい　refined; elegant
品質　ひんしつ　quality
品目　ひんもく　items; articles (p. 64)
商品　しょうひん　merchandise
製品　せいひん　manufactured goods
食品　しょくひん　food (p. 33)
用品　ようひん　daily commodities (p. 132)
品　しな　article; goods

地名・人名等

品川　しながわ

31. 沢 〈小沢〉

贅沢　ぜいたく　luxury; extravagance

地名・人名等

藤沢　ふじさわ; 吉沢　よしざわ
金沢　かなざわ; 大沢　おおさわ

32. 助 〈助成〉

援助(する)　えんじょ　assistance
救助(する)　きゅうじょ　rescue; relief
補助(する)　ほじょ　supplement
助〜(助教授)　じょ〜(じょきょうじゅ)　helping (assistant professor)
助かる　たすかる　be saved; be helped

助ける　たすける　save; help

手助け　てだすけ　help

33. 成 〈助成〉

成功(する)　せいこう　success

成長(する)　せいちょう　growth; development

成果　せいか　achievement; result

成人　せいじん　adult (p. 57)

成績　せいせき　result; grade

成立(する)　せいりつ　coming into existence; establishment

成分　せいぶん　component; ingredient

完成(する)　かんせい　completion

構成(する)　こうせい　composition; structure

作成する　さくせいする　make; form; draw up

達成(する)　たっせい　achievement (p. 140)

賛成(する)　さんせい　agreement

養成(する)　ようせい　training; nurture; cultivation

34. 課 〈課長〉

課税(する)　かぜい　taxation

課題　かだい　theme; assignment; question

課程　かてい　course; curriculum

〜課(人事課)　〜か(じんじか)　section (personnel department)

35. 説 〈説明〉

説得(する)　せっとく　persuasion

演説(する)　えんぜつ　speech; address

解説(する)　かいせつ　commentary; explanation (p. 52)

小説　しょうせつ　a novel; fiction (p. 27)

社説　しゃせつ　an editorial

伝説　でんせつ　legend

論説　ろんせつ　dissertation; editorial

36. 監 〈監視〉

監督(する)　かんとく　supervision; direction; director

監査　かんさ　inspection

総監　そうかん　superintendent-general

37. 視 〈監視〉

視察(する)　しさつ　inspection

視野　しや　field of vision; view of things

視界　しかい　field of vision; sight

重視する　じゅうしする　regard as important (p. 48)

巡視(する)　じゅんし　tour of inspection

無視する　むしする　ignore; disregard

警視庁　けいしちょう　the Metropolitan Police Board (p. 172)

近視　きんし　near-sightedness

38. 徹 〈徹底する〉

徹する　てっする　be thoroughgoing

徹夜する　てつやする　sit up all night

貫徹する　かんてつする　accomplish; carry through

39. 底 〈徹底する〉

海底　かいてい　the bottom of the sea

底　そこ　bottom

谷底　たにそこ　the bottom of a ravine

第七課

「住宅建設ほど遠い」

総理府調査　現状不満組ふえる

いまの住宅に国民の五割が不満を持っている。ところが、マイホーム建設計画は地価や建築費の高騰でメドが立たない——。総理府が四日発表した「大都市地域の住宅・宅地取引に関する世論調査」で住宅事情に悩む国民の実態が明らかになった。

調査は東京四十キロ圏（東京、千葉、神奈川、埼玉、茨城の一都四県）名古屋二十キロ圏（愛知、三重県）大阪三十キロ圏（大阪、京都、兵庫、奈良の二府二県）の三千世帯を対象に、昨年十二月十四日から一週間、面接調査で行われた。

それによると、調査対象者の住宅の内訳は①持ち家（分譲アパート、マンションなどを含む）五八%②民間の賃貸住宅（アパート、マンションなどを含む）二六%③社宅、寮八%④公営住宅五%⑤公社・公団の賃貸住宅三%となっている。現在の居住環境の満足度では自然環境について六四%、生活環境では七七%が「満足」と答えている。

しかし、住宅の広さや間取りなど住まいについては「不満」五〇%、「満足」四九%と不満派がやや多い。前回調査（五十二年十月）では「満足」五五%、「不満」四四%だったので、この三年間に逆転したわけだ。住宅地の周辺環境は整備されてきているが、住む場所は〝ウサギ小屋〟というわが国の住宅事情を物語っている。住宅の分類別では「持ち家」に満足組が多い（満足六二%、不満三七%）。

「持ち家」でない人で将来マイホーム建設計画を持っているのは五七%。うち二八%が新築すると答え、計画実現期間は「五年から十年以内」が一番多い。計画を持っていない者の理由は①「土地や建築費の高騰で計画が立てられない」四九%②「不満はあるが、多少がまんすれば住める」一九%③「今の住まいで十分」一二%——で、土地や建築費の高騰がマイホーム建設計画にブレーキをかけていることがわかる。

また、「買い物や通勤に便利なマンションと郊外の一戸建て住宅のどちらを選ぶか」との問いに「一戸建て」と答えたのが六八%、「マンション」が二七%だった。

「毎日新聞」1980年8月5日付朝刊

単語表

住宅建設　じゅうたくけんせつ building one's own house (住宅 p. 21) (建設 p. 150)

ほど遠い　ほどとおい remote in possibility ; difficult to be realized

総理府　そうりふ Prime Minister's Office (p. 61)

調査　ちょうさ investigation (p. 50)

現状不満組　げんじょうふまんぐみ those who are dissatisfied with the present situation (現状 p. 46) (不満 p. 49) (～組 p. 160)

1st paragraph

国民　こくみん the people ; the nation (p. 47)

五割　ごわり 50 percent

不満を持つ　ふまんをもつ be dissatisfied (不満 p. 49) (持つ p. 73)

マイホーム建設計画　…けんせつけいかく plan to build one's own house

地価　ちか price of land

建築費　けんちくひ cost of construction ; building expenses (建築 p. 150)

高騰　こうとう rising ; soaring (p. 68)

メドが立たない　…がたたない there is no possibility

発表する　はっぴょうする announce (p. 14)

大都市地域　だいとしちいき big city area ; urban area (地域 p. 18)

宅地　たくち housing lot

取引　とりひき business transaction

～に関する　～にかんする concerning (p. 17)

世論調査　せろんちょうさ public opinion poll or survey (世論 p. 80 ; 調査 p. 50)

住宅事情　じゅうたくじじょう housing situation (事情 p. 34)

悩む　なやむ suffer from

実態　じったい actual condition (p. 49)

明らかになる　あきらかになる become clear (p. 20)

2nd par.

東京四十キロ圏　とうきょうよんじっ…けん area 40 kilometers around Tokyo

千葉(県)　ちば(けん) Chiba (Prefecture) (p. 24)

神奈川(県)　かながわ(けん) Kanagawa (Prefecture) (p. 129)

埼玉(県)　さいたま(けん) Saitama (Prefecture)

茨城(県)　いばらき(けん) Ibaraki (Prefecture)

一都四県　いっとよんけん Metropolis and 4 prefectures

名古屋　なごや Nagoya City (p. 22)

愛知(県)　あいち(けん) Aichi (Prefecture) (p. 56)

三重県　みえけん Mie Prefecture (p. 48)

大阪　おおさか Osaka

京都　きょうと Kyoto (p. 13)

兵庫(県)　ひょうご(けん) Hyogo (Prefecture)

奈良(県)　なら(けん) Nara (Prefecture)

二府　にふ two special prefectures (*fu*)

三千世帯　さんぜんせたい 3,000 households (世帯 p. 80)

対象　たいしょう object (p. 71)

昨年　さくねん last year (p. 36)

面接　めんせつ interview

行う　おこなう　carry out (p. 18)

3rd par.

調査対象者　ちょうさたいしょうしゃ those who are investigated

内訳　うちわけ　items; specifications (p. 79)

持ち家　もちいえ　one's own house

分譲アパート　ぶんじょう… condominium (分譲 p. 31)

マンション　condominium

含む　ふくむ　include (p. 151)

民間　みんかん　private (p. 31)

賃貸住宅　ちんたいじゅうたく　house for rent (賃貸 p. 160)

社宅　しゃたく　house for company employees (p. 44)

寮　りょう　dormitory

公営住宅　こうえいじゅうたく　public housing (公営 p. 68)

公社・公団　こうしゃ・こうだん public corporations (p. 68)

居住環境　きょじゅうかんきょう residence environment (居住 p. 21)

満足度　まんぞくど　degree of satisfaction (満足 p. 158)

自然環境　しぜんかんきょう　natural environment (自然 p. 40)

生活環境　せいかつかんきょう　living environment (生活 p. 66)

満足　まんぞく　satisfaction (p. 158)

答える　こたえる　answer

4th par.

広さ　ひろさ　space

間取り　まどり　room arrangement (p. 31)

住まい　すまい　residence (p. 21)

不満派　ふまんは　those who are dissatisfied (不満 p. 49)

前回　ぜんかい　last time (p. 76)

逆転する　ぎゃくてんする　be reversed (p. 12)

周辺　しゅうへん　surroundings

整備する　せいびする　improve

場所　ばしょ　a place (p. 22)

ウサギ小屋　うさぎごや　rabbit hutch (p. 28)

わが国　わがくに　our country (国 p. 47)

物語る　ものがたる　tell; indicate

分類別　ぶんるいべつ　classified by the kind (分類 p. 31) (別 p. 181)

5th par.

将来　しょうらい　future

新築する　しんちくする　build a new house

計画実現期間　けいかくじつげんきかん　time needed for realization of the plan (実現 p. 46) (期間 p. 31)

以内　いない　within (p. 32)

一番多い　いちばんおおい　greatest in number

者　もの　a person (p. 38)

理由　りゆう　reason (p. 61)

土地　とち　land (p. 18)

多少　たしょう　more or less; somewhat; a little (p. 42)

がまんする　put up with

ブレーキをかける　check; slow down (*lit.* apply the brakes to)

6th par.

買い物　かいもの　shopping (p. 172)

通勤	つうきん commuting (p. 62)	一戸建て住宅	いっこだてじゅうたく a detached house
便利	べんり convenient (p. 73)	選ぶ	えらぶ choose (p. 187)
郊外	こうがい the suburbs (p. 84)	問い	とい question

■Translation

Remote Possibility of Building One's Own Home
More People Dissatisfied With Housing Situation : Prime Minister's Office

Fifty percent of the Japanese population is dissatisfied with their present housing, but they cannot make concrete plans to build their own homes due to soaring land prices and building costs, according to the "Survey of public opinion concerning big city housing and land transactions" issued by the Prime Minister's Office on the 4th. This survey shows how the people suffer from housing problems.

The survey covered 3,000 households in Tokyo and the surrounding 40-kilometer area (the metropolis of Tokyo, and the four prefectures of Chiba, Kanagawa, Saitama and Ibaraki), Nagoya and tne surrounding 20-kilometer area (Aichi and Mie prefectures), and Osaka and the surrounding 30-kilometer area (the two fu's of Osaka and Kyoto and the two prefectures of Hyogo and Nara); it was made during the week of December 14th by interviewing the residents.

According to this survey, the housing situation of the interviewees consisted of (1) own house (including condominiums) 58%, (2) private rental housing (including apartment houses and condominiums) 26%, (3) employee housing and dormitories provided by companies 8%, (4) public housing 5%, (5) housing rented out by public corporations 3%. As for the degree of satisfaction with present housing, 64% said they were satisfied with the natural environment around them, and 77% with their overall living environment.

But concerning the amount of space and floor plans of their housing, 50% were dissatisfied, and 49% satisfied, putting the dissatisfied slightly in the majority. The previous survey (October 1977) found 55% satisfied and 44% dissatisfied, so the ratio has been reversed during the past three years. The areas surrounding residential areas have been improved, but the houses themselves are cramped like "rabbit hutches"; this is clearly indicated by this survey. When classified by the type of housing, there are more satisfied people in the home-owner group (62% satisfied, 37% dissatisfied).

Of those who do not own houses, 57% plan to build their own house in the future; of these people 28% said that they would build new houses, and most of them plan to do so within 5 to 10 years. The reasons why the others do not have plans to build houses are as follows; (1) they cannot make plans because of the rising land prices and building costs −49% (2) although not quite satisfied, they can manage to live in their present housing −19% (3) they are satisfied with their present housing −12% This means that the jumps in land prices and building costs are an obstacle for house planning.

And to the question, "Which would you prefer, condominiums that are convenient for shopping and commuting, or independent houses in the suburbs?," 68% answered "independent house" and 27% preferred condominiums.

練習

いまの住宅に国民の五割が不満を持っている。ところが、マイホーム建設計画は地価や建築費の高騰でメドが立たない—。総理府が四日発表した「大都市地域の住宅・宅地取引に関する世論調査」で、住宅事情に悩む国民の実態が明らかになった。

調査は東京四十キロ圏、名古屋二十キロ圏、大阪三十キロ圏の三千世帯を対象に、昨年十二月十日から一週間、面接調査で行われた。

それによると、調査対象者の住宅の内訳は①持ち家58%②民間の賃貸住宅26%③社宅、寮８%④公営住宅５%⑤公社・公団の賃貸住宅３%となっている。現在の居住環境の満足度では、自然環境について64%、生活環境では77%が「満足」と答えている。

しかし、住宅の広さや間取りなど住まいについては「不満」50%、「満足」49%と不満派がやや多い。住宅の分類別では「持ち家」に満足組が多い。

「持ち家」でない人でマイホーム建設計画を持っていない者の理由では、「土地や建築費の高騰で計画が立てられない」が49%で一番多く、土地や建築費の高騰がマイホーム建設計画にブレーキをかけていることがわかる。

【例１】

「親は私の言い分に妥協的」「まだまだ子供でいたい」—。十五歳から十九歳までの日本の青少年は幾分頼りない生活意識を持っていることが、十二日、中山総務長官が閣議に報告した「五十五年度版青少年白書」で明らかになった。

白書は、総理府広報室、名古屋市経済局、東京都教育庁、東京都民生局が行った各種世論調査を集大成したものであり、「十代後期の青少年」「青少年の現状」「青少年に対する国の施策」の三章からなっている。

それによると、高校生で両親と「ほとんど話をしない」と答えているのは、たった2％、七割が「一日一回は話をしている」としており、「話し合いが不十分で不満」と思っているのは15％に過ぎなかった。

むしろ、「親は子供に妥協的」と感じている層が多く、男女とも、六～八割が「私に対して温かい」「私の気持ちもわかろうとしている」「たいてい私のいう方に折れる」と感想を述べている。逆に「自分の考えを私に押しつけようとする」と答えたのは27％に過ぎず、〝がん固おやじ〟より〝理解あるパパ〟が今や主流。

そんなに温かい環境が反映してか「まだ子供のままでいたい」が男子で35％、女子で51％も。「一人前の大人だ」と考えているのは男子23％、女子15％。自立性に乏しい青少年像が浮かびあがってくる。

親　おや　parent; parents

言い分　いいぶん　one's say; one's claim

妥協的　だきょうてき　ready to compromise (妥協 p. 82)

十五歳　じゅうごさい　15 years old

青少年　せいしょうねん　young people (p. 36)

幾分　いくぶん　somewhat

頼りない　たよりない　weak; dependent

生活意識　せいかついしき　consciousness about life (生活 p. 66; 意識 p. 133)

持つ　もつ　have (p. 73)

中山総務長官　なかやまそうむちょうかん　Nakayama, Director-General of Administrative Affairs in the Prime Minister's Office

閣議　かくぎ　Cabinet meeting (p. 41)

報告する　ほうこくする　report

～版　～ばん　edition

白書　はくしょ　white paper (p. 23)

広報室　こうほうしつ　Public Relations Office

経済局　けいざいきょく　Bureau of Economic Affairs

教育庁　きょういくちょう　Office of Education (教育 p. 62)

民生局　みんせいきょく　Bureau of Social Welfare

各種　かくしゅ　various (p. 82)

集大成する　しゅうたいせいする　collect; compile

十代後期　じゅうだいこうき　late teens (十代 p. 21; 後期 p. 147)

施策　しさく　measure; policy

三章からなる　さんしょうからなる　be composed of 3 chapters

高校生　こうこうせい　high school students (高校 p. 60)

両親　りょうしん　parents (p. 147)

答える　こたえる　answer

話し合い　はなしあい　talk; discussion (p. 24)

～に過ぎない　～にすぎない　be only

感じる　かんじる　feel (p. 65)

層　そう　class; stratum

温かい　あたたかい　warm

気持ち　きもち　feelings (p. 66)

折れる　おれる　yield

感想を述べる　かんそうをのべる　express their impressions (感想 p. 65)

逆に　ぎゃくに　on the contrary

押しつける　おしつける　force something on someone

がん固おやじ　がんこおやじ　stubborn father

理解　りかい　understanding (p. 52)

主流　しゅりゅう　predominant (p. 59)

•

環境　かんきょう　environment

反映する　はんえいする　reflect (p. 34)

男子　だんし　male (p. 71)

女子　じょし　female (p. 27)

一人前　いちにんまえ　full-fledged (p. 13)

大人　おとな　adult

自立性　じりつせい　independence (自主 p. 40)

乏しい　とぼしい　poor; lacking

〜像　〜ぞう　image of

浮かびあがる　うかびあがる　become clear; come to the front

【例２】

東京都内二十三区の電話帳で一番多い名まえは「鈴木実」さんである—。電々公社がこのほど発表した「同姓同名ランキング」によると、東京都内では「鈴木実」さんが二百九十二人いることがわかった。

この調査は、最新の「五十音別電話帳・個人名」をもとに、同姓同名者の数を調べたものである。

その結果では、①鈴木実二百九十二人②鈴木清二百七十七人③鈴木茂二百七十五人④田中実、斎藤実二百七十三人⑤鈴木勇、高橋清二百四十二人の順になった。

大阪市の電話帳での調査の結果では、①田中実②田中勇③田中稔④田中博⑤田中清、山本茂がベスト５になった。

また、全国的にみると地域ごとに姓のトップは異なり、札幌、仙台両市の電話帳では佐藤、名古屋市では加藤、大阪、京都、広島では田中、長野では小林、高松では中村がそれぞれ最も多い姓となっている。

電話帳　でんわちょう　telephone directory (電話 p. 29)

鈴木実　すずきみのる　(personal name)

電々公社　でんでんこうしゃ　Nippon Telegraph and Telephone Public Corporation (p. 29)

同姓同名　どうせいどうめい　same last name and first name

ランキング　ranking

最新　さいしん　newest (p. 48)

五十音別　ごじゅうおんべつ　classified in Japanese alphabetical order (by the 50 sounds of the Japanese syllabary) (五十音 p. 25)

個人名　こじんめい　personal name (個人 p. 57)

清　きよし　man's name

茂　しげる　man's name

田中　たなか　family name (p. 26)

斎藤　さいとう　family name (p. 43)

勇　いさむ　man's name

高橋　たかはし　family name

順　じゅん　order

稔　みのる　man's name

博　ひろし　man's name

山本　やまもと　family name (p. 53)

ベスト　best

地域ごとに　ちいきごとに　in each locality (地域 p. 18)

姓　せい　family name

トップ　top

異なる　ことなる　be different

札幌　さっぽろ　place name, see p. 120

仙台　せんだい　〃　〃　〃

佐藤　さとう　family name (p. 42)

加藤　かとう　family name (p. 42)

広島　ひろしま　place name, see p. 120

長野　ながの　〃　〃　〃

小林　こばやし　family name (p. 28)

高松　たかまつ　place name, see p. 120

中村　なかむら　family name (p. 27)

漢字・漢語

1. 宅　〈住宅〉

自宅　じたく　one's home (p. 40)

宅地　たくち　building site (p. 185)

帰宅(する)　きたく　going home

在宅(する)　ざいたく　being at home

～宅(佐藤氏宅)　～たく(さとうしたく) residence (Mr. Sato's residence)

2. 設　〈建設〉

設備　せつび　equipment (p. 172)

設計(する)　せっけい　plan; design (p. 24)

設立(する)　せつりつ　establishment (p. 60)

設置(する)　せっち　establishment (p. 171)

設定(する)　せってい　establishment; creation (p. 16)

施設　しせつ　an institution; facilities

新設　しんせつ　newly established (p. 37)

開設する　かいせつする　establish (p. 70)

増設(する)　ぞうせつ　increase (of a building or rooms)

特設　とくせつ　installed specially (p. 126)

創設(する)　そうせつ　founding

設ける　もうける　found; establish

3. 遠　〈遠い〉

遠慮(する)　えんりょ　reserve; diffidence

遠征(する)　えんせい　exploration; expedition

遠洋　えんよう　ocean

永遠(の)　えいえん　eternal

遠～(遠距離)　えん～(えんきょり) distant (a long distance)

4. 状　〈現状〉

状況　じょうきょう　situation; circumstances

状態　じょうたい　situation; state of things

症状　しょうじょう　symptoms; the condition of a patient

～状(年賀状)　～じょう(ねんがじょう) letter (New Year's greeting card)

～状(ケロイド状)　～じょう(…じょう) condition (keloid-like)

5. 価　〈地価〉

価格　かかく　price

価値　かち　value (p. 160)

物価　ぶっか　prices (p. 61)

評価(する)　ひょうか　evaluation

米価　べいか　the price of rice (p. 56)

正価　せいか　the net price

株価　かぶか　the price of a stock (p. 43)

特価　とっか　special price

時価　じか　the current price

高価(な)　こうか　high price

〜価(栄養価)　〜か(えいようか)　value (nutritive value)

価　あたい　value; price

6. 築 〈建築費；新築する〉

建築(する)　けんちく　construction; a building; architecture (p.150)

増築(する)　ぞうちく　extension of a building

築く　きずく　construct

7. 費 〈建築費〉

費用　ひよう　cost; expense (p. 133)

消費(する)　しょうひ　consumption; spending (p. 177)

会費　かいひ　membership fee

経費　けいひ　expenses

学費　がくひ　school expenses

食費　しょくひ　food expenses

旅費　りょひ　travel expenses

〜費(生活費)　〜ひ(せいかつひ)expense (living expenses)

費やす　ついやす　spend

8. 騰 〈高騰〉

騰貴(する)　とうき　rise (of price)

9. 論 〈世論〉

論ずる・じる　ろんずる；ろんじる　discuss

論議(する)　ろんぎ　discussion; argument

論争　ろんそう　argument; dispute

論文　ろんぶん　an essay; a thesis; expository writing thesis; paper; dissertation (p. 74)

論評　ろんぴょう　criticism; review

論理　ろんり　logic

結論　けつろん　conclusion (p. 39)

評論　ひょうろん　criticism; review

世論　せろん　public opinion (p. 80)

討論(する)　とうろん　discussion; debate

理論　りろん　a theory (p. 61)

反論(する)　はんろん　objection (p. 71)

公論　こうろん　public opinion

言論　げんろん　speech (p. 68)

弁論　べんろん　discussion; debate

勿論　もちろん　of course; needless to say

〜論(反対論)　〜ろん(はんたいろん)　argument (argument against)

10. 悩 〈悩む〉

苦悩　くのう　agony; suffering

悩ます　なやます　trouble someone

11. 態 〈実態〉

態度　たいど　attitude (p. 50)

態勢　たいせい　attitude; setup; preparedness (p. 130)

状態　じょうたい　condition; state

事態　じたい　situation; state of things (p. 34)

生態　せいたい　ecology

12. 圏 〈四十キロ圏〉

圏外　けんがい　out of the sphere

圏内　けんない　within the sphere

〜圏(共産圏)　〜けん(きょうさんけん)　sphere; circle (Communist bloc)

13. 葉 〈千葉〉

紅葉(する)　こうよう　autumn leaves

葉　は　a leaf

青葉　あおば　green leaves; young leaves

言葉　ことば　a word; a language (p. 69)

紅葉　もみじ　autumn leaves

14. **玉**　〈埼玉〉

珠玉　しゅぎょく　jewel

玉　たま　jewel; jade

玉ねぎ　たまねぎ　onion

目玉　めだま　eyeball

15. **城**　〈茨城〉

城下町　じょうかまち　castletown

城　しろ　castle

地名・人名等

宮城県　みやぎけん　(see p. 120)

16. **古**　〈名古屋〉

古典　こてん　classics

古代　こだい　ancient times

考古学　こうこがく　archeology (p. 80)

中古　ちゅうこ；ちゅうぶる　used (cars, etc.)

古い　ふるい　old

地名・人名等

古川　ふるかわ；古橋　ふるはし

17. **愛**　〈愛知〉

愛(する)　あいする　to love

愛情　あいじょう　love; affection

愛国　あいこく　patriotism (p. 47)

愛用する　あいようする　use habitually; patronize

愛人　あいじん　a lover (p. 57)

恋愛　れんあい　love

～愛(人類愛)　～あい(じんるいあい)　love (love for mankind)

可愛い　かわいい　cute; darling

地名・人名等

愛媛県　えひめけん　(see p. 120)

18. **兵**　〈兵庫〉

兵器　へいき　weapon

兵隊　へいたい　soldier

兵力　へいりょく　military force; troop strength

米兵　べいへい　American soldiers

派兵(する)　はへい　dispatching soldiers

19. **庫**　〈兵庫〉

金庫　きんこ　a safe (p. 30)

在庫　ざいこ　stock; in stock (p. 46)

倉庫　そうこ　storehouse; warehouse

公庫　こうこ　finance corporation

国庫　こっこ　the national treasury

20. **良**　〈奈良〉

良心　りょうしん　conscience

良識　りょうしき　good sense

改良(する)　かいりょう　improvement; reform

不良　ふりょう　bad; delinquent (p. 47)

良い　よい　good

21. **昨**　〈昨年〉

昨夜　さくや　last night

昨今　さっこん　last year

昨日　さくじつ　yesterday (p. 57)

昨夜　ゆうべ　last night

昨日　きのう　yesterday

22. **面**　〈面接〉

面(〜の面)	めん	aspect ; side
面する	めんする	face ; confront
面積	めんせき	area ; square measure
面談	めんだん	interview ; talk
面会	めんかい	interview ; meeting
面倒(な)	めんどう	trouble ; nuisance
当面(の)	とうめん	present ; immediate (p. 67)
方面	ほうめん	direction ; quarter ; sphere (p. 19)
全面	ぜんめん	the whole surface ; overall (p. 80)
正面	しょうめん	front ; facade
場面	ばめん	a situation ; an occasion (p. 79)
局面	きょくめん	situation ; aspect of an affair
額面	がくめん	face value
表面	ひょうめん	the surface (p. 78)
裏面	りめん	the back ; the reverse side
両面	りょうめん	both sides
半面	はんめん	the other side (p. 14)
画面	がめん	the picture on TV ; a scene (p. 34)
反面	はんめん	on the other hand
直面(する)	ちょくめん	confrontation
側面	そくめん	side ; flank (p. 142)
〜面(運用面)	〜めん(うんようめん)	aspect (the aspect of usage)
面影	おもかげ	image ; vestige
面白い	おもしろい	interesting
面	おもて	the surface ; face

23. 接 〈面接〉

接する	せっする	touch ; come into contact with
接近する	せっきんする	approach ; draw near
直接	ちょくせつ	direct ; in person
間接	かんせつ	indirect (p. 31)
応接(する)	おうせつ	a reception
隣接する	りんせつする	adjoin

24. 訳 〈内訳〉

訳す	やくす	translate
通訳(する)	つうやく	oral interpretation
翻訳(する)	ほんやく	translation
訳	わけ	reason ; situation
申し訳	もうしわけ	apology

25. 譲 〈分譲〉

譲歩(する)	じょうほ	concession ; yielding
譲渡(する)	じょうと	transfer ; handing over
譲る	ゆずる	give ; hand over

26. 貸 〈賃貸〉

貸す	かす	lend
貸付(する)	かしつけ	lending ; a loan
貸家	かしや	a house for rent ; rented house
貸室	かししつ	a room for rent ; rented room
賃貸し(する)	ちんがし	rent ; rental

27. 営 〈公営〉

営業(する)	えいぎょう	business ; trade (p. 46)
経営(する)	けいえい	management ; administration
運営(する)	うんえい	management ; operation (p. 84)
都営	とえい	under metropolitan management
国営	こくえい	state operation
〜営(市営)	〜えい(しえい)	run by (run by the city)
営む	いとなむ	operate ; perform

28. 団 〈公団〉

団体	だんたい	a body ; a group ; organization (p. 84)
団地	だんち	public housing area ; apartment complex (p. 18)

団結(する)　だんけつ　unity (p. 39)
団長　だんちょう　leader; head
集団　しゅうだん　group (p. 64)
劇団　げきだん　dramatic company; troupe
楽団　がくだん　musical band; orchestra
布団　ふとん　bedding

29. 居 〈居住〉

住居　じゅうきょ　residence
皇居　こうきょ　Imperial Palace
同居(する)　どうきょ　living together
居る　いる；おる　be; stay
居間　いま　living room
芝居　しばい　play; drama

30. 環 〈環境〉

循環(する)　じゅんかん　circulation; cycle

31. 境 〈環境〉

境内　けいだい　precincts; compound
境界　きょうかい　boundary
国境　こっきょう　the border of a country
心境　しんきょう　mental state
境　さかい　boundary
～境(長野県境)　～ざかい(ながのけんざかい)　the boundary of (the boundary of Nagano Prefecture)

32. 然 〈自然〉

当然　とうぜん　naturally (p. 69)
偶然　ぐうぜん　accidentally; by chance
突然　とつぜん　suddenly; all of a sudden
依然　いぜん　still; as before
全然　ぜんぜん　(not) at all
公然　こうぜん　open; public
天然(の)　てんねん　natural

33. 答 〈答える〉

答申(する)　とうしん　submit a report
答弁(する)　とうべん　answer; reply
答案　とうあん　an examination paper
回答(する)　かいとう　answer (p. 76)
解答(する)　かいとう　answer; solution (p. 　)
応答(する)　おうとう　reply; response
問答(する)　もんどう　question and answer

34. 派 〈不満派〉

派遣(する)　はけん　dispatch; detachment
派閥　はばつ　a faction
派兵(する)　はへい　dispatching soldiers (p. 193)
特派員　とくはいん　special correspondent (p. 75)
党派　とうは　a party; a faction
各派　かくは　each faction
右派　うは　the right-wing (p. 132)
左派　さは　the left-wing (p. 132)
～派(ハト派)　～は(…は)　faction (the doves)
派手(な)　はで　showy; gay
立派(な)　りっぱ　fine; magnificent

35. 逆 〈逆転〉

逆に　ぎゃくに　conversely; vice versa
逆境　ぎゃっきょう　adversity
逆さ　さかさ　reverse; upside down

36. 周 〈周辺〉

周囲　しゅうい　the surroundings
周知　しゅうち　common knowledge; well-known

～周(十二周)　～しゅう(じゅうにしゅう) laps (12 laps)

～周年(五周年)　～しゅうねん(ごしゅうねん) the fifth anniversary

周り　まわり　surrounding

37. 辺 〈周辺〉

この辺　このへん　this neighborhood

辺地　へんち　an isolated district

身辺　しんぺん　person(al) (p. 173)

地名・人名等

渡辺　わたなべ；田辺　たなべ

38. 整 〈整備〉

整理(する)　せいり　arrangement; adjustment

整頓(する)　せいとん　order; adjustment

調整(する)　ちょうせい　adjustment (p. 50)

整う　ととのう　be arranged

整える　ととのえる　arrange

39. 備 〈整備〉

準備(する)　じゅんび　preparation

設備　せつび　equipment (p. 191)

装備(する)　そうび　equipment; outfit (p. 170)

完備(する)　かんび　complete; fully equipped

警備(する)　けいび　guard

予備　よび　preliminary

備える　そなえる　prepare; provide

備わる　そなわる　be provided

40. 類 〈分類〉

類　るい　sort; type; equal; the like

類似(する)　るいじ　resemblance

種類　しゅるい　kind; sort

書類　しょるい　papers; documents (p. 23)

人類　じんるい　mankind (p. 56)

人類学　じんるいがく　anthropology (p. 56)

類　たぐい　kind; sort

41. 将 〈将来〉

将軍　しょうぐん　a general; Shogun

将棋　しょうぎ　*shogi*, Japanese chess

将校　しょうこう　a commissioned officer

王将　おうしょう　the king (in *shogi*)

主将　しゅしょう　captain of a team

女将　じょしょう；おかみ　hostess; a mistress

42. 土 〈土地〉

土曜(日)　どよう(び)　Saturday

土砂　どしゃ　dirt and sand

土俵　どひょう　sumo ring

土木　どぼく　engineering

本土　ほんど　mainland

国土　こくど　a country; territory (p. 47)

風土　ふうど　climate; natural features

領土　りょうど　territory

土　つち　soil; ground; dirt

43. 郊 〈郊外〉

近郊　きんこう　the suburbs (p. 140)

44. 戸 〈一戸建て〉

戸別　こべつ　by household

戸数　こすう　the number of households

戸籍　こせき　census registration; family register

～戸(五十戸)　～こ(ごじっこ) households (55 households)

戸　と　door

ガラス戸　…ど　glass door

地名・人名等

江戸川　えどがわ

水戸　みと　(see p. 120)

神戸　こうべ　(see p. 120)

第八課

まず参院全国区改正

鈴木首相表明　通常国会に提出

　鈴木首相は十五日午後、首相官邸で約一時間にわたって内閣記者会と懇談し、今後の内政、外交の展開について所信を述べた。首相は、今後とも自民党との緊密な関係と同党公約の実現を最優先にするという基本姿勢を明らかにした。また臨時国会を早ければ九月下旬に召集する意向を初めて公にし、臨時国会に続く通常国会には参院全国区制度のあり方を抜本的に改める選挙制度改正案を提出する方針であることを明らかにした。選挙制度の改正に関しては①政党法の制定についても西独の例などを参考にして研究させている②マイクの騒音やビラの洪水などの規制を考えたい③選挙の公営をできるだけ広げたい——などの考え方を示した。

　当面の政治日程について首相は「九月下旬から十月上旬あたりに臨時国会を召集したい」とし、この国会では①前内閣以来の懸案となっている積み残し法案の処理を第一とする②補正予算を提出するかどうかは、いまのところ検討していない——などと述べた。鈴木政権として提出する新たな法案は「基本的に通常国会で考える」とし、とくに選挙制度の改正については積極的に取り組む姿勢をみせた。具体的には①金のかからぬ選挙が第一であり、そのため、選挙の公営をどこまで広げられるか検討させている②ただし小選挙区制を導入する考えはない③マイクで騒いだり、紙の爆弾で町をよごしたりの〃選挙公害〃をなんとかしたい——などの考えを示した。とくに世論の焦点となっている参院全国区制度については「三年後の選挙が近づくとまただめになるので、次の通常国会に改正案を提案したい」と明言した。

　外交面の日程では「外務省が福田元首相以来、首脳の行っていないASEAN（東南アジア諸国連合）諸国訪問を頭に入れておいてくれと要請してきているのは事実だが、具体的には検討や準備に入ってはいない。いずれにしても年内の外遊は無理である」と述べ、首相外遊は早くても来春になることを明らかにした。

「毎日新聞」1980年８月16日付朝刊

単語表

head

参院　さんいん　House of Councillors (p. 54)

全国区　ぜんこくく　nation-wide constituency (全国 p. 80)

改正　かいせい　revision (p. 49)

鈴木首相　すずきしゅしょう　Prime Minister Suzuki (首相 p. 69)

表明(する)　ひょうめい　express; demonstrate (p. 78)

通常国会　つうじょうこっかい　ordinary session of the Diet (通常 p. 62) (国会 p. 47)

提出(する)　ていしゅつ　present; file; submit (p. 14)

lead

首相官邸　しゅしょうかんてい　Prime Minister's official residence

〜にわたって　for

内閣記者会　ないかくきしゃかい　association of reporters on the Cabinet

懇談する　こんだんする　have a friendly talk

今後　こんご　from now on; hereafter (p. 15)

内政　ないせい　domestic administration (p. 79)

外交　がいこう　diplomacy (p. 84)

展開　てんかい　development (p. 70)

所信　しょしん　belief; view (p. 21)

述べる　のべる　state; express

今後とも　こんごとも　in the future too

自民党　じみんとう　Liberal-Democratic Party (p. 40)

緊密な　きんみつな　close

関係　かんけい　relation; connection (p. 17)

同党公約　どうとうこうやく　the party's public pledges (公約 p. 68)

実現　じつげん　materialization; realization (p. 49)

最優先にする　さいゆうせんにする　give absolute priority to

基本姿勢　きほんしせい　basic attitude (基本 p. 58) (姿勢 p. 130)

明らかにする　あきらかにする　clarify (p. 20)

臨時国会　りんじこっかい　extraordinary session of the Diet (臨時 p. 13)

下旬　げじゅん　the last 10 days of the month (p. 53)

召集する　しょうしゅうする　convoke (p. 64)

意向　いこう　intention (p. 133)

初めて　はじめて　for the first time (p. 75)

公にする　おおやけにする　make something public (p. 68)

続く　つづく　succeed; follow (p. 77)

制度　せいど　system (p. 50)

あり方　ありかた　the way something should be

抜本的に　ばっぽんてきに　drastically

改める　あらためる　improve; revise

選挙制度　せんきょせいど　election system (選挙 p. 39)

改正案　かいせいあん　amendment plan

方針　ほうしん　policy (p. 21)

関して　かんして　concerning (p. 17)

政党法　せいとうほう　the Political Party Law (政党 p. 40)

制定　せいてい　enactment; establishment

西独　せいどく　West Germany

例　れい　a case; an instance

参考　さんこう　reference (p. 80)

研究させる　けんきゅうさせる　have someone study

騒音　そうおん　noise

洪水　こうずい　flood

規制　きせい　control

公営　こうえい　public management (p. 68)

広げる　ひろげる　expand

示す　しめす　indicate

1st paragraph

当面の　とうめんの　present; immediate (p. 69)

政治日程　せいじにってい　political schedule (政治 p. 21) (日程 p. 57)

上旬　じょうじゅん　the first 10 days of the month (p. 32)

前内閣以来　ぜんないかくいらい　since the last Cabinet

懸案　けんあん　pending problem

積み残し法案　つみのこしほうあん　bills that have not been discussed

処理　しょり　management; disposition (p. 61)

補正予算　ほせいよさん　revised budget

検討する　けんとうする　examine

鈴木政権　すずきせいけん　Suzuki government (政権 p. 67)

基本的　きほんてき　basic (p. 58)

積極的　せっきょくてき　positive; active (p. 64)

取り組む　とりくむ　grapple with (p. 160)

姿勢　しせい　attitude (p. 130)

具体的　ぐたいてき　concrete; practical (p. 64)

金のかからぬ　かね～　does not require much money

第一　だいいち　first; most important

小選挙区制　しょうせんきょくせい　small constituency system

導入する　どうにゅうする　introduce

騒ぐ　さわぐ　make fuss; make noise

紙　かみ　paper

爆弾　ばくだん　bomb

紙の爆弾で町をよごす　～まち～　make streets dirty with too much printed matter (*lit.* dirty towns with paper bombs)

選挙公害　せんきょこうがい　election pollution

なんとかする　do something about

世論　せろん; よろん　public opinion (p. 80)

焦点　しょうてん　focus

近づく　ちかづく　draw near

提案する　ていあんする　present a plan

2nd par.

外交面　がいこうめん　phase of diplomacy (外交 p. 84) (面 p. 194)

外務省　がいむしょう　Ministry of Foreign Affairs (p. 84)

福田元首相　ふくだもとしゅしょう　former Prime Minister Fukuda (福田 p. 132)

首脳　しゅのう　leader (p. 69)

東南アジア諸国連合　とうなん…しょこくれんごう　ASEAN

訪問　ほうもん　a visit (p. 51)

要請する	ようせいする demand; request (p. 48)	年内	ねんない within the year
事実	じじつ fact (p. 33)	外遊	がいゆう going abroad
具体的	ぐたいてき concrete (p. 64)	無理	むり impossible (p. 61)
準備	じゅんび preparation (p. 196)	来春	らいしゅん the beginning of next year (p. 35)
いずれにしても	at any rate		

Translation

First, Revision of the Nationwide Constituency of the House of Councillors—— Plan Will Be Submitted at Ordinary Diet Session, Says Prime Minister Suzuki

Prime Minister Suzuki talked with the Cabinet correspondents' group for about an hour at his official residence on the afternoon of the 15th, indicating his thoughts concerning future developments in domestic and diplomatic affairs.

He clarified his basic attitude, namely to place the utmost priority on close relationship with the Liberal-Democratic Party and to fulfill its public pledges. He also announced for the first time that he will convene an extraordinary session of the Diet in the last part of September at the earliest, and that he will submit to the ordinary session coming after this special session, an election system revision plan which will drastically reform the nationwide constituency system of the House of Councillors.

He indicated his thinking concerning the revision of the election system—— (1) he is having research done about the establishment of a political party law, referring to the case of West Germany and other examples; (2) he wants to think about the control of microphone and loudspeaker noise and the flood of posters and handbills; (3) he wants to expand as much as possible public management of elections.

As to the immediate political schedule, he said that he wants to convene a special Diet session between the last 10 days of September and the first 10 days of October; in this session (1) the first thing to be done will be the disposal of those pending bills that have been left over since the previous Cabinet; (2) it has not yet been decided whether or not the revised budget will be submitted; new bills from the Suzuki government basically will be discussed during the ordinary session; the government will be particularly active in dealing with the revision of the election system.

More concretely, he said that (1) the most important thing is elections not requiring much money so that he is having studies made on the question of how far public management of elections can be extended; (2) he is not thinking of introducing the small-constituency system; (3) he wants to get rid of "election pollution" caused by the noise of microphones and loudspeakers and by the littering of the towns with "paper bombs."

As for the national constituency system of the House of Councillors which is a focus of public concern now, he stated clearly that he wants to present a revision plan at the next ordinary session because revision will become impossible when the next election draws near in three years' time.

Concerning the diplomatic schedule, he said that although the Ministry of Foreign Affairs has requested him to consider a visit to the ASEAN countries that have not been visited by a Japanese leader since former Prime Minister Fukuda, no practical study or preparation has been done on this yet. He says that at any rate he will not be able to visit any foreign country within the year, which means that he will not go abroad until the beginning of next year at the earliest.

練　習

> 鈴木首相は、午後、首相官邸で約一時間にわたって内閣記者会と懇談し、今後の内政、外交の展開について所信を述べた。首相は、今後とも自民党との緊密な関係と同党公約の実現を最優先にするという基本姿勢を明らかにした。また選挙制度の改正に関しては①政党法の制度についても西独の例などを参考にして研究させている②マイクの騒音やビラの洪水などの規制を考えたい③選挙の公営をできるだけ広げたい――などの考え方を示した。

【例 1】

首相は、自民党の桜内幹事長らが国会提出を表明している靖国法案について次のように語った。①世界各国をみても無名戦士の墓など国で公にまつり、儀じょう兵に守られている②遺族の人々も靖国にまつられるということを強く望んでいる③問題は靖国神社の性格を宗教法人というところから、どう宗教性抜きのものにするかの一点に絞られている――などの理由で同法案を基本的に支持する姿勢を示唆しながら、具体的な法制化については、「一党だけで成立させるべき法案ではない。党内論議を尽くし、野党とも話し合うべきだ」と慎重な姿勢をみせた。

桜内	さくらうち	(personal name)
幹事長	かんじちょう	Secretary-General
靖国法案	やすくにほうあん	a bill for giving governmental support to Yasukuni Shrine, in which those who have died in wars since the Meiji Restoration are enshrined.
語る	かたる	tell
無名戦士	むめいせんし	unknown soldiers
墓	はか	grave; tomb
公に	おおやけに	officially (p. 68)
まつる		enshrine
儀じょう兵	ぎじょうへい	a guard of honor

守る　まもる　attend; protect

遺族　いぞく　the bereaved (p. 160)

望む　のぞむ　wish

性格　せいかく　nature; character (p. 72)

宗教法人　しゅうきょうほうじん　religious corporation

宗教性抜き　しゅうきょうせいぬき　remove its religious nature

絞る　しぼる　focus on

支持する　しじする　support (p. 73)

示唆する　しさする　suggest

法制化　ほうせいか　legalization

一党　いっとう　one party (i.e. LDP)

論議を尽くす　ろんぎをつくす　discuss thoroughly (論議 p. 192)

慎重な　しんちょうな　prudent; careful

【例 2】

金属労協の宮田義二議長は二十一日、都内のホテルで開かれた日本生産性本部の春闘セミナーで、「10％統一要求基準の設定にあたっては労働側は経済整合論をとって〝自制〟しているが、政界、財界にそれ相応の対応がなければ、運動論、指導論の転機になるかもしれない」と述べ、春闘の賃上げが要求とかけ離れた低水準で決着した場合、経済整合論を労働側が放棄する可能性もあることを示した。金属労協は鉄、自動車、電機など民間有力産業の単産が加盟し、賃闘相場に強い影響力を持っているだけに、この強硬姿勢は注目される。

金属労協　きんぞくろうきょう　Japan Council of Metal Workers' Unions

宮田義二　みやたよしじ　(personal name)

議長　ぎちょう　chairman (p. 41)

開く　ひらく　open; hold (a meeting) (p. 70)

日本生産性本部　にほんせいさんせいほんぶ　Japan Productivity Center

春闘セミナー　しゅんとう…　seminar on the spring labor offensive

統一　とういつ　unified; unity (p. 13)

要求　ようきゅう　demand; request (p. 48)

基準　きじゅん　standard

設定　せってい　establishment (p. 16)

労働側　ろうどうがわ　on the part of labor

経済整合論　けいざいせいごうろん　theory of economic coordination

自制する　じせいする　exert self-discipline

政界　せいかい　political world (p. 67)

財界　ざいかい　financial world (p. 81)

それ相応の　それそうおうの　appropriate

対応　たいおう　response; correspondence (対応策 p. 178)

転機　てんき　turning point (p. 138)

賃上げ　ちんあげ　wage increase (p. 160)

かけ離れた　かけはなれた　far apart

低水準　ていすいじゅん　low level

決着する　けっちゃくする　be concluded

放棄する　ほうきする　abandon

可能性　かのうせい　possibility

電機　でんき　electrical machinery

有力(な)　ゆうりょく　powerful

単産　たんさん　local industrial union

加盟する　かめいする　join; be affiliated

賃闘相場　ちんとうそうば　rate of wage-hike demand (相場 p. 70)

強硬(な)　きょうこう　firm; resolute

注目される　ちゅうもくされる　attracts attention; be watched (p. 64)

漢字・漢語

1. **改** 〈改正〉

改善(する)　かいぜん　improvement
改革(する)　かいかく　reform; innovation
改定(する)　かいてい　reform; revision
改造(する)　かいぞう　reconstruction; reorganization
改良(する)　かいりょう　improvement (p. 193)
改札口　かいさつぐち　ticket gate (p. 171)
改める　あらためる　change; reform; examine

2. **鈴** 〈鈴木〉

馬鈴しょ　ばれいしょ　potato
鈴　すず　bell

3. **提** 〈提出〉

提案(する)　ていあん　proposal
提供(する)　ていきょう　offer
提携(する)　ていけい　cooperation
提唱(する)　ていしょう　proposal; advocacy
前提　ぜんてい　premise; prerequisite

4. **官** 〈官邸〉

官房　かんぼう　secretariat
官庁　かんちょう　government agency
官僚　かんりょう　government officials; bureaucracy
官製　かんせい　manufactured by the government
官民　かんみん　the government and the people
長官　ちょうかん　chief; (government) secretary (p. 44)
警官　けいかん　policeman (p. 172)
次官　じかん　vice-minister
高官　こうかん　high official
器官　きかん　organ; institution
係官　かかりかん　official in charge
教官　きょうかん　instructor

5. **邸** 〈官邸〉

公邸　こうてい　official residence
私邸　してい　private residence
～邸　～てい　the residence of ～

6. **閣** 〈内閣〉

閣僚　かくりょう　Cabinet member
閣議　かくぎ　Cabinet meeting (p. 41)

7. **談** 〈懇談〉

談話　だんわ　talk (p. 29)
会談(する)　かいだん　meeting; a talk (p. 43)
相談(する)　そうだん　consultation (p. 70)
座談会　ざだんかい　symposium
講談　こうだん　storytelling; narration
対談(する)　たいだん　a conversation; a dialogue (p. 71)
冗談　じょうだん　joke

8. **交** 〈外交〉

交通　こうつう　transportation; traffic (p. 62)
交換(する)　こうかん　exchange
交渉(する)　こうしょう　negotiation
交代(する)　こうたい　alternation (p. 21)
交流(する)　こうりゅう　exchange; communication (p. 131)
交響楽　こうきょうがく　symphony
交差点　こうさてん　intersection (p. 181)
交付(する)　こうふ　delivery; grant (p. 142)

交番　こうばん　police box (p. 151)

交際(する)　こうさい　association; fellowship (p. 180)

国交　こっこう　diplomatic relations (p. 47)

団交(団体交渉)　だん(たい)こう(しょう)　collective bargaining

交える　まじえる　exchange

交わる　まじわる　associate with

9. 展 〈展開〉

展示(する)　てんじ　exhibition; display

展望(する)　てんぼう　view; prospect; outlook

展覧会　てんらんかい　exhibition; show

発展(する)　はってん　development (p. 14)

進展(する)　しんてん　progress (p. 130)

10. 述 〈述べる〉

供述(する)　きょうじゅつ　testimony; a disposition

11. 緊 〈緊密〉

緊急(の)　きんきゅう　urgent

緊張(する)　きんちょう　tension

緊迫(する)　きんぱく　urgent; pressing

12. 密 〈緊密〉

密集(する)　みっしゅう　crowd; swarm

密度　みつど　density

密輸(する)　みつゆ　smuggling

秘密　ひみつ　secret

過密　かみつ　overcrowding

精密(な)　せいみつ　minute; precise

13. 優 〈最優先〉

優勝(する)　ゆうしょう　victory; championship

優秀(な)　ゆうしゅう　excellent

優先する　ゆうせんする　take priority; precede (p. 28)

優遇(する)　ゆうぐう　favorable treatment

優良(な)　ゆうりょう　excellent

優勢(な)　ゆうせい　predominant (p. 130)

俳優　はいゆう　actor; actress

女優　じょゆう　actress (p. 72)

優れる　すぐれる　be excellent; be superior to

優しい　やさしい　tender; kind-hearted

14. 基 〈基本〉

基地　きち　(military) base

基礎　きそ　foundation; base

基盤　きばん　foundation; base

基準　きじゅん　standard; basis

基調　きちょう　keynote

基金　ききん　fund; foundation; endowment

基づく　もとづく　be based on

15. 姿 〈姿勢〉

姿　すがた　figure; appearance; shape

16. 旬 〈下旬〉

上旬　じょうじゅん　the first 10 days of the month (p. 32)

中旬　ちゅうじゅん　the middle 10 days of tne month (p. 26)

17. 制 〈制度〉

制限(する)　せいげん　limit; restriction

制定(する)　せいてい　enactment; establishment

制作(する)　せいさく　a work; a production (p. 74)

制裁　せいさい　restraint; punishment; sanction

制御(する)　せいぎょ　control; governing

制服　せいふく　a uniform

体制　たいせい　system; organization; the Establishment (p. 83)

規制(する)　きせい　regulation; control
税制　ぜいせい　tax system
抑制(する)　よくせい　restraint; repression
強制する　きょうせいする　force; compel (p. 83)
統制(する)　とうせい　control
管制　かんせい　control; censorship
～制(天皇制)　～せい(てんのうせい)　system (the Emperor System)

18. 挙 〈選挙〉

挙式　きょしき　ceremony
検挙(する)　けんきょ　arrest; roundup
一挙　いっきょ　at a stroke; by one effort

19. 抜 〈抜本的〉

抜群(の)　ばつぐん　outstanding
抜粋　ばっすい　election; excerpt
選抜(する)　せんばつ　selection; choice
抜く　ぬく　draw; remove; outpace
抜ける　ぬける　come out; go through

20. 案 〈改正案〉

案じる・ずる　あんじる; あんずる　worry
案内(する)　あんない　guiding; conducting
案外(な)　あんがい　contrary to expectation (p. 84)
提案(する)　ていあん　proposal (p. 204)
法案　ほうあん　a bill (p. 64)
原案　げんあん　original plan
試案　しあん　tentative plan
懸案　けんあん　pending question
議案　ぎあん　a bill; a measure (p. 41)
～案(改正案)　～あん(かいせいあん)　plan (amendment plan)

21. 針 〈方針〉

針路　しんろ　course; route
針　はり　needle; hand (of a clock)

22. 独 〈西独〉

独立(する)　どくりつ　independence (p. 60)
独特(な)　どくとく　unique
独自(の)　どくじ　unique (p. 40)
独占(する)　どくせん　monopoly
独身　どくしん　unmarried
独裁　どくさい　dictatorship
独創　どくそう　originality
孤独　こどく　isolation
単独　たんどく　single
独禁(独占禁止法)　どっきん(どくせんきんしほう)　the Anti-monopoly Law

23. 例 〈例〉

例年　れいねん　an ordinary year (p. 36)
例外　れいがい　exception (p. 84)
例会　れいかい　regular meeting
条例　じょうれい　ordinance
異例　いれい　an exceptional case
恒例の　こうれいの　customary
定例の　ていれいの　usual; regular
前例　ぜんれい　precedence
実例　じつれい　an example; a concrete case
比例(する)　ひれい　proportion
例えば　たとえば　for instance; for example

24. 研 〈研究〉

研修　けんしゅう　training

25. 究 〈研究〉

究明する　きゅうめいする　investigate; study

探究(する)　たんきゅう　research; investigation

26. 騒 〈騒音〉

騒動　そうどう　commotion

騒ぐ　さわぐ　make a fuss

27. 示 〈示す〉

示唆(する)　しさ　suggestion

指示(する)　しじ　indication; directions (p. 179)

展示(する)　てんじ　exhibition

表示(する)　ひょうじ　indication (p. 78)

掲示(する)　けいじ　a notice

28. 程 〈日程〉

程度　ていど　degree (p. 50)

過程　かてい　process

課程　かてい　course; curriculum (p. 183)

上程(する)　じょうてい　laying before the Diet (p. 32)

程　ほど　extent; degree

29. 懸 〈懸案〉

懸念(する)　けねん　apprehension

一生懸命　いっしょうけんめい　with all one's might

懸賞　けんしょう　prize

30. 積 〈積み残し〉

積極的(な)　せっきょくてき　positive; active (p. 64)

積雪　せきせつ　snow (on the ground)

面積　めんせき　area (p. 194)

積む　つむ　pile up

積もる　つもる　be piled up

31. 残 〈積み残し〉

残念(な)　ざんねん　regrettable

残高　ざんだか　the balance; the remainder (p. 60)

残業　ざんぎょう　overtime work

残す　のこす　leave behind

残る　のこる　remain; be left

32. 処 〈処理〉

処分(する)　しょぶん　disposal; dealing with (p. 31)

処置(する)　しょち　disposal; measure; step (p. 172)

処方箋　しょほうせん　(medical) prescription

処女　しょじょ　virgin

対処(する)　たいしょ　disposal; disposition (p. 71)

33. 補 〈補正〉

補給(する)　ほきゅう　supply; replenishment

補助(する)　ほじょ　assistance; supplement

補償(する)　ほしょう　compensation; indemnity

補佐(する)　ほさ　assistance

補習(する)　ほしゅう　supplementary lesson

補充(する)　ほじゅう　supplement; replacement

補欠　ほけつ　substitute; supplement

候補　こうほ　candidate

34. 算 〈予算〉

計算(する)　けいさん　calculation (p. 23)

決算　けっさん　settlement of accounts (p. 52)

概算　がいさん　rough estimate

通算　つうさん　sum total

採算　さいさん　profit

公算　こうさん　probability

精算(する)　せいさん　adjustment

35. 検 〈検討〉

検査(する)　けんさ　investigation

検察　けんさつ　criminal investigation; prosecution

検事　けんじ　a public prosecutor (p. 34)

検挙(する)　けんきょ　arrest (p. 206)

検定　けんてい　official approval; examination

検診　けんしん　medical examination

検証　けんしょう　verification; inspection

検出する　けんしゅつする　detect

送検(する)　そうけん　send the accused to the prosecutor; commit a person for trial (p. 58)

点検(する)　てんけん　check; inspection

36. 討 〈検討〉

討議(する)　とうぎ　debate; discussion (p. 41)

討論(する)　とうろん　debate; discussion (p. 192)

討つ　うつ　conquer; subjugate

37. 極 〈積極的〉

極端(な)　きょくたん　extreme

極力　きょくりょく　to the best of one's ability

極度　きょくど　utmost; extreme

消極的(な)　しょうきょくてき　negative (p. 64)

38. 具 〈具体的〉

具合　ぐあい　condition; state (p. 23)

家具　かぐ　furniture (p. 28)

器具　きぐ　utensil; implement

道具　どうぐ　tool

工具　こうぐ　tool; implement

用具　ようぐ　tool; instrument; apparatus

～具(文房具)　～ぐ(ぶんぼうぐ)　stationery; writing materials

39. 紙 〈紙〉

紙上　しじょう　on paper; in the newspaper

紙面　しめん　space (in a newspaper, etc.)

紙幣　しへい　paper money

用紙　ようし　a blank form; stationery (p. 132)

白紙　はくし　white paper; a blank sheet of paper; a clean slate

表紙　ひょうし　cover (of a book)

本紙　ほんし　this newspaper

製紙　せいし　paper manufacture

～紙(機関紙)　～し(きかんし)　newspaper (party newspaper; bulletin)

～紙(包装紙)　～し(ほうそうし)　paper (wrapping paper)

手紙　てがみ　letter

40. 爆 〈爆弾〉

爆発(する)　ばくはつ　explosion

爆撃(する)　ばくげき　bombing

爆破(する)　ばくは　blasting; blowing up

原水爆　げんすいばく　atomic and hydrogen bombs

41. 弾 〈爆弾〉

弾力　だんりょく　elasticity

弾丸　だんがん　bullet

弾圧(する)　だんあつ　oppression

弾薬　だんやく　ammunition

実弾　じつだん　live cartridge; loaded shell; money to buy votes

弾　たま　bullet

弾く　ひく　play (an instrument)

42. 脳 〈首脳〉

脳炎　のうえん　encephalitis; brain inflammation

頭脳　ずのう　brain; brains

43. 訪 〈訪問〉

訪日　ほうにち　visiting Japan

訪ソ　ほう…　visiting the Soviet Union

訪中　ほうちゅう　visiting China

訪米　ほうべい　visiting the United States

歴訪(する)　れきほう　visiting various places ; round of calls

探訪(する)　たんぼう　inquiry

訪れる　おとずれる　visit

44. 請 〈要請〉

請求(する)　せいきゅう　demand ; request

申請(する)　しんせい　application ; petition

請負　うけおい　a contract (for work)

下請け　したうけ　subcontract

45. 準 〈準備〉

準じる・ずる　じゅんじる；じゅんずる　correspond to ; be proportionate to

準急　じゅんきゅう　semi-express (train)

水準　すいじゅん　level ; standard

基準　きじゅん　standard ; basis

標準　ひょうじゅん　standard ; norm

準～(準決勝)　じゅん～(じゅんけっしょう)　semi- (semi-final game)

46. 遊 〈外遊〉

遊歩道　ゆうほどう　a promenade ; a mall

遊園地　ゆうえんち　playground (p. 129)

遊説　ゆうぜい　canvassing

園遊会　えんゆうかい　garden party

遊ぶ　あそぶ　play ; have fun

遊び場　あそびば　playground ; place to play

第九課

小柄だった江戸時代の庶民

浅間山噴火　熱泥流下の遺体鑑定

天明三年（一七八三）浅間山の噴火に伴う熱泥流にのみ込まれ〝日本のポンペイ〟といわれる群馬県吾妻郡嬬恋村鎌原（旧鎌原村）の第二次調査は今月二十八日から十七日間の予定で行われるが、昨年夏の第一次調査で同村の観音堂石段から発見された二人の遺体は群大法医学教室（古川研教授）の鑑定で、身長が現代人よりかなり低いことがわかり、江戸時代の庶民像に新たな裏付けが加わることになった。

二遺体は約五十段の石段の下部で折り重なるように埋まっており、石段にたどり着いたとたん熱泥流にのみ込まれたらしい。これまでは、折り重なった上が老女、下が性別不明の若い人で、老女は背負われて逃げる途中だったとみられていたが、鑑定の結果、二人とも女性で頭骨の縫合、歯の摩滅などから年齢は一人は六十歳前後、もう一人は四十歳前後と判定した。身長は老女が一三五センチから一四五センチ、中年の女性が一二五センチから一三五センチ。現代の中年の女性の身長を約一五五センチとすれば老女で二十センチ前後、中年女性で三十センチ前後低いことになる。

人類学の鈴木尚成城大教授らが東京江東区深川の霊光院旧墓地の調査で江戸時代中期ごろの成人男性の平均身長は一五七センチ前後、女性は一四八センチ前後と判定していたが、石段の中年女性はそれよりも十三―二十三センチ低い。また脊柱の骨は一個々々の間隔が詰まっており、当時の労働がかなり激しかったことがうかがわれ、身長の低さも山村という地理的環境に影響されているとみられる。

「毎日新聞」1980年7月21日付朝刊

単語表

小柄　こがら　small-sized (p. 28)

江戸時代　えどじだい　the Edo Period (1603-1867)

庶民　しょみん　common people (p. 40)

浅間山　あさまやま　name of a mountain in Nagano and Gunma Prefectures (p. 128)

噴火(する)　ふんか　eruption

熱泥流下　ねつでいりゅうか　under hot flowing mud (p. 108)

遺体　いたい　dead body (p. 83)

鑑定(する)　かんてい　examination (p. 16)

1st paragraph

天明　てんめい　era name (1781-9)

〜に伴う　〜にともなう　accompany

熱泥流　ねつでいりゅう　hot flowing mud (p. 107)

のみ込まれる　のみこまれる　be caught, *lit.* be swallowed up

ポンペイ　Pompeii

群馬県　ぐんまけん　Gunma Prefecture, see p. 120

吾妻郡　あがつまぐん　name of a county

嬬恋村鎌原　つまごいむらかまはら　name of a village

旧　きゅう　former

第二次　だいにじ　second

調査　ちょうさ　examination (p. 50)

今月　こんげつ　this month (p. 28)

予定　よてい　schedule (p. 16)

昨年夏　さくねんなつ　last summer (昨年 p. 36)

第一次　だいいちじ　first

同村　どうそん　the same village

観音堂　かんのんどう　hall where the Kannon is enshrined

石段　いしだん　stone steps

発見する　はっけんする　find; discover (p. 15)

群大　ぐんだい　Gunma University

法医学教室　ほういがくきょうしつ　legal medicine department (法医学 p. 179)

古川研　ふるかわけん　(personal name)

教授　きょうじゅ　professor (p. 62)

身長　しんちょう　height; stature (p. 166)

現代人　げんだいじん　people of modern times

低い　ひくい　short

庶民像　しょみんぞう　image of the common people

新たな　あらたな　new (p. 37)

裏付け　うらづけ　proof; support

加わる　くわわる　be added (p. 42)

2nd par.

約五十段　やくごじゅうだん　about 50 steps

下部　かぶ　the lower part (p. 53)

折り重なる　おりかさなる　fall one after another (p. 48)

埋まる　うまる　be buried

〜たとたん　at the moment (they arrived)

たどり着く　たどりつく　arrive with great difficulty

折り重なった上　おりかさなったうえ　the body that was on the other

老女　ろうじょ　old woman

性別不明　せいべつふめい　sex distinction unknown

若い　わかい　young

背負われる　せおわれる　be carried on the back

逃げる　にげる　flee (p. 168)

途中　とちゅう　on the way (p. 26)

結果　けっか　result (p. 39)

頭骨　とうこつ　cranium

縫合　ほうごう　suture ; seam

歯　は　teeth

摩滅　まめつ　be worn out

年齢　ねんれい　age (p. 35)

六十歳前後　ろくじっさいぜんご　around 60 years old (p. 12)

判定　はんてい　judgment (p. 16)

中年　ちゅうねん　middle age (p. 26)

3rd par.

人類学　じんるいがく　anthropology (p. 56)

鈴木尚　すずきたかし　(personal name)

成城大教授　せいじょうだいきょうじゅ　professor at Seijo University

…ら　… and others

江東区深川　こうとうくふかがわ　(place name)

霊光院　れいこういん　(name of a temple)

旧墓地　きゅうぼち　former cemetery

中期　ちゅうき　the middle period (p. 26)

成人　せいじん　adult (p. 57)

男性　だんせい　male (p. 71)

平均　へいきん　average (p. 81)

脊柱　せきちゅう　backbone ; the spine

骨　ほね　bone

一個々々　いっこいっこ　each piece

間隔　かんかく　an interval (p. 31)

詰まる　つまる　be shortened

当時　とうじ　at that time (p. 69)

労働　ろうどう　labor

激しい　はげしい　hard ; rough

うかがわれる　can be imagined

山村　さんそん　mountain village (p. 52)

地理的環境　ちりてきかんきょう　geographical environment (地理 p. 18 ; 環境 p. 186)

影響する　えいきょうする　influence (p. 137)

■Translation

People in Edo Period Had Small Physiques

Examination Made of Bodies Buried Under Hot Mud Stream From Mt. Asama Eruption

A second examination is going to be made for 17 days from the 28th of this month of the ruins of Fujiwara, Tsumagoi Village (the former Fujiwara Village), Agatsuma County, Gunma Prefecture; the village was buried under a hot mud stream from the eruption of Mt. Asama in the 3rd year of Tenmei (1783), and is called "the Pompeii of Japan."

The two bodies discovered in the first investigation last summer on the stone steps of a Kannon hall in the village have been examined by members of the legal medicine department of Gunma University, led by Prof. Furukawa. It has been determined that the two bodies are much shorter than people of the present time and this adds another bit of evidence to our image of common people in the Edo Period.

The two bodies were buried on top of each other at the foot of the roughly 50-step stone stairway; they seem to have been swallowed up at the moment that had reached the steps after a great deal of difficulty. It was thought that the upper body was an old woman and bottom one a young person of unknown sex, and that the young one had been carrying the old woman on the back fleeing from the mud.

As a result of the examination, however, it has been determined that both were women. From the seams of the cranium and the degree of wear of the teeth, the older woman is judged to be around 60, and the younger around 40. The old woman was 135 to 145 centimeters tall, and the middle-aged woman 125 to 135 centimeters. Assuming an average middle-aged woman of today to be around 155 centimeters tall, the old woman is shorter by about 20 centimeters, and the middle-aged woman by about 30 centimeters.

Through their investigation of the former graveyard at Reikoin in Fukagawa, Koto Ward, Tokyo, Suzuki Takashi, professor of anthropology at Seijo University, and other investigators judged that in the middle of the Edo Period an average adult man was around 157 centimeters tall and a woman around 148 centimeters tall.

The middle-aged woman found on the stone steps was shorter than that by 13 to 23 centimeters. Also the bones in their backbones were very close to each other, indicating that the people at that time were engaged in quite strenuous physical labor. The geographical environment, namely their living in a mountain village, seems to be responsible for their short stature.

応用

【例１】

（新刊の窓）

「嬬恋——日本のポンペイ」

浅間山麓埋没村落総合調査会・東京新聞編集局特別報道部　編

　天明三年（一七八三年）の浅間山大噴火は、周辺に日本の火山災害史上かつてない大惨事をもたらした。中でも悲惨だったのは鎌原村（現在の群馬県吾妻郡嬬恋村鎌原地区）。熱泥流で全村が埋没、住民の80%に当たる四百七十七人が死んだ。

　それから二世紀—この村に昨年初めて総合的学術調査の手が入った。ただ一つ残った高台の観音堂へ通じる石段の発掘では、あとわずかの所で泥流にのまれた女性の折り重なった二遺体が見つかり話題になった。

　ほかにも埋没家屋の発掘結果、地層・地質調査などを通して、熱泥流の内容やスピード、避難の問題などにもメスを入れている。廃墟の上に復興した村をめぐっての指摘もある。まとまった報告書になっている。

（東京新聞出版局・八〇〇円）

「毎日新聞」1980年６月30日付朝刊

新刊の窓　しんかんのまど　name of a column, "A window on new books"

山麓　さんろく　foot of the mountain

埋没村落　まいぼつそんらく　the village that was buried

東京新聞　とうきょうしんぶん　name of a newspaper

編集局　へんしゅうきょく　editorial department

特別報道部　とくべつほうどうぶ　special report section

～編　～へん　edited by; compiled by

周辺　しゅうへん　surrounding area

火山災害史上　かざんさいがいしじょう　in the history of disasters caused by volcanoes

大惨事　だいさんじ　disaster

悲惨　ひさん　tragic

全村　ぜんそん　the whole village

埋没(する)　まいぼつ　be buried

住民　じゅうみん　inhabitants (p. 21)

世紀　せいき　century (p. 81)

総合的　そうごうてき　comprehensive

学術調査　がくじゅつちょうさ　academic investigation (学術 p. 55 ; 調査 p. 50)

～の手が入る　～のてがはいる　is done

残る　のこる　be left

高台　たかだい　plateau; hill

通じる　つうじる　lead to (p. 62)

発掘　はっくつ　excavation; unearthing

話題　わだい　topic of conversation (p. 29)

家屋　かおく　house

地層　ちそう　stratum; layer

地質　ちしつ　nature of the soil

～を通して　～をとおして　through; through the medium of

内容　ないよう　constituent; contents (p. 79)

避難　ひなん　evacuation; refuge

メスを入れる　…をいれる　analyze (*lit.* plunge in a scalpel)

廃虚　はいきょ　ruins

復興する　ふっこうする　be restored

～をめぐっての指摘もある　…してき…　there is also consideration given to～

まとまった　well-organized

報告書　ほうこくしょ　report

【例 2】

わが国最古の「板付遺跡」の水田は二千九百年前のものだった—福岡市博多区の板付遺跡で発見された水田跡は、弥生時代以前にわが国ですでに稲作が行われていたことを裏付する「物証」として注目を集めていたが、このほど行われた年代測定でこんな結果が出た。この時期は縄文時代の後期初め。これまで、稲作が始まったとされていた弥生時代を六、七百年もさかのぼるばかりか、水田跡と同時に出土した土器の形から推定された「縄文時代晩期終末」説をもくつがえすもので、今後、わが国の稲作起源をめぐる論議に大きな波紋を投げかけるとみられる。

最古　さいこ　oldest

板付　いたづけ　place name

遺跡　いせき　ruins

水田　すいでん　rice field; paddy field

福岡市　ふくおかし　name of a city (see p. 120)

博多区　はかたく　name of a ward in Fukuoka City

～跡　～あと　remains; ruins

弥生時代　やよいじだい　Yayoi Period (from about 300 B.C. to A.D.300)

稲作　いなさく　rice cultivation

物証　ぶっしょう　concrete evidence

注目を集める　ちゅうもくをあつめる　attract attention

年代測定　ねんだいそくてい　determination of the period

縄文時代　じょうもんじだい　Jomon Period (neolithic age before Yayoi Period)

後期　こうき　the 4th period of the Jomon Age, see Note.

始まる　はじまる　start

出土する　しゅつどする　be unearthed

土器　どき　earthen ware

形　かたち　shape

推定する　すいていする　infer; presume (p. 16)

晩期終末　ばんきしゅうまつ　the end of the last period of the Jomon Age, see Note.

～説　～せつ　theory

今後　こんご　hereafter (p. 15)

起源　きげん　origin

論議　ろんぎ　discussion; debate (p. 192)

波紋を投げかける　はもんをなげかける　cause a sensation (*lit.* throw a stone and make a water ring)

■Note

The Jomon Period is divided into 5期 (ages) namely 早、前、中、後、晩.

漢字・漢語

1. 柄 〈小柄〉

柄　がら　pattern; build

間柄　あいだがら　relationship

時節柄　じせつがら　in view of the times

2. 江 〈江戸時代〉

入江　いりえ　bay

地名・人名等

揚子江　ようすこう; 江東区　こうとうく

江戸川　えどがわ (p. 197); 江藤　えとう

江田　えだ

3. 噴 〈噴火〉

噴水　ふんすい　fountain

噴霧器　ふんむき　spray

4. 熱 〈熱泥流〉

熱心(な)　ねっしん　enthusiasm

熱帯　ねったい　tropical zone (p. 151)

情熱　じょうねつ　passion

高熱　こうねつ　high fever

発熱する　はつねつする　have a fever

熱い　あつい　hot

5. 泥 〈熱泥流〉

泥棒　どろぼう　robber

泥んこ　どろんこ　covered with mud

6. 遺 〈遺体〉

遺族　いぞく　the bereaved (p. 160)

遺産　いさん　heritage; legacy

遺言　ゆいごん; いごん　a will

遺憾(な)　いかん　regrettable

7. 鑑 〈鑑定〉

鑑賞(する)　かんしょう　appreciation

印鑑　いんかん　seal; signet

図鑑　ずかん　picture book; pictorial book

年鑑　ねんかん　yearbook

8. 天 〈天明〉

天気　てんき　the weather

天候　てんこう　the weather

天井　てんじょう　ceiling

天然(の)　てんねん　natural (p. 195)

天下　てんか　the world

雨天　うてん　rainy weather

天下り　あまくだり　an appointment by orders from above

9. 伴 〈伴う〉

伴奏　ばんそう　musical accompaniment

同伴　どうはん　company; accompanying

10. 群 〈群馬県〉

群衆　ぐんしゅう　mob; crowd

抜群(の)　ばつぐん　outstanding; preeminent (p. 206)

群れ　むれ　group; herd

群がる　むらがる　gather; crowd

群れる　むれる　crowd

11. 馬 〈群馬県〉

馬力　ばりき　horsepower

馬車　ばしゃ　coach; carriage

競馬　けいば　horse race

乗馬　じょうば　horse riding

馬　うま　a horse

地名・人名等

馬場　ばば；有馬　ありま

12. 妻　〈吾妻郡〉

妻子　さいし　wife and children

夫妻　ふさい　husband and wife

愛妻　あいさい　beloved wife

妻　つま　wife

13. 旧　〈旧藤原村〉

旧の正月　きゅうのしょうがつ　New Year's Day by the lunar calendar

旧姓　きゅうせい　former name; maiden name

旧館　きゅうかん　the older building

旧道　きょうどう　the older road

復旧(する)　ふっきゅう　restoration

14. 音　〈観音堂〉

音楽　おんがく　music

音響　おんきょう　sound

騒音　そうおん　noise; discord

雑音　ざつおん　noise; static

録音(する)　ろくおん　recording; transcription

音　おと　sound

足音　あしおと　footstep

本音　ほんね　real feelings

15. 石　〈石段〉

石油　せきゆ　oil; petroleum (p. 177)

石炭　せきたん　coal

石けん　せっけん　soap

化石　かせき　fossil

宝石　ほうせき　jewel

石　いし　stone; rock

地名・人名等

石井　いしい；石川　いしかわ

石坂　いしざか；石田　いしだ

石原　いしはら；いしわら

16. 段　〈石段〉

段階　だんかい　stage; step

段取り　だんどり　arrangement

階段　かいだん　stairway

手段　しゅだん　means; way (p. 54)

値段　ねだん　price

～段(51段)　～だん(ごじゅういちだん) steps (51 steps)

17. 室　〈教室〉

室内　しつない　within the room

皇室　こうしつ　the Imperial Family

寝室　しんしつ　bedroom

控室　ひかえしつ　waiting room

個室　こしつ　private room

浴室　よくしつ　bathroom

病室　びょうしつ　sickroom

洋室　ようしつ　Western-style room

和室　わしつ　Japanese-style room (p. 81)

18. 授　〈教授〉

授業　じゅぎょう　class; lesson (p. 46)

授ける　さずける　grant; bestow

19. 低　〈低い〉

低音　ていおん　low tone

低温　ていおん　low temperature

低調(な)　ていちょう　sluggish

最低　さいてい　the worst (p. 47)

20. 像 〈庶民像〉

想像(する)　そうぞう　imagination

映像　えいぞう　image; picture

仏像　ぶつぞう　an image of Buddha

～像(自画像)　～ぞう(じがぞう)　picture (self-portrait)

21. 裏 〈裏付け〉

裏面　りめん　the back side

表裏　ひょうり　the front and the back

裏　うら　the back; the reverse

裏切る　うらぎる　to betray

裏～(裏日本)　うら～(うらにほん)　back (area facing the Japan Sea)

～裏(舞台裏)　～うら(ぶたいうら)　back of (behind the stage)

22. 折 〈折り重なる〉

折衝(する)　せっしょう　negotiations

曲折　きょくせつ　vicissitude; ups and downs

骨折(する)　こっせつ　bone fracture

折　おり　occasion

時折　ときおり　sometimes

折る　おる　break; fold

折り紙　おりがみ　*origami* (folding paper into various shapes)

折れる　おれる　be broken; be folded

23. 埋 〈埋まる〉

埋没(する)　まいぼつ　burying

埋葬(する)　まいそう　burial of the dead

埋める　うめる　bury

埋もれる　うもれる　be buried

24. 老 〈老女〉

老人　ろうじん　an old person; the aged

老後　ろうご　one's old age

老齢　ろうれい　old age

老若男女　ろうにゃくなんにょ　everyone; all people regardless of age or sex

長老　ちょうろう　an elder; a senior member

老いる　おいる　grow old

25. 若 〈若い〉

若干　じゃっかん　some; a few

若者　わかもの　a youth; young people (p. 38)

若手　わかて　young member

26. 途 〈途中〉

発展途上国　はってんとじょうこく　a developing country

前途　ぜんと　one's future; prospects (p. 12)

27. 頭 〈頭骨〉

頭痛　ずつう　headache

頭脳　ずのう　brain

頭取　とうどり　president (of a bank)

先頭　せんとう　head; leader

店頭　てんとう　shop; shop window; counter

街頭　がいとう　street

冒頭　ぼうとう　beginning (of a speech, etc.)

出頭(する)　しゅっとう　appearance; attendance

～頭(十頭)　～とう(じっとう)　counter for big animals (10 animals)

頭　あたま　head

頭金　あたまきん　down payment

頭　かしら　head

28. 骨 〈頭骨〉

骨折(する)　こっせつ　bone fracture

遺骨　いこつ　a person's remains (*lit.* a dead person's bones)

～骨(頭蓋骨)　～こつ(ずがいこつ)　bone (cranium; skull)

29. 歯 〈歯〉

歯科医　しかい　dentist

歯みがき　はみがき　toothpaste; brushing one's teeth

歯医者　はいしゃ　dentist

30. 摩 〈摩滅〉

摩擦(する)　まさつ　friction

31. 滅 〈摩滅〉

滅多に　めったに　seldom

滅亡(する)　めつぼう　downfall; ruin

全滅(する)　ぜんめつ　complete destruction; annihilation

不滅(の)　ふめつ　immortality; indestractibility

滅びる　ほろびる　be ruined; perish

滅ぼす　ほろぼす　ruin; destroy

32. 齢 〈年齢〉

学齢　がくれい　school age

老齢　ろうれい　old age (p. 218)

齢　とし　age

33. 霊 〈霊光院〉

霊園　れいえん　cemetery

霊前　れいぜん　in front of the spirit (of the departed)

慰霊祭　いれいさい　memorial service

幽霊　ゆうれい　ghost; apparition

34. 光 〈霊光院〉

光線　こうせん　ray; beam

光熱費　こうねつひ　lighting and heating expenses

観光　かんこう　sightseeing

栄光　えいこう　glory

光る　ひかる　shine; glitter

光　ひかり　light; ray

地名・人名等

日光　にっこう

35. 均 〈平均〉

均衡　きんこう　balance

均一　きんいつ　uniformity; equality

36. 柱 〈脊柱〉

門柱　もんちゅう　gatepost

支柱　しちゅう　a support; a prop; a stay

柱　はしら　pillar

37. 個 〈個々〉

個人　こじん　an individual (p. 57)

個性　こせい　individuality; personality

個別(の)　こべつ　an individual case

個展　こてん　personal exhibition; one-man show

～個　～こ　piece (a counter)

～個所　～かしょ　places (a counter)

38. 隔 〈間隔〉

隔離(する)　かくり　isolation; segregation

隔たり　へだたり　distance; gulf

隔てる　へだてる　separate; set apart

39. 労 〈労働〉

勤労　きんろう　labor; work (p. 128)

苦労(する)　くろう　hardship; suffering

疲労(する)　ひろう　fatigue

40. 働 〈労働〉

働く　はたらく　to work

41. 激 〈激しい〉

激化(する) げっか intensification; aggravation

激増(する) げきぞう marked increase

激戦 げきせん hot fight; bloody battle

激励(する) げきれい encouragement

感激する かんげきする be deeply moved

刺激(する) しげき stimulus

42. 影 〈影響〉

撮影(する) さつえい photographing

影 かげ shadow

43. 響 〈影響〉

交響楽 こうきょうがく symphony (p. 204)

響く ひびく reverberate; affect

第十課

余録

欧米は個人主義だが、日本はそうでないとよくいわれる。個人より集団が優先するのが日本。だが、食事文化に関する限り、日本は昔から欧米よりもはるかに個人主義的だった。侵すべからざるプライバシーがあった▲どんな親しい家族でも食器は別々。料理も銘々膳（ぜん）で個人単位に供された。銘々膳がチャブ台に、ついでダイニング・キッチンの食卓に変わるとともに個人別方式は崩れたが、はしや茶わん、湯のみはまだ別々。ナイフとフォークの欧米では考えられない現象だ▲飲食店はもちろん、家庭でも来客には割りばしを出す。使い捨て時代が来る前からのこの習慣、簡便だからという実際的理由より、はしだけでも共同ではなく専用のものを提供しようという心づかいだ。はしには個人尊重の精神がこめられている▲八月四日を「はしの日」にして、身近なはしを見直そうと「日本の祭りを守る会」が提唱している。東京・赤坂の日枝神社、新潟県三条市の八幡神社で「はし供養」を営み、使用ずみのはしを焼納して、日夜お世話になっているはしに感謝を捧げるのだそうだ▲二十三日を「フミの日」というような、高級とはいえぬごろ合わせだが、はしが日本の食事文化を支えてきた立役者だったのは事実。食卓の洋風化で、フォークや先割れスプーンに押されがちの昨今、数少ない個人主義的伝統の孤塁を守るはしをたたえるのは悪くない▲コメ離れが進めば、はし離れも進行する。生産者米価引き上げを決めた政府は、返す刀で来年早々、消費者米価の値上げをするつもりらしい。安易な消費者転嫁は、日本文化を破壊する。それこそ、政府のはしの上げ下げを、これからよく監視しよう。

「毎日新聞」1980年8月3日付朝刊

単語表

余録　よろく　title of a column, *lit.* additional record

1st paragraph

欧米　おうべい　Europe and America

個人主義　こじんしゅぎ　individualism

個人　こじん　an individual (p. 57)

集団　しゅうだん　group (p. 64)

優先する　ゆうせんする　have priority over

食事文化　しょくじぶんか　culture concerning meals (食事 p. 33 ; 文化 p. 74)

〜に関する限り　〜にかんするかぎり　as far as 〜 is concerned

昔　むかし　old days

はるかに　by far

侵すべからざる　おかすべからざる inviolable

プライバシー　privacy

2nd par.

親しい　したしい　intimate

家族　かぞく　family (p. 28)

食器　しょっき　tableware (p. 33)

別々　べつべつ　separate

料理　りょうり　cooked dishes (p. 61)

銘々ぜん　めいめいぜん　individual small table, see Note 1.

単位　たんい　unit

供する　きょうする　offer; serve

チャブ台　…だい　low table, see Note 2.

ついで　next; then

ダイニング・キッチン　dining kitchen

食卓　しょくたく　table (p. 33)

変わる　かわる　change

個人別方式　こじんべつほうしき method of using individual tables (方式 p. 19)

崩れる　くずれる　collapse

はし　chopsticks

茶わん　ちゃわん　bowl used for cooked rice

湯のみ　ゆのみ　tea cup

ナイフとフォーク　knife and fork

現象　げんしょう　phenomenon (p. 46)

3rd par.

飲食店　いんしょくてん restaurant; dining hall

家庭　かてい　home (p. 28)

来客　らいきゃく　visitor (p. 35)

割りばし　わりばし　splittable chopsticks, see Note 3.

使い捨て時代　つかいすてじだい age of discarding used things (時代 p. 21)

習慣　しゅうかん　custom (p. 180)

簡便　かんべん　handy

実際的理由　じっさいてきりゆう practical reason (実際 p. 49 ; 理由 p. 61)

共同　きょうどう　common (p. 72)

専用　せんよう　one's own; personal

提供する　ていきょうする　offer

心づかい　こころづかい　consideration

個人尊重　こじんそんちょう respect of the individual

精神　せいしん　spirit

こめられている　is put into (こめる　put into)

4th par.

身近な　みぢかな　familiar

見直す　みなおす　see something in a new light

祭り　まつり　festival (p. 128)

守る　まもる　observe; maintain

提唱する　ていしょうする advocate; propose

赤坂　あかさか　name of a town in Tokyo (p. 131)

日枝神社　ひえじんじゃ　name of a shrine

新潟県　にいがたけん　name of a prefecture, see p. 120.

三条市　さんじょうし　name of a city in Niigata Prefecture

八幡神社　やはたじんじゃ　name of a shrine

はし供養　はしくよう　memorial service for discarded chopsticks

営む　いとなむ　hold; carry out

使用ずみ　しようずみ　used and discarded

焼納する　しょうのうする　burn with sacred fire

日夜　にちや　day and night; daily

お世話になる　おせわになる　be of service

感謝を捧げる　かんしゃをささげる　express gratitude (感謝 p. 65)

5th par.

フミの日　…のひ　day of letters, see Note 4.

高級　こうきゅう　high class

～とはいえぬ　cannot be regarded as

ごろ合わせ　ごろあわせ　pun, see Note 4.

支える　ささえる　support

立役者　たてやくしゃ　leading actor

事実　じじつ　fact (p. 33)

洋風化　ようふうか　Westernization

先割れスプーン　さきわれ…　spoon split like a fork (used in Japanese schools)

押されがち　おされがち　tend to be replaced

昨今　さっこん　these days (p. 193)

数少ない　かずすくない　small in number (数 p. 42 ; 少ない p. 42)

伝統　でんとう　tradition

孤塁　こるい　solitary fortress

たたえる　praise

悪くない　わるくない　not bad

6th par.

コメ離れ　…ばなれ　movement away from rice

進む　すすむ　proceed (p. 130)

進行する　しんこうする　proceed (p. 130)

生産者米価　せいさんしゃべいか　price of rice paid (by the government) to the growers, see Note 5.

引き上げ　ひきあげ　raise

決める　きめる　decide (p. 52)

政府　せいふ　government (p. 67)

返す刀で　かえすかたなで　as the next attack

来年早々　らいねんそうそう　early next year (来年 p. 35)

消費者米価　しょうひしゃべいか　price of rice for consumers, see Note 5. (消費者 p. 126 ; 米価 p. 56)

値上げ　ねあげ　raise (p. 154)

安易　あんい　easy (p. 79)

転嫁　てんか　shift (burden,etc.)

破壊する　はかいする　destroy (p. 182)

それこそ　exactly

はしの上げ下げ　はしのあげさげ　every bit of behavior (*lit.* raising and lowering of chopsticks)

監視する　かんしする　supervise; watch

■Notes

1. 銘々ぜん　Individual small table.

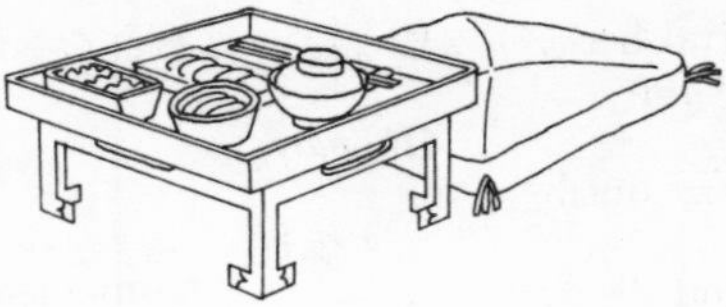

2. チャブ台　Low table.

3. わりばし　Splittable chopsticks.

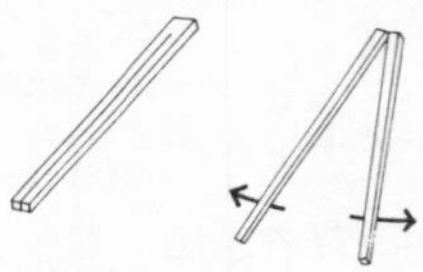

4. フミの日 (day of letters) and ごろ合わせ (play on words)

The readings of numerals in Japanese are flexible and rich in variety, and this makes plays on words rather easy. The numerals up to 10 can be read with either reading of Japanese or Chinese origin; for example, 1 can be read either *hitotsu* or *ichi*, and 2 can be read either *futatsu* or *ni*. And the Japanese make use of the whole word as well as the first one or two syllables when playing on words. Thus, 2 can be read *fu* and 3 *mi*, and 23 can be read *fumi*, or a letter. The numbers 8 and 4 in August 4th (usually read *hachigatsu yokka*) can be read *ha-shi*, or chopsticks.

5. 生産者米価 (price of rice paid to the growers) and
消費者米価 (price of rice for consumers)

To secure rice production, the Japanese government buys rice from growers and then sells it to consumers; the price paid to the growers is the higher, with the government paying the difference.

■Translation

It is often said that Westerners are individualistic whereas the Japanese are not; the Japanese place priority on the group rather than the individual. But as far as eating is concerned, Japan has long been far more individualistic than the West. It has observed an inviolable privacy in this respect.

Namely, even the most intimate family members used their own tableware; food was served separately to each person on *meimei-zen,* individual tables. *Meimei-zen* were replaced by low dining tables, and low dining tables were replaced by Western tables in dining-kitchens. Along with these changes, the individual serving style has crumbled, but chopsticks, rice bowls and teacups are still assigned to individuals. This is inconceivable in the West where knives and forks are used.

In each household, to say nothing of restaurants, *waribashi* (chopsticks used and discarded each time) are offered to visitors. This custom existed even before the present age where things are used just once and then discarded. This custom has been observed not for the practical reason that it is convenient but out of consideration for visitors that they should be given chopsticks, at least, especially for them, something they don't have to share with others. This custom concerning chopsticks involves respect for the individual.

The Association for the Preservation of Japanese Festivals has proposed that August 4th be made "Chopstick Day" so that people will see the over-familiar chopstick in a new light. Special memorial services for chopsticks are held at the Hie Shrine in Akasaka, Tokyo and the Yahata Shrine in Sanjo City, Niigata Prefecture; they burn used chopsticks in a sacred fire to express gratitude for their service in daily life.

This comes from a play on words like the twenty-third day of the month being read Fu-mi-no hi (letter day); this is by no means a high-class pun, but we have to admit that chopsticks have played a leading role in meals in Japan. Now that eating habits have been Westernized and forks and spoons are becoming more predominant, it is not a bad idea to praise chopsticks, one of the few fortresses of individualistic tradition.

As we move away from rice, we are also moving away from chopsticks. The government has decided on raising rice prices for producers and seems to be planning to raise rice prices for consumers early next year too. Shifting the burden thoughtlessly to the consumers will destroy Japanese culture. This is exactly the time when we should be watching the government carefully just as a strict mother watches how her children use their chopsticks.

応用

拝啓国民様——

手紙書こうキャンペーン

——熱込めて郵政省より

切手・ポスターでPR

返信 遅配解消できますか?

「いまの人たちは手紙を書く機会が少ない。毎月二十三日を〈ふみの日〉としたい」——白浜郵政相は十六日の閣議後の記者会見で、国民の手紙ばなれをなげき、郵政省として毎月二十三日を〈ふみの日〉に設定、今月から全国的にキャンペーンしていくことを明らかにした。七月(文月=ふみづき)の二十三日には、キャンペーン切手を発行するほか、シンボルマークも制定し、標語募集やポスターなどで大々的にPRするという。

むろん、その本音は、国民の郵便ばなれを防ごうというもの。同省の調べによると、五十二年度の郵便物総数は約百三十七億通で、前年度より五・七%増えたものの、五十年度の約百四十億通の水準までは回復していない。また五十一年調査では、私人間の郵便物は全体の約二〇%に過ぎず、消息やあいさつを交わす安否通信はわずか九・一%という結果も出ている。

同省は、電話の普及が大きな原因の一つと分析しているが、こうした風潮の中で、どしどし手紙を書いてもらい、手紙文化や文字文化見直しの機運を盛り上げる一助になれば、とも言っている。

しかし一方では、年賀はがきなどの遅配で国民に迷惑をかけたうえ、春闘を控えて全逓が公労協統一ストへの参加を打ち出している折、労使間の正常化が先決といった声も聞かれる。

「読売新聞」1979年3月16日付夕刊

拝啓　はいけい　Dear…(word used to start a letter)

国民様　こくみんさま　(after the usual start of a letter; not actually used)

手紙　てがみ　letter

キャンペーン　campaign

熱込めて郵政省より　ねつこめてゆうせいしょうより　with enthusiasm from the Ministry of Post and Telecommunications (after a phrase used in the movie, *From Russia with Love*)

切手　きって　postage stamps

ポスター　poster

PR　ピーアール　public relations; advertising

返信　へんしん　reply (the next sentence is meant to be an imaginary reply to the Ministry's imaginary letter) (p. 161)

遅配　ちはい　delay in delivery

解消する　かいしょうする　be solved

機会　きかい　occasion; opportunity (p. 67)

白浜　しらはま　(personal name)

郵政相　ゆうせいしょう　Minister of Post and Telecommunications

閣議後　かくぎご　after the Cabinet meeting (閣議 p. 41)

記者会見　きしゃかいけん　interview with press reporters (記者 p. 38)

手紙ばなれ　てがみばなれ　losing interest in letters (手紙 p. 208)

なげく　regret

設定(する)　せってい　establish (p. 16)

発行する　はっこうする　issue (p. 14)

シンボルマーク　logo (*lit.* symbol mark)

制定する　せいていする　enact ; establish (p. 199)

標語　ひょうご　motto ; catchword

募集　ぼしゅう　offer a prize for

大々的に　だいだいてきに　on a large scale

本音　ほんね　real intention (p. 217)

郵便ばなれ　ゆうびんばなれ　losing interest in mail ; being estranged from the mail (郵便 p. 159)

防ぐ　ふせぐ　prevent

郵便物総数　ゆうびんぶつそうすう　total amount of mail (総数 p. 152)

～通　～つう　counter for letters

水準　すいじゅん　level ; standard

回復する　かいふくする　be restored

私人間　しじんかん　private ; between persons

～に過ぎず　～にすぎず　not more than

消息　しょうそく　news ; tidings (p. 149)

交わす　かわす　exchange

安否通信　あんぴつうしん　correspondence to inquire after someone (通信 p. 62)

普及　ふきゅう　spread ; diffusion

原因　げんいん　cause (p. 139)

分析する　ぶんせきする　analyze (p. 31)

風潮　ふうちょう　tendency

どしどし　actively

文字文化　もじぶんか　culture concerning writing (文字 p. 74 ; 文化 p. 74)

見直し　みなおし　reconsideration ; seeing things in a new light

機運　きうん　opportunity

盛り上げる　もりあげる　raise ; make more active

一助　いちじょ　a help

～になれば　(After this a phrase meaning "it will be good" is left out.)

年賀はがき　ねんがはがき　New Year's greeting card (post cards)

迷惑をかける　めいわくをかける　cause trouble ; inconvenience

春闘　しゅんとう　spring labor offensive (p. 169)

～を控えて　～をひかえて　with ～ coming up soon

全逓　ぜんてい　Japan Postal Workers' Union

公労協　こうろうきょう　Council of Public Corporation Workers' Unions

統一スト　とういつ…　general strike (統一 p. 13)

打ち出す　うちだす　propose

折　おり　time ; situation (p. 218)

労使間　ろうしかん　between labor and management

正常化　せいじょうか　normalization (正常 p. 49)

先決　せんけつ　(needs) prior settlement

声　こえ　opinion (*lit.* voice) (p. 123)

聞かれる　きかれる　be heard (聞く p. 37)

漢字・漢語

1. **余** 〈余録〉

余地　よち　room; space; margin

余裕　よゆう　room; time or money to spare

余分　よぶん　extra; surplus

余す　あます　leave over; spare; save

余る　あまる　be surplus; be more than necessary

2. **録** 〈余録〉

録音(する)　ろくおん　recording (p. 217)

録画(する)　ろくが　video tape recording

記録(する)　きろく　record; document (p. 34)

付録　ふろく　supplement; appendix (p. 141)

登録(する)　とうろく　registration

目録　もくろく　catalogue

収録する　しゅうろくする　to tape (p. 180)

2. **欧** 〈欧〉

欧州　おうしゅう　Europe

西欧　せいおう　western Europe (p. 17)

東欧　とうおう　eastern Europe

北欧　ほくおう　northern Europe

4. **限** 〈限り〉

限度　げんど　limit; bounds (p. 50)

限界　げんかい　limit; bounds (p. 81)

制限(する)　せいげん　restriction; limitation (p. 205)

権限　けんげん　power; authority; jurisdiction

時限　じげん　time limit

限る　かぎる　to limit

5. **昔** 〈昔〉

昔日　せきじつ　the old days

6. **親** 〈親しい〉

親切(な)　しんせつ　kind; kindhearted

親善　しんぜん　friendly relations; goodwill

親類　しんるい　relatives

親友　しんゆう　good friend

両親　りょうしん　both parents (p. 147)

親　おや　parent

7. **器** 〈食器〉

器具　きぐ　tool (p. 208)

器官　きかん　a (bodily) organ

兵器　へいき　weapon

武器　ぶき　weapon

電(気)器(具)　でん(き)き(ぐ)　electric (home) appliance

機器　きき　machines and tools

陶器　とうき　chinaware

器　うつわ　vessel; receptacle

8. **銘** 〈銘々〉

銘　めい　inscription

銘柄　めいがら　brand; trademark

感銘　かんめい　deep impression

9. **単** 〈単位〉

単純(な)　たんじゅん　simple; pure

単独(の)　たんどく　single

簡単(な)　かんたん　simple; easy (p. 177)

10. **位** 〈単位〉

位置　いち　location

順位　じゅんい　order; ranking

地位　ちい　position (p. 18)

首位　しゅい　first in rank

上位　じょうい　upper rank (p. 32)

位　くらい　rank; grade; location

11. 供 〈供する〉

供給(する)　きょうきゅう　supply

供述(する)　きょうじゅつ　statement (p. 205)

自供(する)　じきょう　confession

供える　そなえる　offer; make an offering

子供　こども　child (p. 12)

12. 変 〈変わる〉

変化(する)　へんか　change; variation; variety

変更(する)　へんこう　change; alteration

変動(する)　へんどう　change; fluctuation

変形(する)　へんけい　transformation

大変(な)　たいへん　serious; awful; very much (p. 36)

変える　かえる　change

13. 茶 〈茶わん〉

茶　ちゃ　tea

茶の間　ちゃのま　living room

紅茶　こうちゃ　black tea

喫茶店　きっさてん　coffee shop

14. 湯 〈湯のみ〉

銭湯　せんとう　public bath

湯　ゆ　hot water; bath

茶の湯　ちゃのゆ　the tea ceremony

15. 飲 〈飲食店〉

飲食　いんしょく　food and drink; eating and drinking

飲料　いんりょう　drink; beverage

飲む　のむ　to drink

16. 庭 〈家庭〉

庭球　ていきゅう　tennis

校庭　こうてい　school ground

庭　にわ　garden

17. 使 〈使い捨て〉

使用(する)　しよう　use (p. 132)

使節　しせつ　delegation; mission (p. 127)

使命　しめい　mission

大使　たいし　an ambassador (p. 36)

公使　こうし　a (government) minister (p. 68)

行使(する)　こうし　use; exercise (p. 17)

特使　とくし　special envoy

駆使する　くしする　have at one's beck and call; use freely

労使　ろうし　labor and management

使う　つかう　use

18. 簡 〈簡便〉

簡単(な)　かんたん　simple (p. 177)

簡易(な)　かんい　simple; simplified

簡素(な)　かんそ　simple; plain

19. 共 〈共同〉

共産主義　きょうさんしゅぎ　Communism (p. 45)

共通(の)　きょうつう　common; in common

共和国　きょうわこく　a republic

共存(する)　きょうぞん　co-existence

共感(する)　きょうかん　sympathy; response (p. 65)

共済　きょうさい　mutual benefit

共著　きょうちょ　collaboration; joint authorship

公共(の)　こうきょう　public

共　とも　together

20. 専 〈専用〉

専門　せんもん　specialty (p. 129)

専務　せんむ　executive director

専売　せんばい　monopoly

専念する　せんねんする　devote oneself to

専攻する　せんこうする　specialize in; major in

専任　せんにん　full-time

21. 尊 〈尊重〉

尊敬(する)　そんけい　respect

尊ぶ　とうとぶ; たっとぶ　respect

22. 精 〈精神〉

精密(な)　せいみつ　minute; precise (p. 205)

精力　せいりょく　energy

精算(する)　せいさん　adjustment (p. 207)

23. 直 〈見直す〉

直接　ちょくせつ　direct; in person (p. 194)

直後　ちょくご　immediately after

直径　ちょっけい　diameter (p. 135)

直前　ちょくぜん　immediately before

直通　ちょくつう　communicating directly

宿直　しゅくちょく　night duty

率直(な)　そっちょく　frank

直～(直輸入)　ちょく～(ちょくゆにゅう)　direct (direct importation

直ちに　ただちに　immediately

直す　なおす　correct; cure

直る　なおる　be corrected; be cured

24. 守 〈守る〉

守備　しゅび　defense

攻守　こうしゅ　offense and defense

保守的(な)　ほしゅてき　conservative (p. 140)

留守　るす　absence

25. 唱 〈提唱〉

合唱(する)　がっしょう　chorus

唱える　となえる　advocate

26. 坂 〈赤坂〉

坂　さか　slope

地名・人名等

坂東　ばんどう; 松坂　まつざか

坂口　さかぐち; 坂田　さかた

坂本　さかもと; 石坂　いしざか (p. 217)

27. 枝 〈日枝〉

枝　えだ　branch; twig

28. 条 〈三条市〉

条件　じょうけん　condition; stipulation (p. 150)

条約　じょうやく　treaty (p. 141)

条例　じょうれい　regulations; ordinance (p. 206)

～条(第一条)　～じょう(だいいちじょう)　article (article 1)

29. 養 〈供養〉

養成(する)　ようせい　training (p. 183)

栄養　えいよう　nourishment

教養　きょうよう　culture; education (p. 62)

休養(する)　きゅうよう　rest; recuperation (p. 161)

療養(する)　りょうよう　recuperation; medical treatment

培養(する)　ばいよう　cultivation; nurture

扶養(する)　ふよう　support; maintenance

養う　やしなう　bring up; support; cultivate

30. 級 〈高級〉

階級　かいきゅう　class; rank

上級　じょうきゅう　upper class

学級　がっきゅう　a (school) class; a grade

初級　しょきゅう　beginners' class

～級(フライ級)　～きゅう（…きゅう） class (flyweight)

31. 役 〈立役者〉

役員　やくいん　an officer; an executive

役割　やくわり　a part; a role

役所　やくしょ　a government office

役人　やくにん　an official

役場　やくば　a public office

役者　やくしゃ　an actor

主役　しゅやく　the leading part

懲役　ちょうえき　imprisonment

配役　はいやく　the cast of a play

役に立つ　やくにたつ　be useful

32. 押 〈押されがち〉

押収(する)　おうしゅう　confiscation

押える　おさえる　press; hold down; suppress

押す　おす　press; push

33. 伝 〈伝統〉

伝来(する)　でんらい　transmission; importation

伝染(する)　でんせん　contagion

宣伝(する)　せんでん　propaganda; publicity

伝う　つたう　go along (a river, etc.); go along (with the help of a rope, etc.)

伝える　つたえる　convey; transmit

伝わる　つたわる　be conveyed; be transmitted

手伝い　てつだい　help

34. 統 〈伝統〉

統一(する)　とういつ　unity; unite (p. 13)

統合(する)　とうごう　unity; integration

統制(する)　とうせい　control; regulation (p. 206)

大統領　だいとうりょう　president

35. 孤 〈孤塁〉

孤独(な)　こどく　isolated; solitary

孤立(する)　こりつ　isolation

36. 塁 〈孤塁〉

本塁　ほんるい　home base (baseball)

三塁　さんるい　third base (baseball)

満塁　まんるい　full bases (baseball)

盗塁　とうるい　stealing (baseball)

37. 悪 〈悪い〉

悪化(する)　あっか　worsening; aggravation

悪臭　あくしゅう　bad smell

悪質(な)　あくしつ　malignant; wicked

悪徳　あくとく　vice; corruption

悪魔　あくま　devil

最悪(の)　さいあく　the worst

悪～(悪影響)　あく～(あくえいきょう) bad (bad influence)

38. 引 〈引き上げ〉

引退(する)　いんたい　retirement; seclusion (p. 130)

引火(する)　いんか　ignition

引用(する)　いんよう　quotation

強引に　ごういんに　forcibly

引く　ひく　pull

39. 易 〈安易〉

容易(な) ようい easy (p. 178)

簡易(な) かんい simple; simplified (p. 229)

貿易 ぼうえき trade

40. 壊 〈破壊〉

壊滅(する) かいめつ destruction; ruin

崩壊(する) ほうかい collapse

全壊(する) ぜんかい complete destruction

第十一課

新入社員は大丈夫？　五　月　病

ちょっと世慣れた顔しても
職場にゃ慣れず　緊張に負けソ

木の芽どきになると不安の虫が騒ぐ。この春学園から社会に巣立ったフレッシュマンたちも、入社時の緊張が解け、五月病の季節がやってきた。仕事に自信を失うだけでなく、中には〝出社拒否症〟にかかる重症者も。

今の新入社員は世慣れているから五月病の心配はないとの見方もある一方で、いやそれはうわべを装っているだけと心配する声もある。新調のスーツが板についてきたように、職場生活も身についているかどうか。

模範解答は得意だが

「世慣れている」「規律を守り礼儀正しい」（三菱商事）

「新入社員教育の講師が壇上に上がると直ちに拍手をし、終われば講師が喜びそうな質問をすかさず出し、ソツがない」（同商事、電通）

「レポートを書かせると、百人が百人会社が期待した通りの模範的な意見や感想が返ってくる」（ダイエー）

新入社員を毎年品定めしてきた具眼の人事担当者が今年の新入社員研修を一通り終えてもらした評価は、おしなべて「例年以上に適応力がある」。八十年代を真っ先かけて企業社会に登場したフレッシュマンたちは、見事なほど企業と職場に適応する術を入社前に身につけてきたようだ。

とすれば、新入社員たちは落ちこぼれもなく期待される企業人に育ちそうだが、世慣れた受け答えとスマートな身のこなしは、必死に冷静さをとりつくろう演技と見る向きもある。

疑問を投げかけるのは、フレッシュマンを社会に送り出した大学の精神衛生カウンセラーだ。「職場にとけ込めない」「仕事をする自信を失った」と、職場不適応の悩みに打ちひしがれた若者たちが、母校のカウンセラーを訪れるのである。

大学生の五月病がなくなった代わりに、母校の精神衛生カウンセラーのもとへUターンする新社会人の五月病患者は絶えない。「私の知る限り、一校当たり毎年数十人はいるだろう」というのは東大と中大の保健センターの精神科医山田和夫氏。

職場の上司や先輩に不適応を気づかれたくないので、社内の診療所やカウンセラーの戸はたたきにくい。思い余って母校のカウンセラーを訪れるわけだ。大方は「四、五回面接すれば治って社会復帰できるが、中には結局会社をやめるケースもある（山田氏）。

「日本経済新聞」1980年４月27日付朝刊

単語表

新入社員　しんにゅうしゃいん　new company employees

大丈夫？　だいじょうぶ　(Are they) all right?

五月病　ごがつびょう　May disease

世慣れた顔　よなれたかお　looking socially experienced; a worldly expression (世慣れた p. 81)

職場にゃ　しょくばにゃ　to the place of work; "にゃ" is a contraction of "には".

慣れず　なれず　not accustomed to 慣れる

緊張　きんちょう　tension

〜に負けソ　〜にまけそ　they're likely to be defeated by 〜 (負ける p. 151) ソ is a contraction of "そう".

1st paragraph

木の芽どき　こ(き)のめどき　the season when trees are budding

不安の虫が騒ぐ　ふあんのむしがさわぐ　they start to become uneasy (*lit.* bugs of uneasiness kick up a fuss) (不安 p. 48)

学園　がくえん　school; campus (p. 87)

社会　しゃかい　society (p. 44)

巣立つ　すだつ　leave (*lit.* leave the nest)

フレッシュマン　freshman; new person

入社時　にゅうしゃじ　at the time of entering a company

解ける　とける　disappear (*lit.* be unfastened)

季節　きせつ　season (p. 127)

自信を失う　じしんをうしなう　lose one's confidence

"出社拒否症"　しゅっしゃきょひしょう　"refuse to go to the company" disease (a play on "children who refuse to go to school")

〜にかかる　contract; catch (an illness)

重症者　じゅうしょうしゃ　those who are seriously ill

〜の心配はない　〜のしんぱいはない　we do not have to worry about 〜

見方　みかた　view; opinion

一方　いっぽう　on the other hand (p. 19)

うわべを装う　〜よそおう　pretend (*lit.* dress the surface)

声　こえ　opinion (*lit.* voice) (p. 123)

新調のスーツ　しんちょうの〜　a new suit

〜が板につく　いたにつく　they look at home with

〜が身につく　みにつく　they feel at home with

2nd par.

模範解答　もはんかいとう　model answer (解答 p. 52)

得意　とくい　good at; speciality

規律　きりつ　rules

守る　まもる　observe; obey

礼儀正しい　れいぎただしい　courteous; well-mannered

三菱商事　みつびししょうじ　name of a company

教育　きょういく　education; training (p. 62)

講師　こうし　lecturer (p. 179)

壇上　だんじょう　platform (p. 32)

直ちに　ただちに　immediately (p. 230)

拍手　はくしゅ　clapping hands; applause (p. 54)

終わる　おわる　be finished

喜ぶ　よろこぶ　be pleased

質問　しつもん　question

すかさず　without delay; losing no time

ソツがない　tactful

電通　でんつう　name of a company

レポート　report

百人が百人　ひゃくにんがひゃくにん　every one of them (p. 25)

期待した通り　きたいしたとおり　as expected; as hoped for (期待 p. 149)

模範的　もはんてき　model; ideal

意見　いけん　opinion (p. 35)

感想　かんそう　impression (p. 65)

返る　かえる　come in reply (p. 161)

ダイエー　name of a company

3rd par.

毎年　まいねん　every year (p. 141)

品定め　しなさだめ　evaluation

具眼　ぐがん　having good judgment

人事担当者　じんじたんとうしゃ　those who are in charge of personnel (人事 p. 34)

今年　ことし　this year (p. 28)

研修　けんしゅう　training (p. 206)

一通り終える　ひととおりおえる　generally finish

もらす　remark; express

評価　ひょうか　evaluation

おしなべて　all alike

例年以上に　れいねんいじょうに　more than ordinary years (例年 p. 36; 以上 p. 32)

適応力　てきおうりょく　power to adjust

八十年代　はちじゅうねんだい　the 1980's

真っ先かけて　まっさきかけて　at the head

企業社会　きぎょうしゃかい　world of business (企業 p. 46; 社会 p. 44)

登場する　とうじょうする　appear (on the stage) (p. 123)

見事なほど　みごとなほど　surprisingly; admirably

術　すべ; じゅつ　technique

入社前　にゅうしゃまえ(ぜん)　before entering a company

4th par.

落ちこぼれ　おちこぼれ　dropout

期待する　きたいする　expect (p. 149)

企業人　きぎょうじん　enterprise man

育つ　そだつ　grow

受け答え　うけこたえ　response

スマートな　smart

身のこなし　みのこなし　action; behavior

必死に　ひっしに　desperately (p. 83)

冷静さ　れいせいさ　cool and quiet

とりつくろう　pretend

演技　えんぎ　acting

向き　むき　tendency

5th par.

疑問　ぎもん　doubt

投げかける　なげかける　throw out (p. 215)

送り出す　おくりだす　send out

精神衛生カウンセラー　せいしんえいせい…　counselor in mental hygiene; psychological counselor (精神 p. 128; 衛生 p. 66)

とけ込む　とけこむ　be at home with other members of the group

不適応　ふてきおう　ill-adjustment

悩み　なやみ　agony; worry

〜に打ちひしがれる　〜にうちひしがれる　be defeated by

若者　わかもの　a youth; young people (p. 218)

母校　ぼこう　one's alma mater

カウンセラー　counselor

訪れる　おとずれる　visit

6th par.

〜代わりに　〜かわりに　to make up for; in place of

〜のもとへ　to

Uターン　ゆう…　U-turn

絶えない　たえない　do not cease <絶える

私の知る限り　わたしのしるかぎり　as far as I know

一校当たり　いっこうあたり　per school

数十人　すうじゅうにん　several tens of people

東大　とうだい　the University of Tokyo

中大　ちゅうだい　Chuo University

保健センター　ほけん…　health clinic

精神科医　せいしんかい　psychiatrist

山田和夫氏　やまだかずおし　Mr. Kazuo Yamada

7th par.

上司　じょうし　boss (p. 32)

先輩　せんぱい　senior

社内　しゃない　in the company

診療所　しんりょうじょ　clinic (p. 180)

戸をたたく　と〜　visit someone (*lit.* knock on the door)

思い余る　おもいあまる　at a loss what to do

大方　おおかた　most of them

四、五回　しごかい　4 or 5 times

面接する　めんせつする　have an interview (p. 185)

治る　なおる　be cured

社会復帰　しゃかいふっき　go back to society; be rehabilitated (復帰 p. 158)

結局　けっきょく　after all; in the end (p. 51)

ケース　case

Translation

Are New Employees Safe From 'May Disease'?

Although They Display Worldly Airs, They Aren't Accustomed to the Work Place, and They Suffer From Tension

People feel uneasy when the buds come out in the spring. Newcomers to society who left their schools this spring are now relieved of the tension they had when entering their companies: this is the season of "May disease" for them. Not only do some of them lose confidence in their work, but some suffer from the serious disease of "refusing to go to work."

While some think that today's new employees are socially experienced and there is no need to worry about "May disease," on the other hand some people worry that they are only pretending to be worldly. Are the young people becoming well adjusted to their life as company employees just as they are becoming accustomed to wearing new suits?

They're Good at Giving 'Model Answers'

"Socially experienced," "They observe regulations and act courteously," —— Mitsubishi Corp; "When a lecturer goes up on the platform during a training class, they immediately start applauding, and as soon as the lecture is over they ask questions that will please the lecturer. They're tactful" —Mitsubishi Corp. and Dentsu Inc.; "When asked to write a report, every one of them expresses model opinions and impressions, writing just what the company wants to hear." —— Daiei, Inc. These are the impressions of the people in charge of personnel affairs who evaluate new employees every year. After finishing the training of this year's newcomers, these experts unanimously agreed that this year's new employees are more capable of adjustment than those of ordinary years. These young people, the first to make their appearance in the world of big business during the 1980's, remarkably seem to have acquired the technique of adjusting themselves to the company and the work place even before entering their company.

If that is the case, these new employees are likely to become fine workers with no dropouts, but there are some who regard their worldly responses and smart behavior as desperate acting in order to look composed.

This doubt is expressed by psychological counselors at the universities that the new employees have recently left. These graduates come to the counselors and tell them about their ill-adjustment and sufferings. They say, "I can't mix with the others at work" or "I have lost confidence in my work."

"May disease" has disappeared from among college students, but as if to make up for it, new company employees continually go back to their colleges to see the psychological counselors. Mr. Kazuo Yamada, a psychiatrist at Tokyo University and Chuo University, says "To my knowledge, there are several tens of them for each college."

Since they do not want their bosses or seniors at work to know that they are not well adjusted, they cannot very well visit the company clinic or counselor. After worrying about what to do, they end up visiting the counselors at their old college. Most of them are cured after four or five interviews, and can go back to society, but there are some who in the end leave their company, according to Dr. Yamada.

応用

【例 1】

新入社員の特訓

「イチニ、イチニ」午前六時半。トレーニング・ウエアの若者たちが駆け足で汗を流している。指導員の指示に整然と従い、国旗掲揚に直立し、大声で「君が代」を歌う。

ここは東京・代々木のオリンピック記念青少年総合センター。緑に囲まれた構内は毎春、企業の新人研修のメッカとなる。三月中旬から四月中旬まで、約二百社一万二千人の新人がここで社会人としての特訓を受け、職場へ散っていく。二千五百人収容できる同センターだが、この時期は連日ほぼ満員だ。

遅刻者を立たせたり、食事を食べ残さないよう注意したり、基礎的なしつけ教育に力点をおく企業が多い。外部から講師を招く場合、国際情勢や八十年代の経済動向というようなテーマは最近不評で、学者よりスポーツ選手が人気の的。

特訓　とっくん　special training

イチニ、イチニ　one, two, one, two

トレーニング・ウエア　training wear

駆け足　かけあし　a run

汗を流す　あせをながす　perspire

指示　しじ　instructions; directions (p. 179)

整然と　せいぜんと　in good order

従う　したがう　follow

国旗掲揚　こっきけいよう　the raising of the national flag

直立する　ちょくりつする　stand up straight

大声で　おおごえで　loudly

君が代　きみがよ　name of the Japanese national anthem

歌う　うたう　sing

代々木　よよぎ　place name

オリンピック記念青少年総合センター
……きねんせいしょうねんそうごう
……　Olympic Memorial Youth Center

緑に囲まれた　みどりにかこまれた　surrounded by greenery

構内　こうない　compound

毎春　まいしゅん　every spring

メッカ　Mecca

職場に散っていく　しょくばにちっていく　go to their own places of work

収容する　しゅうようする　accommodate

連日　れんじつ　day after day (p. 77)

遅刻者	ちこくしゃ	late-comer
立たせる	たたせる	make someone keep standing (as a punishment)
食べ残す	たべのこす	leave food on one's dish at a meal
注意する	ちゅういする	admonish (p. 133)
基礎的	きそてき	fundamental
しつけ教育	しつけきょういく	discipline
力点	りきてん	emphasis
外部	がいぶ	outside
招く	まねく	invite
国際情勢	こくさいじょうせい	international situation
動向	どうこう	trend
テーマ		theme
不評	ふひょう	unpopular
学者	がくしゃ	scholar (p. 37)
スポーツ選手	…せんしゅ	athletes (p. 39)
人気の的	にんきのまと	very popular (*lit.* target of popularity)

【例２】

忘年会はいわば会社員にとって今年最後のおつとめ。なべをつつきながら飲むという伝統派も健在だが、最近の人気の中心はカラオケ。「座がシラけないように幹事さんが余興に苦労したのは昔のこと。今では歌いたい人が次から次へと飛び出して、中にはマイクをつかんで離さない人もいる」とある料亭の支配人の話。

カラオケブームで宴会は盛況のようだが、はたして本当に忘年会がなごやかになったのか、疑問もある。ある重役の言うように、「若手社員の中には、課長のあいさつを聞いたり、会社の人間と飲んだりするのはイヤだが、カラオケで歌えるならいいという者が多い。つまり、話すことがないから歌に逃避している」のではないか。

忘年会	ぼうねんかい	"year-forgetting" party; year-end party
最後のおつとめ	さいご…	the last obligation (towards the company) (最後 p. 47)
なべをつつく		pick at food from a large stew pot (*lit.* pick at a pot)
飲む	のむ	drink alcoholic beverages
伝統派	でんとうは	those who stick to tradition
健在	けんざい	alive and well; healthy
カラオケ		(*lit.* empty orchestra) tape-recorded musical accompaniment for people to sing to
座がシラける	ざ…	the party becomes dull
幹事	かんじ	manager of a party
余興	よきょう	entertainment at a party
苦労する	くろうする	have a difficult time (p. 219)
昔	むかし	years ago; the past (p. 221)
歌う	うたう	sing
次から次へと	つぎからつぎへと	one after another

(Continued from right column)

飛び出す	とびだす	rush (to the mike)
離す	はなす	let go
料亭	りょうてい	Japanese-style restaurant
支配人	しはいにん	manager
ブーム		boom; fad
宴会	えんかい	party (usually one in which alcoholic beverages are served)
盛況	せいきょう	prospering
重役	じゅうやく	director
若手	わかて	young staff (p. 218)
課長	かちょう	section chief (p. 44)
逃避する	とうひする	escape (p. 169)

漢字・漢語

1. 夫 〈大丈夫〉

夫妻　ふさい　husband and wife; a married couple

夫婦　ふうふ　husband and wife; a married couple

丈夫　じょうぶ　healthy; strong

2. 張 〈緊張〉

主張(する)　しゅちょう　assertion; claim (p. 59)

出張(する)　しゅっちょう　business trip (p. 14)

拡張(する)　かくちょう　expansion

張る　はる　stretch; spread

3. 虫 〈虫〉

殺虫剤　さっちゅうざい　insecticide

防虫剤　ぼうちゅうざい　insect repellent

虫歯　むしば　decayed tooth

水虫　みずむし　athlete's foot

4. 季 〈季節〉

今季　こんき　this season

四季　しき　the four seasons

春季　しゅんき　springtime

夏季　かき　summertime

秋季　しゅうき　autumn

冬季　とうき　the winter months

5. 失 〈失う〉

失敗(する)　しっぱい　failure

失業(する)　しつぎょう　unemployment (p. 40)

失望(する)　しつぼう　disappointment

失策　しっさく　blunder; error

失調　しっちょう　malfunction; poor condition

失礼(な)　しつれい　rude; impolite (p. 179)

過失　かしつ　mistake; error

6. 拒 〈拒否〉

拒絶(する)　きょぜつ　refusal

拒む　こばむ　refuse

7. 否 〈拒否〉

否定(する)　ひてい　negation

否決(する)　ひけつ　rejection; voting down

賛否　さんぴ　pro and con

否　いな　no

8. 症 〈出社拒否症〉

症状　しょうじょう　symptom

重症　じゅうしょう　serious illness

冷え症　ひえしょう　sensitivity to the cold

～症(後遺症)　～しょう(こういしょう)　disease (aftereffects)

9. 配 〈心配〉

配当　はいとう　(stock) dividend

配慮　はいりょ　consideration; good offices

配置(する)　はいち　arrangement; disposition

配合(する)　はいごう　combination; mixture

配達(する)　はいたつ　delivery

配本　はいほん　distribution of books

配分(する)　はいぶん　distribution; allotment

配役　はいやく　the case of a play

支配(する)　しはい　management; control

気配　けはい　sign; indication

分配(する)　ぶんぱい　distribution

配る　くばる　distribute

10. 板 〈板〉

鉄板　てっぱん　iron plate; griddle

看板　かんばん　signboard

登板する　とうはんする　take the mound (baseball)

掲示板　けいじばん　bulletin board

11. 模 〈模範〉

模様　もよう　pattern; design; circumstances

規模　きぼ　scale; scope

12. 範 〈模範〉

範囲　はんい　range; bounds

師範学校　しはんがっこう　normal school

13. 得 〈得意〉

得点　とくてん　(game) score

所得　しょとく　income

獲得(する)　かくとく　gain

説得(する)　せっとく　persuasion

納得(する)　なっとく　be persuaded; consent; understanding

取得(する)　しゅとく　acquisition; purchase

得る　うる; える　gain; acquire

14. 規 〈規律〉

規模　きぼ　scale; scope

規制　きせい　control; regulation

規定　きてい　regulations; stipulations

規則　きそく　a rule; regulations

新規(の)　しんき　new

正規(の)　せいき　regular; proper; legal

15. 律 〈規律〉

法律　ほうりつ　law (p. 64)

一律　いちりつ　uniform; equal

16. 儀 〈礼儀〉

儀式　ぎしき　ceremony

葬儀　そうぎ　funeral

余儀なく　よぎなく　inevitably

17. 商 〈三菱商事〉

商品　しょうひん　merchandise (p. 182)

商店　しょうてん　store (p. 20)

商業　しょうぎょう　commerce (p. 46)

商売　しょうばい　business; commerce

商社　しょうしゃ　firm; company

商会　しょうかい　firm; company

商標　しょうひょう　trademark

商工会議所　しょうこうかいぎしょ　chamber of commerce

通商　つうしょう　trade

小売商　こうりしょう　retailer

18. 講 〈講師〉

講演(する)　こうえん　(public) lecture

講談　こうだん　storytelling (p. 204)

講座　こうざ　lecture; course

講堂　こうどう　lecture hall (p. 130)

講義(する)　こうぎ　lecture; course

受講(する)　じゅこう　listen to a lecture; take a course (p. 55)

開講(する)　かいこう　start a course

講じる・ずる　こうじる; こうずる　give a lecture; devise; take (a measure)

19. 壇 〈壇上〉

花壇　かだん　flower bed

教壇　きょうだん　teacher's platform

20. 終 〈終わる〉

- 終了(する) しゅうりょう end; conclusion
- 終戦 しゅうせん the end of a war
- 終始 しゅうし from beginning to end
- 終結 しゅうけつ conclusion
- 終日 しゅうじつ all day
- 終盤 しゅうばん the last stage; the end of a game
- 最終(の) さいしゅう the last (p. 47)
- 終える おえる finish

21. 喜 〈喜ぶ〉

- 喜劇 きげき comedy
- 大喜び おおよろこび greatly pleased

22. 質 〈質問〉

- 質屋 しちや pawnshop
- 人質 ひとじち hostage
- 質疑応答 しつぎおうとう questions and answers
- 品質 ひんしつ quality (p. 182)
- 実質 じっしつ substance (p. 49)
- 体質 たいしつ (physical) constitution (p. 83)
- 本質 ほんしつ essence; true nature
- 物質 ぶっしつ matter; material (p. 61)
- 性質 せいしつ nature; character
- 特質 とくしつ special character; characteristics
- 素質 そしつ quality; makings
- 悪質(な) あくしつ malignant; wicked
- 音質 おんしつ quality of a sound; tone quality
- ～質(蛋白質) ～しつ(たんぱくしつ) matter (protein)

23. 想 〈感想〉

- 想像(する) そうぞう imagination
- 予想(する) よそう expectation; anticipation; estimate
- 思想 しそう thought; idea; ideology (p. 50)
- 構想 こうそう conception; plan
- 理想 りそう ideal
- 幻想 げんそう illusion; fantasy
- 回想(する) かいそう recollection (p. 76)
- 空想(する) くうそう day dream; fantasy; imagination
- 発想 はっそう conception; way of thinking

24. 眼 〈具眼〉

- 眼科医 がんかい eye doctor; oculist
- 眼球 がんきゅう eyeball
- 双眼鏡 そうがんきょう binoculars
- 血眼 ちまなこ blood-shot eyes
- 眼鏡(目がね) めがね glasses; eyeglasses

25. 担 〈担当〉

- 担保 たんぽ mortgage; security
- 負担(する) ふたん burden; obligation (p. 151)
- 分担(する) ぶんたん share of a burden; allotment; assignment

26. 修 〈研修〉

- 修理(する) しゅうり repair
- 修正(する) しゅうせい revision
- 修業(する) しゅうぎょう study; training
- 修行(する) しゅぎょう ascetic practices
- 改修(する) かいしゅう repair; improvement
- 必修(の) ひっしゅう required; compulsory

27. 評 〈評価〉

- 評論 ひょうろん criticism; review (p. 192)
- 評判 ひょうばん reputation; public estimation (p. 101)

評議　ひょうぎ　conference; consultation

好評　こうひょう　good reputation

定評　ていひょう　established reputation

批評(する)　ひひょう　criticism; review

論評　ろんぴょう　criticism; commentary

28. 適 〈適応力〉

適する　てきする　be suited for; be suitable

適当(な)　てきとう　appropriate; suitable

適用(する)　てきよう　apply (a rule, etc.)

適切(な)　てきせつ　appropriate; suitable

適正(な)　てきせい　proper; right; fair

適時　てきじ　at an appropriate time; when one thinks fit

適宜に　てきぎに　in an appropriate manner; as one thinks fit

快適(な)　かいてき　comfortable; agreeable

最適(の)　さいてき　most appropriate

29. 応 〈適応力〉

応募(する)　おうぼ　subscription; application; enrollment; entry

応援(する)　おうえん　assistance; cheering; rooting

応用(する)　おうよう　application; putting into practice

応接(する)　おうせつ　reception; receiving a visitor

応酬(する)　おうしゅう　response; exchange of opinion

一応　いちおう　once; in outline; for the time being; by and large

適応(する)　てきおう　adaptation; adjustment

対応する　たいおうする　correspond to; deal with; cope with (p. 203)

30. 真 〈真っ先〉

真剣(な)　しんけん　serious; in earnest

真実　しんじつ　true; sincere (p. 50)

真意　しんい　real intention

真相　しんそう　the truth; the actual facts

真珠　しんじゅ　pearl

写真　しゃしん　photograph

真〜(真犯人)　しん〜(しんはんにん)　real (real criminal)

31. 企 〈企業〉

企画(する)　きかく　plan; project

企てる　くわだてる　plan

32. 落 〈落ちこぼれ〉

落語　らくご　comic storytelling

落第する　らくだいする　fail (an examination)

墜落する　ついらくする　fall; crash

急落(する)　きゅうらく　sudden fall; slump

部落　ぶらく　a hamlet

暴落(する)　ぼうらく　sudden fall; slump

落ちる　おちる　fall; be dropped

落とす　おとす　drop

33. 待 〈期待〉

待遇　たいぐう　treatment; reception; dealing

待機(する)　たいき　waiting for a chance

待望(の)　たいぼう　eager waiting; long-awaited

招待　しょうたい　invitation

待つ　まつ　wait

34. 冷 〈冷静さ〉

冷蔵庫　れいぞうこ　refrigerator

冷房　れいぼう　air-conditioning

冷凍　れいとう　freezing; cold storage

冷却(する)　れいきゃく　cooling; refrigeration

冷気　れいき　chill; cold weather

冷害　れいがい　damage caused by cold weather

冷たい　つめたい　cold; chilly

冷える　ひえる　become cold; cool down

冷やす　ひやす　make cold; cool

35. 静 〈冷静さ〉

静養(する)　せいよう　rest; recuperation

平静(な)　へいせい　calm; serene

静か(な)　しずか　quiet

地名・人名等

静岡県　しずおかけん　(see p. 120)

36. 演 〈演技〉

演奏(する)　えんそう　musical performance

演説(する)　えんぜつ　public speech

演出(する)　えんしゅつ　production; dramatic presentation

演劇　えんげき　play; drama

演芸　えんげい　performance; entertainment

出演(する)　しゅつえん　performance; appearance on the stage

公演(する)　こうえん　public performance

講演(する)　こうえん　lecture (public) (p. 241)

上演(する)　じょうえん　presentation (of a play); performance (p. 32)

開演する　かいえんする　raise the curtain; commence performance

実演(する)　じつえん　performance on the stage; demonstration

37. 技 〈演技〉

技術　ぎじゅつ　technique; skill; technology (p. 56)

技能　ぎのう　capacity; skill

技師　ぎし　engineer (p. 179)

競技　きょうぎ　game; contest

38. 疑 〈疑問〉

疑惑　ぎわく　doubt; suspicion

容疑　ようぎ　suspicion

質疑応答　しつぎおうとう　questions and answers (p. 243)

疑う　うたがう　doubt; suspect

39. 衛 〈衛生〉

衛星　えいせい　satellite

防衛(する)　ぼうえい　defense (p. 149)

自衛(する)　じえい　self-defense

守衛　しゅえい　a guard

40. 仕 〈仕事〉

奉仕(する)　ほうし　service; rendering service

仕方　しかた　way; method

仕上げる　しあげる　finish up; complete; perfect

仕える　つかえる　serve; work for

41. 母 〈母校〉

母子　ぼし　mother and child

父母　ふぼ　father and mother; parents

祖母　そぼ　grandmother

保母　ほぼ　day nurse (p. 142)

お母さん　おかあさん　Mother; Mom; someone else's mother

母　はは　mother

母親　ははおや　mother

42. 絶 〈絶える〉

絶対(の)　ぜったい　absolute; unconditional (p. 71)

絶賛(する)　ぜっさん　great admiration

絶好(の)　ぜっこう　best; excellent

絶望(する)　ぜつぼう　despair

絶大(な)　ぜつだい　tremendous; the greatest

絶する　ぜっする　be beyond

拒絶(する)　きょぜつ　refusal

断絶　だんぜつ　rupture; discontinuance

絶つ　たつ　sever

43. 健 〈保健〉

健康(な) けんこう health; healthy

健全(な) けんぜん healthy

健闘(する) けんとう a good fight; strenuous efforts

穏健(な) おんけん moderate; sensible

44. 科 〈精神科〉

科学 かがく science (p. 37)

科目 かもく subject; course of study

教科書 きょうかしょ textbook

学科 がっか school subject; subject of study

内科 ないか internal medicine

外科 げか surgery

理科 りか science; science department

本科 ほんか a regular course; this course

歯科 しか dentistry

前科 ぜんか previous offence (p. 12)

～科(文科) ～か(ぶんか) department; course (department of liberal arts)

45. 司 〈上司〉

司会(する) しかい chairmanship; acting as master of ceremonies

司法 しほう administration of justice; the judiciary

司令 しれい command; commander

46. 診 〈診療所〉

診断(する) しんだん diagnosis

診療(する) しんりょう medical examination and treatment

診察(する) しんさつ medical examination

打診(する) だしん percussion; sounding

第十二課

投書

①

まず物価安定新内閣に望む

小樽市　田中　昱郎（無職　69歳）

鈴木新内閣の誕生で、当分は、自民党絶対多数の安定した政権が続くことになろう。国民は、新内閣に何を望むか。私は、まず、物価の安定とインフレの克服こそ、新内閣に課せられた使命だと思う。

今年度予算では、歳入の約四〇%を国債に依存しているが、これは、どうみても異常である。世界の主要国を比べてみても、西独や英国が、やや多くても一五―一六%である。借金でやりくりする財政の帳じりは、一体、だれが始末しなければならないのか。自分たちの時代さえよければ、子孫たちが、どんなに苦しもうと知ったことではない、というわけにはゆかないだろうし、どうしてもダメなら、諸条件を整えた上で、ある程度の増税も、また、やむをえないのではないだろうか。

新内閣は、国民をあまり甘やかさず、思いきった緊縮政策をとって、まず物価を安定させるべきであろう。もちろん、前内閣からの行政改革は続行し、不急の事業は、この際繰り延べて、赤字国債の発行を、できるだけ圧縮するよう全力を傾けるべきだと考える。

「朝日新聞」1980年7月18日付朝刊

②

美しい言葉は気持ちがよい

自由業　中村　誠佑　39

「ありがとう」と感謝の言葉を使われると、気持ちの良いものである。たとえ悪たれ小僧からでも、述べられれば良い子になったと親は喜ぶ。「おかげさまで」は大人の場合だ。

いつだったか正確なことは忘れてしまったが、よそゆきにつかう言葉として、ある児童は「お邪魔します」をあげた。よそのお宅に遊びにいく時は、必ず使うのだといった。親ごさんのいない時は「ちょっとあがらしてもらうゼ」というのだそうだ。

私は書物が好きなためにたくさんの本を買ったが、書物という商品はただ買うのではないと気付いた。著者の精魂こめた書物は生き物である。それを陳列してある書店も、店主のはからいがあって選択され、配置してあるのであろう。選ぶ客もぜひほしいから、蔵書に加えるのである。だから書物は「ぜひ譲っていただく」という言葉が適切である。貴重な物だから「譲って下さい」という言葉の響きは美しい。

旅館に泊まるのも、宿を一夜貸していただくのであって、泊まってやるのではない。だから「泊めて下さい」と請い願うのである。

（埼玉県入間郡）

「毎日新聞」1980年7月18日付朝刊

単語表

投書　とうしょ　a letter to the editor (p. 132)

①

小樽市　おたるし　name of a city in Hokkaido

田中昱郎　たなかあきお　personal name

無職　むしょく　no occupation

物価安定　ぶっかあんてい　stabilizing prices (物価 p. 61) (安定 p. 79)

新内閣に望む　しんないかくにのぞむ　want the new cabinet (to do)

1st paragraph

誕生　たんじょう　birth (p. 66)

当分　とうぶん　for the time being (p. 69)

絶対多数　ぜったいたすう　absolute majority (絶対 p. 71 ; 多数 p. 51)

政権　せいけん　political power (p. 67)

続く　つづく　continue; last (p. 77)

インフレ　inflation

克服　こくふく　conquest

課する　かする　impose; set a task

使命　しめい　mission (p. 229)

2nd par.

今年度　こんねんど　this fiscal year

予算　よさん　budget (p. 16)

歳入　さいにゅう　annual income (p. 54)

国債　こくさい　national loan

依存する　いぞんする　depend on

どうみても　no matter what way you look at it

異常　いじょう　unusual ; abnormal

主要国　しゅようこく　leading countries (主要 p. 59)

比べる　くらべる　compare (p. 145)

西独　せいどく　West Germany (p. 200)

英国　えいこく　England (p. 47)

やや多くても　ややおおくても　a little more (than others), but

借金　しゃっきん　debt (p. 30)

やりくりする　makeshift

財政　ざいせい　finance (p. 67)

帳じり　ちょうじり　the balance of accounts

一体　いったい　(who) on earth…?

始末する　しまつする　settle; take care of (p. 167)

子孫　しそん　posterity (p. 27)

どんなに苦しもうと　どんなにくるしもうと　no matter how they will have to suffer

知ったことではない　しったことではない　it's none of our business

諸条件　しょじょうけん　various conditions (諸 p. 139 ; 条件 p. 150)

整える　ととのえる　adjust (p. 196)

～た上で　～たうえで　after

ある程度の　あるていどの　to some extent

増税　ぞうぜい　tax increase (p. 42)

やむをえない　inevitable

3rd par.

甘やかす　あまやかす　indulge

思いきった　おもいきった　resolute

緊縮政策　きんしゅくせいさく　policy of curtailment (政策 p. 67)

行政改革　ぎょうせいかいかく　administrative reform (行政 p. 17)

続行する　ぞっこうする　continue (p. 77)

不急の事業　ふきゅうのじぎょう　non-urgent undertaking (事業 p. 34)

この際　このさい　now; this time

繰り延べる　くりのべる　postpone

赤字国債　あかじこくさい　loan to make up for deficits

発行　はっこう　issue; publishing (p. 14)

圧縮する　あっしゅくする　compress

全力を傾ける　ぜんりょくをかたむける　exert all one's energy

②

美しい　うつくしい　beautiful

言葉　ことば　word (p. 69)

気持ちがよい　きもちがよい　pleasant

自由業　じゆうぎょう　a professional

中村誠佑　なかむらせいゆう　(personal name)

1st paragraph

感謝　かんしゃ　gratitude (p. 65)

たとえ…でも　even if

悪たれ小僧　あくたれこぞう　a naughty kid

良い子　よいこ　a good child

親　おや　parent (p. 189)

喜ぶ　よろこぶ　be pleased (p. 235)

おかげさま　thanks to you

大人　おとな　an adult

場合　ばあい　a case (p. 78)

2nd par.

正確　せいかく　correct; exact (p. 49)

忘れる　わすれる　forget

よそゆき　for formal occasions

児童　じどう　a child; a schoolboy or schoolgirl (p. 126)

お邪魔します　おじゃまします　Excuse me. (*lit.* I'm going to interrupt you)

よそのお宅　よそのおたく　other person's houses

遊びにいく　あそびにいく　go to visit

必ず　かならず　never fail to (p. 81)

親ごさん　おやごさん　parent (respectful)

あがらしてもらうぜ　let me come in (ぜ is more familiar than *yo*; usu. used by men.)

3rd par.

書物　しょもつ　a book

好き　すき　like

商品　しょうひん　merchandise (p. 182)

気付く　きづく　notice; realize

著者　ちょしゃ　an author (p. 28)

精魂こめた　せいこんこめた　put all his soul in; devoted all his energy (こめる p. 142)

生き物　いきもの　a living thing; creature (p. 61)

陳列　ちんれつ　display

書店　しょてん　bookstore

店主	てんしゅ the master of the store	響き	ひびき nuance; tone
はからい	plan; consideration	***4th par.***	
選択する	せんたくする choose	旅館	りょかん a hotel; an inn
配置する	はいちする arrange (p. 171)	泊まる	とまる stay overnight
選ぶ	えらぶ choose (p. 39)	宿を貸していただく	やどをかしていただく (someone) kindly lends me a lodging
蔵書	ぞうしょ one's books; one's library		
加える	くわえる add (p. 49)	一夜	いちや for one night
譲っていただく	ゆずっていただく (someone) kindly gives it to me	請い願う	こいねがう plead to give; politely ask for
適切(な)	てきせつ appropriate (p. 163)	埼玉県	さいたまけん name of a prefecture, see p. 120
貴重な	きちょうな valuable (p. 48)	入間郡	いるまぐん place name

■Translation

Letters to the Editor

① Above all, I want the new Cabinet to stabilize prices.

With the formation of the new Suzuki Cabinet, the Liberal-Democratic Party will continue to hold stable political power for some time to come with its absolute majority. What do the people desire from the new cabinet? As for me, I believe that above all, stabilization of prices and the conquest of inflation are the tasks set before the new cabinet.

In this year's budget, approximately 40 percent of the annual income is to be derived from national bonds; this is unusual by any yardstick. If we compare this with the leading nations of the world, West Germany and England depend on loans for only 15 to 16 percent at the most. Who has to make up for the deficit of this financing that depends so much on debts? It will not do for this generation to leave the bill for later generations as long as we don't have to pay the price. If there is no other means, it seems to be inevitable that, on the basis of various considerations, taxes will have to be increased to some extent.

The new cabinet should not indulge the people too much; it should take resolute steps to curtail expenditure and, above all, it must stabilize prices. Needless to say, it should continue the administrative reforms that were handed over from the former cabinet, but it should postpone works that are not urgent; it should direct all its efforts to reducing the loans as much as possible.

② **Beautiful expressions are nice to hear.**

It is pleasant to hear someone say to you *"Arigatoo!"* (Thank you). Even if this expression is used by a naughty boy, his parents will rejoice to think that their boy has become a good child. Another expression of this kind, *Okagesama-de,* is used by adults.

I forget exactly when, but I remember hearing a schoolboy give an example of the expression *Ojama-shimasu*; he said he used it whenever he visited someone's home. When his friend's parents were not at home, he said *"Chotto agarashite-morau-ze."* (Let me come in, will you?)

I like books and buy many of them; I certainly realized that we do not buy any books merely as merchandise. Books are actually alive, with their authors' spirits in them. And they are chosen and arranged within bookstores with special consideration on the part of the store owners. Customers also buy books when they really want them to add to their library. Therefore, when buying a book, the expression *"Zehi yuzutte-itadaku"* (Please let me have it) is appropriate. Books are something precious so saying "Please let me have it" is a beautiful expression.

Staying at an inn, also, should be regarded as asking for a night's lodging, not as doing the favor of staying. Therefore one should say "Please let me stay."

応用

1. 投書

赤字と福祉

埼玉県大宮市　学生　**山田一雄**

財政の再建は国家にとっても地方自治体にとっても現在の急務であり、赤字減らしのためには国民や住民も多少の不便はしのばなければならないと思う。だが、赤字を減らすために福祉を切り捨てることがあってはならない。特にわれわれの将来がかかっている教育機関に対する予算を切ることはあまりにも近視眼的な対策である。今回東京都が赤字を理由に、都立高等保育学院を民間に委託し、教育費を有料化しようとしているのに反対である。同学院は福祉の最前線で働く者の養成機関として大きな役割を果たし、特に今まで女性のみの仕事とされてきた保育の領域に男性を送り出した意義は大きい。また現実に、働きながら学ぶ人も大勢いるのである。ぜひ再考をうながしたい。

福祉	ふくし	welfare (p. 131)
埼玉県	さいたまけん	Saitama Pref. (see p. 120)
大宮市	おおみやし	name of a city
山田一雄	やまだかずお	(personal name)
再建	さいけん	reconstruction (p. 150)
国家	こっか	state; country (p. 28)
地方自治体	ちほうじちたい	local self-governing body; local government (地方 p. 18; 自治体 p. 21)
急務	きゅうむ	urgent task
赤字減らしのために	あかじべらし〜	to decrease a deficit

多少　たしょう　some; more or less (p. 42)
不便　ふべん　inconvenience (p. 49)
しのぶ　forbear; put up with
切り捨てる　きりすてる　curtail
将来　しょうらい　future (p. 35)
近視眼的　きんしがんてき　short-sighted
今回　こんかい　this time (p. 28)
保育学院　ほいくがくいん　Nursery Training Institute (name of a school)
民間　みんかん　private sector (p. 40)
委託する　いたくする　entrust with
教育費　きょういくひ　educational expenses (教育 p. 62)
有料化　ゆうりょうか　change (from free) to charging a fee
最前線　さいぜんせん　front line
養成　ようせい　training
役割　やくわり　role
果たす　はたす　play (a role)
領域　りょういき　field
送り出す　おくりだす　send off; produce
意義　いぎ　significance (p. 133)
学ぶ　まなぶ　study (p. 37)
再考　さいこう　reconsideration
うながす　urge

2．身上相談

夫を呼び捨てにする嫁

〔質問〕一人息子が結婚しました。父はなく、家もかなり広いので、わたしは息子夫婦と同居しています。嫁は明るい性格で、わたしにもいろいろ相談してくれるし、家事もよくやってくれます。ただ、困るのは、息子が嫁を「美智子さん」と呼ぶのに、嫁は息子を「たけし」と呼び捨てにするのです。戦前の教育を受けたわたしには、男女が逆のように思われます。ご近所でも評判になっているようですし、わたしから息子に注意しようかと思うのですが、いかがでしょう。

（横浜市C子）

〔解答〕夫婦だけなら、愛情の表現としてどんな呼びかたをしてもかまわないでしょうが、おしゅうとさんや近所の人の前では、そうはいきませんね。欧米などでは夫婦はもちろん、知人、友人、同僚など、親しくなればファースト・ネームつまり名前で呼び合うようですが、日本の習慣としては一般化していません。

ただ、あなたが息子さんにおっしゃって、それをお嫁さんに伝えてもらうのは感心しません。直接教えてあげるほうがいいと思います。たとえば「子どもができたら父親の名前を呼び捨てにしては教育上よくないでしょう。そのためにはいまのうちから呼びかたを変えたらどう」と、はっきりおっしゃってみてはどうでしょう。

お嫁さんを一人前のりっぱな主婦に育てる責任の一半は、同居しているおしゅうとさんにもあると思います。

身上相談　みのうえそうだん　personal advice column
夫　おっと　husband
呼び捨て　よびすて　speaking to or about someone without using the terms of respect
嫁　よめ　son's wife
一人息子　ひとりむすこ　only son
結婚する　けっこんする　marry (p. 39)
父　ちち　father (＝父親 p. 141)
同居する　どうきょする　live together (p. 195)
明るい　あかるい　cheerful (p. 20)

性格　せいかく　character; nature (p. 72)

家事　かじ　housekeeping (p. 28)

困るのは　こまるのは　what troubles me is

美智子　みちこ　women's name

戦前　せんぜん　before the war

逆　ぎゃく　the reverse

ご近所　ごきんじょ　(people in) the neighborhood (p. 22)

評判になっている　ひょうばんになっている　people talk about it

注意する　ちゅういする　admonish

横浜市　よこはまし　name of a city (see p. 120)

愛情　あいじょう　love (p. 182)

表現　ひょうげん　expression (p. 46)

しゅうと　mother-in-law; father-in-law (The two are written with different *Kanji.*)

欧米　おうべい　the West; Europe and America (p. 221)

友人　ゆうじん　friend

同僚　どうりょう　one's colleague (p. 72)

親しい　したしい　close

ファースト・ネーム　first name

一般化する　いっぱんかする　become general

伝える　つたえる　transmit; tell

感心しない　かんしんしない　is not very good (p. 65)

直接　ちょくせつ　directly (p. 194)

父親　ちちおや　the father (p. 141)

教育上　きょういくじょう　from the viewpoint of their education

一人前　いちにんまえ　full-fledged (p. 13)

主婦　しゅふ　housewife (p. 59)

育てる　そだてる　raise; train (p. 63)

責任　せきにん　responsibility

一半　いっぱん　a part

漢字・漢語

1. 望 〈望む〉

望遠鏡　ぼうえんきょう　telescope

希望(する)　きぼうする　hope for

要望(する)　ようぼう　demand

展望　てんぼう　a view

絶望(する)　ぜつぼう　despair

失望(する)　しつぼう　disappointment

有望(な)　ゆうぼう　hopeful; promising

待望(の)　たいぼう　eager waiting; long-awaited (p. 243)

欲望　よくぼう　desire; craving; ambition

志望(する)　しぼう　desire; aspiration

本望　ほんもう　be satisfied (because one's long-cherished desire has been realized)

望ましい　のぞましい　desirable; welcome

望み　のぞみ　hope; wish

2.. 無 〈無職〉

無事　ぶじ　safe (p. 34)

無料　むりょう　free of charge (p. 30)

無理　むり　impossible

無視(する)　むし　disregard; neglect

無線　むせん　radio; wireless

無休　むきゅう　without holiday

無税　むぜい　without tax; tax-free

無効　むこう　invalid; null; ineffective

無給　むきゅう　unpaid

無償　むしょう　without compensation ; unrewarded

無用　むよう　useless

無断　むだん　without notice

有無　うむ　with or without

無～(無関係)　む～(むかんけい)　no～ (no connection)

無い　ない　there is no; does not exist

3. **債** 〈国債〉

債権　さいけん　credit; claim

債券　さいけん　a bond; a debenture

債務　さいむ　debt

公債　こうさい　public loan; public bond

負債　ふさい　debt

～債(社債)　～さい(しゃさい)　loan (company loan)

4. **依** 〈依存〉

依頼(する)　いらい　request; commission

依然　いぜん　as before; still (p. 195)

帰依する　きえする　believe in; have faith in

5. **存** 〈依存〉

存在(する)　そんざい　existence (p. 46)

存続(する)　そんぞく　continuance

共存(する)　きょうぞん　co-existence

既存(の)　きそん; きぞん　existing

存じる・ずる　ぞんじる; ぞんずる　know; think

6. **異** 〈異常〉

異例(の)　いれい　unusual

異色(の)　いしょく　unique; novel

異動　いどう　change (in personnel)

異論　いろん　different opinion

異状　いじょう　abnormal condition

驚異　きょうい　surprise; wonder

異なる　ことなる　be different

7. **英** 〈英国〉

英雄　えいゆう　hero

英才　えいさい　a talented man; a genius

英語　えいご　English (p. 58)

英和辞典　えいわじてん　English-Japanese dictionary

8. **借** 〈借金〉

借款　しゃっかん　loan

借家　しゃくや　rented house

貸借　たいしゃく　lending and borrowing; debit and credit

拝借する　はいしゃくする　borrow (humble)

借りる　かりる　borrow

9. **財** 〈財政〉

財布　さいふ　wallet; purse

財産　ざいさん　property; assets (p. 46)

財界　ざいかい　financial world

財源　ざいげん　financial source

財団　ざいだん　a foundation; an endowment

財務　ざいむ　financial affairs

財閥　ざいばつ　*zaibatsu*; financial combine; big business

～財(文化財)　～ざい(ぶんかざい)　property (cultural asset)

10. **帳** 〈帳じり〉

帳簿　ちょうぼ　account book; ledger

手帳　てちょう　notebook

通帳　つうちょう　bankbook (p. 62)

11. **末** 〈始末〉

末日	まつじつ	the last day of the month
末期	まっき	the last days; the last years; the close
年末	ねんまつ	the end of the year
期末	きまつ	the end of the term
週末	しゅうまつ	the weekend
月末	げつまつ	the end of the month
歳末	さいまつ	the end of the year
粗末(な)	そまつ	poor; coarse; crude
結末	けつまつ	the end
幕末	ばくまつ	the last days of the Tokugawa Shogunate
粉末	ふんまつ	powder; dust
～末(年度末)	～まつ(ねんどまつ)	the end (the end of the fiscal year)
末	すえ	the end; the last part
～末(五月末)	～すえ(ごがつすえ)	the end (the end of May)

12. 孫 〈子孫〉

孫	まご	grandchild
孫～(孫弟子)	まご～(まごでし)	at one remove (the pupil of one's pupil)

13. 苦 〈苦しむ〉

苦にする	くにする	worry oneself about
苦労(する)	くろう	hardship (p. 219)
苦情	くじょう	complaint; grievance (p. 182)
苦悩(する)	くのう	suffering; agony (p. 192)
苦戦(する)	くせん	a difficult war; struggle
苦心(する)	くしん	efforts; hard work
苦痛	くつう	pain
～苦(生活苦)	～く(せいかつく)	suffering (suffer from difficulty in making a living)
苦しい	くるしい	painful
苦い	にがい	bitter

14. 税 〈増税〉

税金	ぜいきん	taxes (p. 30)
税制	ぜいせい	tax system (p. 206)
税務署	ぜいむしょ	tax office
税率	ぜいりつ	tax rate
税関	ぜいかん	customs
税法	ぜいほう	tax law
減税(する)	げんぜい	tax decrease
課税(する)	かぜい	taxation (p. 183)
国税	こくぜい	national tax
脱税(する)	だつぜい	tax evasion (p. 128)
租税	そぜい	taxes
納税(する)	のうぜい	payment of taxes (p. 170)
無税	むぜい	tax-free (p. 212)
免税	めんぜい	tax-free
～税(所得税)	～ぜい(しょとくぜい)	tax (income tax)

15. 縮 〈緊縮〉

縮小(する)	しゅくしょう	curtailment; reduction
縮図	しゅくず	reduced copy; miniature
短縮(する)	たんしゅく	curtailment (p. 168)
濃縮(する)	のうしゅく	concentration; enrichment
恐縮する	きょうしゅくする	feel sorry for; be deeply obliged (p. 181)
縮まる	ちぢまる	be shortened; be reduced
縮む	ちぢむ	shrink; contract
縮める	ちぢめる	shorten; contract

16. 策 〈政策〉

対策	たいさく	countermeasure (p. 71)
施策	しさく	policy
方策	ほうさく	method; measure

失策　しっさく　error

～策(解決策)　～さく(かいけつさく)　measure (measure resolving a matter)

17. 革　〈改革〉

革命　かくめい　revolution (p. 171)

革新　かくしん　innovation; reform

変革　へんかく　change; reform

18. 延　〈繰り延べる〉

延長(する)　えんちょう　extension; prolongment

延期(する)　えんき　postponement

延ばす　のばす　postpone; lengthen

延びる　のびる　be postponed; extend; expand

延べる　のべる　postpone; extend

19. 字　〈赤字〉

字　じ　letter; character

数字　すうじ　numeral; figure (p. 41)

文字　もじ; もんじ　letter; character

黒字　くろじ　in-the-black (p. 170)

十字　じゅうじ　a cross (p. 74)

漢字　かんじ　*kanji*; Chinese characters

活字　かつじ　print; printed matter

字　あざ　a section of a village

20. 美　〈美しい〉

美　び　beauty

美術　びじゅつ　art; fine arts (p. 55)

美容　びよう　beauty culture; beauty care

美人　びじん　beautiful woman

美女　びじょ　beautiful woman

美観　びかん　a beautiful sight; beauty

～美(肉体美)　～び(にくたいび)　beauty (physical beauty)

21. 僧　〈小僧〉

僧　そう　priest

僧侶　そうりょ　priest

22. 確　〈正確〉

確認(する)　かくにん　confirmation

確保(する)　かくほ　security; guarantee

確立(する)　かくりつ　establishment

確実(な)　かくじつ　certain; sure; reliable

確信(する)　かくしん　firm belief (p. 63)

確定　かくてい　definitely decided

明確(な)　めいかく　clear and accurate; clear-cut

的確(な)　てきかく　exact; precise

確か(な)　たしか　certain; correct

確かめる　たしかめる　make sure; ascertain

23. 忘　〈忘れる〉

忘年会　ぼうねんかい　"year-forgetting" party; year-end party (p. 239)

24. 童　〈児童〉

童話　どうわ　children's story; fairy tale (p. 29)

童謡　どうよう　children's song; nursery song

学童　がくどう　school children

25. 魔　〈邪魔〉

悪魔　あくま　devil

通り魔　とおりま　a phantom-like criminal

26. 好　〈好き〉

好評　こうひょう　good reputation; popular (p. 243)

好調　こうちょう　favorable condition (p. 50)

好転(する)　こうてん　change for the better

好況　こうきょう　good business

好意　こうい　good will

好機　こうき　opportunity

友好　ゆうこう　friendship

絶好(の)　ぜっこう　the best

恰好(格好)　かっこう　shape; form; appearance

好む　このむ　like; be fond of

好ましい　このましい　desirable

大好き　だいすき　like very much

～好き(話好き)　～ずき(はなしずき)　fond of (fond of talking)

27. 著 〈著者〉

著作　ちょさく　writing; literary work; book

著名(な)　ちょめい　famous

著書　ちょしょ　literary work; book

名著　めいちょ　a fine book; masterpiece

共著　きょうちょ　collaboration; joint authorship (p. 230)

著しい　いちじるしい　remarkable; striking

28. 陳 〈陳列〉

陳腐(な)　ちんぷ　trite; hackneyed

陳情　ちんじょう　petition (p. 182)

陳述　ちんじゅつ　statement

新陳代謝　しんちんたいしゃ　metabolism

29. 択 〈選択〉

採択(する)　さいたく　adoption; selection

30. 蔵 〈蔵書〉

冷蔵庫　れいぞうこ　refrigerator (p. 243)

貯蔵(する)　ちょぞう　storage

蔵相　ぞうしょう　Minister of Finance

大蔵省　おおくらしょう　the Ministry of Finance

地名・人名等

武蔵　むさし

31. 貴 〈貴重〉

貴族　きぞく　aristocrat; aristocracy

貴社　きしゃ　your firm (respect)

貴殿　きでん　you (formal)

32. 旅 〈旅館〉

旅行(する)　りょこう　trip; traveling

旅客　りょかく　traveler

旅費　りょひ　traveling expenses

旅　たび　traveling; journey

33. 館 〈旅館〉

会館　かいかん　a hall; an assembly hall (p. 43)

新館　しんかん　a new building

全館　ぜんかん　the whole building; throughout the building

本館　ほんかん　the main building (p. 58)

～館(大使館)　～かん(たいしかん)　building (embassy)

34. 泊 〈泊まる〉

宿泊(する)　しゅくはく　lodging; staying overnight

～泊(二泊三日)　～はく(にはくみっか)　stay overnight (two nights and three days)

泊める　とめる　offer someone lodging

35. 宿 〈宿〉

宿舎　しゅくしゃ　a lodging house; guarters

宿泊(する)　しゅくはく　lodging

宿命　しゅくめい　fate; destiny

宿直(する)　しゅくちょく　night duty

合宿(する)　がっしゅく　holding a camp (for training, etc.)

下宿(する)　げしゅく　boarding house

民宿　みんしゅく　inn; tourist home

PART III

Part III contains reproductions of actual newspaper articles together with vocabulary lists ; they provide applied readings for those who have studied Parts I and II. Students can check their knowledge of the structure of newspaper Japanese as well as of *kanji* and *kanji* compounds. The vocabulary lists also contain those words that have already appeared before, with the number of the pages where they first appeared.

第一課

貯蓄410万、借金165万円

サラリーマン世帯調べたら

総理府

サラリーマン世帯の貯蓄残高はほぼ年間収入に相当する四百十万円で、住宅ローンなどの負債（借金）残高は百六十五万円。またサラリーマン世帯を含めた全国消費者世帯の耐久消費財の普及状況は、カラーテレビがほぼ全世帯にいきわたっているほか乗用車が約六〇%、ルーム・エアコンが約五〇%になっている――総理府統計局が二十七日発表した「全国消費者実態調査」で、こんな姿が浮かび上がった。

この調査は、昭和三十四年から五年ごとに実施しているもので、今回は昨年十一月末現在で全国の消費者世帯を対象に主要耐久消費財（五十品目）の保有状況、勤労者（サラリーマン）世帯を対象に貯蓄と負債の保有状況を調べた。調査結果のあらましは次の通り。

【貯蓄・負債】 サラリーマン世帯の預貯金、生命保険料などを含めた貯蓄残高は昭和四十四年に平均百五万円、四十九年に同二百六万円だったのに対し、五十四年には四百十万円となり、五年ごとにほぼ倍増してきた。五十四年の貯蓄残高の中身をみると、定期性預貯金が全体の四七・二%で最も多く、次いで有価証券（一八・九%）、生命保険（一八・二%）、通貨性預貯金（一〇・三%）などとなっている。年間収入は平均四百二十三万円だったので、ほぼこれに相当する。

一方、同世帯の負債残高は四十四年の二十万円、四十九年の六十七万円に比べ五十四年には百六十五万円に増加した。住宅・土地購入のための負債が九〇・六%を占めている。年収に対する比率は三八・四%で、四十四年の一・六%台、四十九年の二六%台に比べ、かなり高くなっている。

6割がマイカー族

【耐久消費財】 全国の消費者世帯の耐久消費財の所有量は昭和四十九年から五十四年までに二〇%増加した。特徴としては①応接セットなど洋風家具が増加した半面、和ダンスなど和風家具はわずかに減少②電気冷蔵庫、電気掃除機、電気洗たく機などの伸びは鈍化したが、電子レンジ、ガスレンジなど高級家事用品の伸びは高い③白黒テレビからカラーテレビ、ラジオやテープレコーダーからラジオカセットというように性能の高い製品への代替が進んだ――などが指摘されている。

電気冷蔵庫、電気掃除機、電気洗たく機、カラーテレビなどは九七－九八%でほぼ全世帯に普及。乗用車も五八・八%。電子レンジ（三〇・〇%）、ルーム・エアコン（四七・〇%）、ピアノ（一八・七%）などとなっている。

「毎日新聞」1980年8月28日付朝刊

単語表

貯蓄　ちょちく　savings

借金　しゃっきん　debts (p. 30)

サラリーマン世帯　……せたい　households of salaried workers (世帯 p. 80)

調べる　しらべる　investigate (p. 50)

総理府　そうりふ　the Prime Minister's Office (p. 61)

1st paragraph

残高　ざんだか　balance (p. 60)

ほぼ　almost

年間収入　ねんかんしゅうにゅう　annual income (収入 p. 54)

～に相当する　～にそうとうする　be equivalent to (p. 69)

住宅ローン　じゅうたく…　housing loan (住宅 p. 21)

負債　ふさい　debts

～を含めた　～をふくめた　including (p. 145)

全国消費者世帯　ぜんこくしょうひしゃせたい　all households of consumers in the country (消費者 p. 26)

耐久消費財　たいきゅうしょうひざい　durable consumer goods

普及状況　ふきゅうじょうきょう　degree of diffusion; how much something has spread (状況 p. 146)

カラーテレビ　color televison set

いきわたる　be diffused

乗用車　じょうようしゃ　passenger car (p. 45)

ルーム・エアコン　room air conditioner

統計局　とうけいきょく　Statistics Bureau (統計 p. 24)

実態調査　じったいちょうさ　research on the actual condition (実態 p. 49) (調査 p. 50)

姿　すがた　appearance; state of things (p. 157)

浮かび上がる　うかびあがる　become obvious; come to the surface (p. 190)

2nd par.

五年ごとに　ごねんごとに　every five years

実施する　じっしする　put into practice; enforce (p. 49)

今回　こんかい　this time (p. 28)

昨年十一月末現在　さくねんじゅういちがつまつげんざい　as of the end of November last year (昨年 p. 36; 末 p. 254)

対象　たいしょう　object (p. 71)

主要　しゅよう　main; chief (p. 59)

五十品目　ごじゅうひんもく　50 articles (品目 p. 64)

保有状況　ほゆうじょうきょう　state of possession

勤労者　きんろうしゃ　workers (勤労 p. 128)

結果　けっか　result (p. 39)

あらまし　outline

次の通り　つぎのとおり　as follows

3rd par.

預貯金　よちょきん　deposits and savings (＝預金 & 貯金)

生命保険料　せいめいほけんりょう　life insurance payments (生命 p. 66)

平均　へいきん　average (p. 81)

培増する　ばいぞうする　be doubled (p. 42)

中身　なかみ　contents (p. 27)

定期性　ていきせい　fixed time (deposit) (定期 p. 16)

全体　ぜんたい　the whole (p. 80)

最も多い　もっともおおい　most in amount (最も p. 47；多い p. 145)

次いで　ついで　next (p. 143)

有価証券　ゆうかしょうけん　marketable securities

通貨性　つうかせい　of currency；monetary

4th par.

～に比べ　～にくらべ　when compared with (比べる p. 145)

増加する　ぞうかする　increase (p. 42)

土地　とち　land (p. 18)

購入　こうにゅう　purchase

占める　しめる　occupy

年収　ねんしゅう　annual income (＝年間収入)

比率　ひりつ　proportion；ratio (p. 150)

一六%台　じゅうろくパーセントだい　the level of 16% (from 16% up, below 17%)

5th par.

六割　ろくわり　sixty percent

マイカー族　……ぞく　those who own their own cars (*lit.* my car tribe)

所有量　しょゆうりょう　quantity of possessions

特徴　とくちょう　special characteristics (p. 75)

応接セット　おうせつ……　furniture for a parlor (usually a set of a sofa, 2 to 3 armchairs and a table)

洋風家具　ようふうかぐ　Western furniture (家具 p. 28)

半面　はんめん　on the other hand (p. 14)

和ダンス　わ……　Japanese chest of drawers

和風　わふう　Japanese style (p. 81)

減少　げんしょう　decrease (p. 42)

電気冷蔵庫　でんきれいぞうこ　refrigerator (冷蔵庫 p. 243)

電気掃除機　でんきそうじき　vacuum cleaner (p. 29)

電気洗たく機　でんきせんたくき　electric washing machine

伸び　のび　increase

鈍化する　どんかする　become blunt；slow down

電子レンジ　でんし……　microwave oven (電子 p. 29)

ガスレンジ　gas range

高級家事用品　こうきゅうかじようひん　high class domestic appliances (高級 p. 60)

白黒テレビ　しろくろ…　black-and-white TV set

ラジオカセット　combined radio and cassette tape recorder

性能　せいのう　function；fidelity

製品　せいひん　goods (p. 182)

代替　だいたい　substitution (p. 21)

進む　すすむ　proceed (p. 130)

指摘する　してきする　point out (p. 179)

第二課

論説ノート

働きバチ

夏休みシーズンもそろそろ終わりに近づいたが、フランスの左派系紙ル・マタンは日本のサラリーマンが平均二・二日の夏休みしかとっていないと皮肉たっぷりの記事をのせた。「恥ずべきバカンス」という見出しからみても、フランス人が働きバチの日本人をにがにがしく思っていることは間違いない。

昨年春明るみに出た欧州共同体（EC）の内部資料は、日本人を「ウサギ小屋に住む働き中毒」と形容したが、欧州ではフランスに限らず、英国でも西独でも日本人の猛烈ぶりに手を焼いているようだ。

確かに欧州ではバカンス意識は徹底している。会社が忙しくても、自分の仕事が途中でも、予定したバカンスの日がくればさっさとどこかへ出かけてしまう。それもまず三週間が平均で、一週間以内などというケチなものは少ない。わが国の労働白書をみても、生産労働者の年間労働時間で日本人は英米人より二百時間、フランス人より三百五十時間、ドイツ人より四百時間、いずれも多く働いている。四百時間といえば、週四十時間労働として十週、つまり二カ月以上という計算になる。

これにはいろいろな理由があるだろう。明治以来の富国強兵政策は何ごともお国のためという人間を育て、三十五年前の廃虚の中からの復興は企業中心のサラリーマンをつくりあげた。自己への忠誠よりも、国や企業への忠誠が優先した。ここではバカンスのはいり込む余地はもともとなかったのである。

企業への忠誠といえば聞こえはよいが、その実態をみると、バカンスひとつとるにも上司の意向を気にしたり、同僚に遅れるのをいやがったりという気配がないわけではない。勤勉は美徳であるが、他律的な勤勉ならむしろ悪徳だろう。

動物学者によると、働き者の代名詞であるミツバチやアリも休養だけはたっぷりとっているという。こうなると「最も少ない時間に、最も効率の高い仕事」をめざすドイツ人の方が自然にかなった正しい労働をしていることになる。日本もここまでになった以上、そろそろ欧米先進国と同じ土俵でスモウをとってもよいのではないか。

（大高　昇）

「毎日新聞」1980年 8 月22日付朝刊

単語表

論説ノート　ろんせつ…　Notes for an article (title of a column)

働きバチ　はたらき…　worker bee; drone (働く p. 219)

1st paragraph

夏休みシーズン　なつやすみ…　the summer vacation season

左派系紙　さはけいし　Leftist newspaper (左派 p. 132)

ル・マタン　Le Matin

平均二・二日　へいきんにてんににち　an average of 2.2 days (平均 p. 212)

皮肉たっぷり　ひにくたっぷり　quite sarcastic

記事をのせる　きじをのせる　publish an article (記事 p. 34)

「恥ずべきバカンス」　はずべき…　the shameful vacances; the vacations that one should be ashamed of

見出し　みだし　headline (p. 35)

にがにがしく思う　にがにがしく思う　find unpleasant (思う p. 50)

～ことは間違いない　～ことはまちがいない　it is positive that; there is no doubt that

2nd par.

明るみに出る　あかるみにでる　come to light; be made public (p. 20)

欧州共同体　おうしゅうきょうどうたい　European Community (p. 72)

内部資料　ないぶしりょう　confidential document; material for internal use (内部 p. 79; 資料 p. 63)

ウサギ小屋　…ごや　rabbit hutch (p. 28)

働き中毒　はたらきちゅうどく　workaholic (働く p. 219)

形容する　けいようする　describe

～に限らず　～にかぎらず　not limited to; not only

英国　えいこく　England (p. 47)

西独　せいどく　West Germany (p. 200)

猛烈ぶり　もうれつぶり　how hard they work; state of being "go-getters"

手を焼く　てをやく　be annoyed (p. 54)

3rd par.

確かに　たしかに　certainly; surely (p. 255)

バカンス意識　…いしき　vacation consciousness; feeling that they should take vacations (意識 p. 133)

徹底する　てっていする　be thoroughgoing (p. 176)

忙しい　いそがしい　busy

自分の仕事　じぶんのしごと　one's own work (自分 p. 31)

途中　とちゅう　midway; halfway through (p. 26)

さっさと　without hesitation

まず　usually; on the whole

一週間以内　いっしゅうかんいない　within a week (以内 p. 32)

ケチ　scanty; stingy

わが国　わがくに　our country (Japan)

労働白書　ろうどうはくしょ　a white paper on labor (労働 p. 220; 白書 p. 23)

生産労働者　せいさんろうどうしゃ　workers engaged in manufacture (生産 p. 45)

年間労働時間　ねんかんろうどうじかん　hours of labor in a year

英米人　えいべいじん　the English and Americans

いずれも　in each case; in every case

二ヵ月　にかげつ　2 months

～という計算になる　～というけいさんになる　it comes out to; it is calculated that ～ (計算 p. 23)

4th par.

明治以来　めいじいらい　since the beginning of the Meiji Era (明治 p. 4; 以来 p. 32)

富国強兵政策　ふこくきょうへいせいさく　policy of a rich country with a strong army (p. 47)

育てる　そだてる　bring up; raise (p. 262)

廃虚　はいきょ　ruins

復興　ふっこう　reconstruction

企業中心　きぎょうちゅうしん　the enterprise first (企業 p. 46 ; 中心 p. 26)

自己への忠誠　じこへのちゅうせい　loyalty to oneself

優先する　ゆうせん　be predominant (p. 38)

～のはいりこむ余地　……よち　room for ～ to come in ; room for ～ (余地 p. 228)

5th par.

聞こえはよいが　きこえはよいが　it sounds good, but

実態　じったい　actual situation (p. 49)

上司　じょうし　one's superior ; one's boss (p. 32)

意向　いこう　intention (p. 133)

～を気にする　～をきにする　worry about

同僚　どうりょう　one's colleague (p. 72)

遅れる　おくれる　be behind (p. 159)

気配　けはい　sign ; indication (p. 240)

勤勉　きんべん　diligence (p. 128)

美徳　びとく　virtue

他律的　たりつてき　ruled by someone else

悪徳　あくとく　vice (p. 231)

6th par.

動物学者　どうぶつがくしゃ　zoologist (動物 p. 45 ; 学者 p. 37)

働き者　はたらきもの　diligent person ; hard worker

代名詞　だいめいし　synonym ; pronoun

ミツバチ　bee (honey bee)

アリ　ant

休養　きゅうよう　rest ; recuperation (p. 161)

たっぷり　fully ; abundantly

効率　こうりつ　efficiency

めざす　aim at

自然にかなった　しぜんにかなった　is natural ; is in accord with nature (自然 p. 40)

正しい　ただしい　right ; correct (p. 49)

～以上　～いじょう　since ～ ; now that ～

欧米先進国　おうべいせんしんこく　advanced countries in Europe and America ; advanced Western countries (欧米 p. 221 ; 先進国 p. 38)

土俵　どひょう　ring (sumo) (p. 196)

同じ土俵でスモウをとる　fight in the same ring ; compete under the same conditions

第三課

〝千円亭主〟支える奥さん

〜〜都が１日の「小遣い」調査〜〜

子供の〝70円台〟より少なくて

夫千円、妻五十円足らず。長男長女は母より多くて七十円台——こんな一日当たりの小遣いの実態が十二日、東京都の五十四年分世帯階層別生計調査で明らかになった。

この調査は「国の消費者物価指数は都民の生活実感を反映していない」という理由で、都が五十三年から独自に取り組んでいるもの。

それによると、一日の小遣いは従業員三百人未満の中小企業サラリーマンと五十人未満の販売業世帯の平均で夫九百五十円、妻はわずか四十七円。第一子はこれを上回る七十二円。第二子四十円だった。千人以上の事業所のサラリーマンで千二百円、その妻四十五円、第一子八十二円、第二子四十六円——となっており、妻が自分の小遣いを切り詰めて「千円亭主時代」を支えている形だ。

子供の小遣いの内訳は、幼稚園・保育園児で一日十六円—二十五円、小学生五十八円—六十一円、中学生百七円—百三十五円、高校生二百十円—三百四十五円となっている。

また私立高校生一人にかかる一カ月当たりの教育費は中小企業従業員世帯で五万二百八十三円、千人以上の大規模事業所のサラリーマン家庭で四万五千九百五十円にのぼっている。これは公立高校の場合に比べ三万円前後も高く、〝公私格差〟は家計簿に大きくのしかかっている。

「毎日新聞」1980年８月13日付朝刊

単語表

〝千円亭主〟　せんえんていしゅ　husband who is given 1,000-yen in pocket money a day (亭主 p. 59)

支える　ささえる　support (p. 169)

奥さん　おくさん　wife

小遣い　こづかい　pocket money

子供　こども　children (p. 27)

〝70円台〟　ななじゅうえんだい　from 70 to 79 yen

1st paragraph

夫　おっと　husband (p. 251)

妻　つま　wife (p. 217)

〜足らず　〜たらず　less than

長男　ちょうなん　the oldest son (p. 44)

長女　ちょうじょ　the oldest daughter (p. 44)

母　はは　mother (p. 244)

五十四年分　ごじゅうよねんぶん　for Showa 54; for 1979

世帯階層別　せたいかいそうべつ　(classified) by classes of households

生計調査　せいけいちょうさ　investigation of livelihood

2nd par.

消費者物価指数　しょうひしゃぶっかしすう　consumers' price index (指数 p. 179)

都民　とみん　inhabitants of Tokyo (p. 16)

生活実感　せいかつじっかん　actual feelings about life (生活 p. 66)

反映する　はんえいする　reflect (p. 34)

独自に　どくじに　independently; by itself

取り組む　とりくむ　grapple with (p. 160)

3rd par.

従業員　じゅうぎょういん　employees

～未満　～みまん　less than ～ (p. 158)

中小企業　ちゅうしょうきぎょう　smaller enterprises

販売業　はんばいぎょう　sales

第一子　だいいっし　the first child

事業所　じぎょうしょ　an enterprise (p. 34)

切り詰める　きりつめる　curtail

形　かたち　form; situation

4th par.

内訳　うちわけ　details; items; specifications (p. 79)

幼稚園児　ようちえんじ　kindergarten pupils (p. 123)

保育園児　ほいくえんじ　nursery school children (p. 123)

小学生　しょうがくせい　elementary school children

中学生　ちゅうがくせい　junior high school pupils

高校生　こうこうせい　high school students (p. 60)

5th par.

私立　しりつ　private (p. 60)

一ヵ月当たり　いっかげつあたり　per month (当たり p. 69)

教育費　きょういくひ　educational expenses

大規模　だいきぼ　large-scale

公立　こうりつ　public (p. 60)

三万円前後　さんまんえんぜんご　around 30,000 yen (前後 p. 12)

公私格差　こうしかくさ　discrepancy between public and private (schools) (格差 p. 181)

家計簿　かけいぼ　domestic account book

のしかかる　oppress; bear down on

第四課

アクションライン
03（東京）216 0011
06（大阪）344 0800
午前11時～午後7時

《自然海岸》

立法措置で保護を

千葉市 農業 斎藤 悟郎（五二）

埋め立てや堤防の構築で、わが国の自然海岸は島しょ部を除く本土だけでみると五割を割った——という環境庁の調査結果に大きなショックを受けた。このまま無秩序な開発が進んだら、本土の自然海岸は遠からずほとんど消滅してしまうだろう。美しい自然海岸を子々孫々に伝えるのはわれわれ現代人に課せられた大きな責務であり、この実現のためにはさらに強い規制が必要だ。環境庁は今回の調査結果に基づいて早急に立法措置を講じ、自然環境の保護に断固たる姿勢を示してもらいたい。

「毎日新聞」1980年8月13日付朝刊

単語表

アクションライン		action line (here, the title of a column)
自然海岸	しぜんかいがん	the natural coastline (自然 p. 40；海岸 p. 140)
立法措置	りっぽうそち	legislative measure (p. 60；p. 171)
保護	ほご	protection (p. 142)
千葉市	ちばし	(place name, see p. 120)
農業	のうぎょう	a farmer；agriculture
斎藤悟郎	さいとうごろう	(personal name)
埋め立て	うめたて	reclamation
堤防	ていぼう	bank；embankment
構築	こうちく	construction
島しょ部	とうしょぶ	islands
～を除く	～をのぞく	except for
本土	ほんど	mainland (p. 196)
五割を割る	ごわりをわる	drop below 50 percent
環境庁	かんきょうちょう	Environment Agency (環境 p. 186)
ショック		shock；surprise
無秩序	むちつじょ	chaotic；lawless
開発	かいはつ	development (p. 70)
遠からず	とおからず	before long
消滅する	しょうめつする	vanish；be extinct
美しい	うつくしい	beautiful (p. 248)
子々孫々	ししそんそん	posterity；descendants

伝える　つたえる　transmit; hand over (p. 231)

課する　かする　impose (p. 247)

責務　せきむ　obligation; responsibility (p. 68)

実現　じつげん　realization (p. 49)

規制　きせい　control; regulation (p. 178)

〜に基づいて　〜にもとづいて　based on (p. 205)

早急に　さっきゅうに；そうきゅうに　immediately

講じる　こうじる　take (a measure) (p. 241)

断固たる　だんこたる　resolute

姿勢　しせい　attitude (p. 130)

示す　しめす　show; indicate (p. 200)

第五課

①

政府広報

地震！日ごろの備えが大切です
—九月一日は防災の日—

地震に備えて、ふだんから次のことを心がけましょう。

- タンス、食器棚などが倒れないように、壁や柱にしっかり固定しておく。
- 家の柱やブロック塀などの弱いところは、必ず補強しておく。
- 月に一度は、家族全員で避難場所・方法などを話し合っておく。
- 地震を感じたら、すぐ火の始末をする習慣をつけておく。
- 消火器の使い方を練習しておく。

（消防庁）

単語表

広報	こうほう public information	柱	はしら pillar
地震	じしん earthquake (p. 18)	固定する	こていする fix
日ごろの備え	ひごろのそなえ daily preparation	ブロック塀	…べい concrete-block wall
大切	たいせつ important (p. 36)	弱い	よわい weak
防災	ぼうさい disaster prevention (p. 148)	必ず	かならず be sure to; without fail (p. 81)
～に備えて	～にそなえて against	補強する	ほきょうする reinforce (p. 84)
次の	つぎの next (p. 143)	避難場所	ひなんばしょ emergency refuge; shelter
心がける	こころがける try to; keep in mind (p. 65)	火	ひ fire (p. 148)
タンス	chest of drawers; cabinet	始末をする	しまつをする dispose of; attend to (p. 107)
食器棚	しょっきだな a cupboard (食器 p. 33)	習慣	しゅうかん custom (p. 180)
倒れる	たおれる fall over	消火器	しょうかき fire extinguisher (消火 p. 148)
壁	かべ wall (p. 165)	消防庁	しょうぼうちょう the Fire Defense Agency (p. 145)

②

政府広報

一日は〃省エネルギーの日〃です

エネルギーの節約は、身近なことから心がけましょう。

- 通勤・レジャーは、マイカーをひかえ、電車・バスなどを利用する。
- 車は、一般道　は40キロ程度、高速道路では80キロ程度の経済速度を励行する。
- 電灯・テレビなどは、こまめに消す。
- ガス湯沸かし器の口火は、つけっぱなしにしない。
- 古新聞・古雑誌・ダンボールは、生ゴミと一緒にすてないで廃品回収にまわす。

（省エネルギー・省資源対策推進会議）

単語表

節約	せつやく　economizing; saving (p. 127)
身近	みぢか　close to oneself (p. 222)
通勤	つうきん　commuting to work (p. 62)
レジャー	one's leisure
ひかえる	refrain from using
電車	でんしゃ　train (p. 29)
利用する	りようする　use (p. 73)
一般道路	いっぱんどうろ　ordinary roads (道路 p. 153)
～程度	～ていど　about (p. 50)
高速道路	こうそくどうろ　expressway (p. 153)
経済速度	けいざいそくど　economic speed (経済 p. 141; 速度 p. 138)
励行する	れいこうする　observe strictly (p. 18)
電灯	でんとう　electric light (p. 29)
こまめに	diligently; whenever possible
消す	けす　turn off (p. 149)
ガス湯沸かし器	…ゆわかしき　gas water heater
口火	くちび　pilot light
古新聞	ふるしんぶん　old newspapers (新聞 p. 37)
古雑誌	ふるざっし　old magazines (雑誌 p. 160)
ダンボール	corrugated cardboard
生ゴミ	なまごみ　garbage
一緒	いっしょ　together (p. 13)
廃品回収	はいひんかいしゅう　recycling of waste
省資源	しょうしげん　economizing of resources (p. 177)

第六課

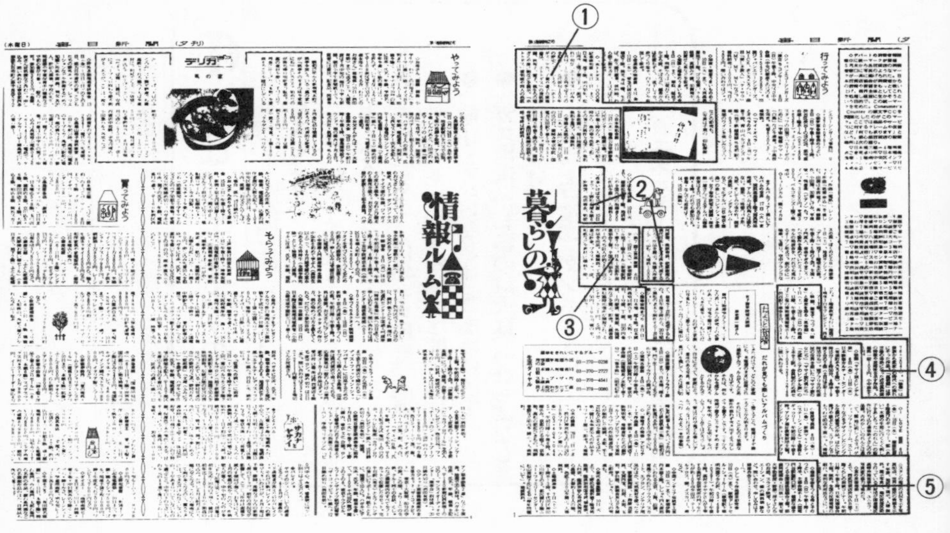

「毎日新聞」1980年6月5日付夕刊

暮らしの情報ルーム (bulletin board for daily life)

①

◇加賀・能登うまいものめぐり　10日（火）まで、大宮高島屋地下1階。ゴリ佃煮、クルミ佃煮、真鯛みそ漬、加賀梅干、加賀ぜん茶などを販売。

◇飛騨と越後のうまいもの会　8日（日）まで、横浜三越地下1階。飛騨からは山菜おこわ、かぶら漬、そばなど、越後からは佐渡もずく、一夜干しイカ、赤づくり塩辛、白えびなどを直送して販売。

◇信濃路の物産展　6日（金）～11日（水）、東急百貨店日本橋店7階。善光寺味噌、生そば、佐久鯉甘露煮、信州紬、わら細工善光寺牛、まほろばの月などを販売。

◇「ホトトギス」1000号記念俳句展　8日（日）まで、日本橋三越7階。明治30年、松山市で正岡子規によって創刊された句誌「ホトトギス」が今年4月号で1000号を迎えたのを記念して、近代俳句100年の歴史をふりかえる。「ホトトギス」全巻、子規や虚子の原稿遺品、「ホトトギス」の表紙原画、秋桜子、誓子、風生らの短冊や掛け物などを展示。「ホトトギス」復刻版や同人の色紙などの即売も。

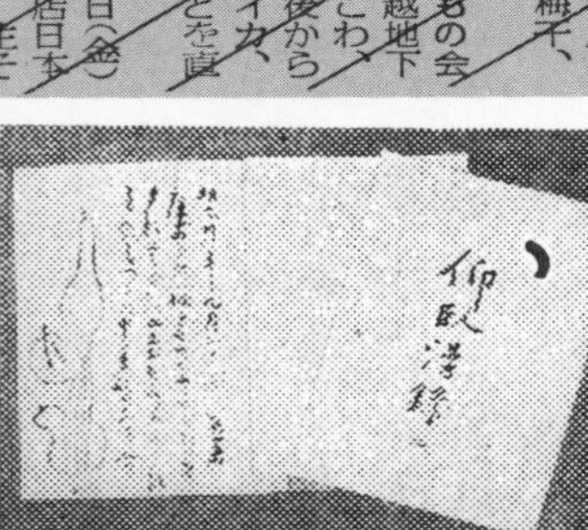

（写真は子規の「仰臥漫録」）

◇日本魚拓会展　10日（火）～12日（木）豊島公会堂隣豊島区民センター1階展示場。初日は午後1時から、あとは午前9時から。魚の姿を色彩で拓し、その美と芸術性を追求した魚拓を多数展示。毎日抽選で5人に魚拓を進呈。入場無料。

◇写経と法話の会　11日（水）、12日（木）、品川区東五反田5の15の17、薬師寺東京別院（国電五反田駅下車5分、03・443・1620）。両日とも午前11時と午後2時の2回。薬師寺管主・高田好胤師の法話と写経。写経は納経料1000円。

①

ホトトギス　name of a magazine (*lit.* cuckoo)

1000号記念　せんごうきねん　commemoration of the one-thousandth issue (記念 p. 38)

俳句展　はいくてん　exhibition of haiku

（日）　にち　(＝日曜) Sunday

日本橋　にほんばし　a section of Tokyo

三越　みつこし　one of the largest department stores in Tokyo

７階　ななかい　the seventh floor

松山市　まつやまし　place name, see p. 120 (the city where Masaoka was born.)

正岡子規　まさおかしき　a poet (1867-1902)

創刊する　そうかんする　found a magazine

句誌　くし　haiku magazine

迎える　むかえる　see; greet; meet (p. 155)

歴史　れきし　history

ふりかえる　look back on

写真　しゃしん　photograph

「仰臥漫録」　ぎょうがまんろく　title of an essay

◇いけばな池坊展　10日(火)まで、銀座松坂屋7階。池坊専永家元や全国各地の指導者500人の作品を展示。入場料500円。

②

◇日本いけばな10人展　10日(火)まで。上野松坂屋本館6階。小原豊雲、池坊専永、勅使河原霞、桑原専渓、肥原康甫ら現代日本いけばな界を代表する10人の作品を展示。外国人作家2人の作品も。入場料1000円。

③

◇第7回工芸盆栽展　6日(金)―10日(火)、新宿野村ビル地下1階ホール（新宿駅西口下車7分）。日本工芸創作盆栽協会主催。全国の同協会メンバーのうち91人が約200点の作品を出品。入場無料。工芸盆栽は針金、プラスチック、皮、和紙などを素材に顔料を使って、盆栽を工芸的に造型するもの。6日午後3時から、20分間で黒松の老木を制作する工芸盆栽ショー。

◇国際貨幣まつり　8日(日)まで、日本橋三越4階。日本貨幣商協同組合主催。大判、小判、1分銀、丁銀、旧20円金貨、1円銀貨、貿易銀、外国貨幣などを展示、即売。大蔵省造幣局臨時出張所が開設され、ミントセット（1円、5円、10円、50円、100円貨のセット）も即売。

②

いけばな　flower arrangement

上野　うえの　a section of Tokyo

松坂屋　まつざかや　one of the largest department stor‹ in Tokyo

本館　ほんかん　the main building (p. 58)

小原豊雲　おはらほううん　(personal name); a flower arrangement specialist

池坊専永　いけのぼうせんえい　(personal name)

勅使河原霞　てしがわらかすみ　(personal name)

桑原専渓　くわばらせんけい　(personal name)

肥原康甫　ひはらこうほ　(personal name)

〜ら　and others

展示　てんじ　exhibition (p. 205)

入場料　にゅうじょうりょう　admission fee (p. 54)

③

工芸盆栽展　こうげいぼんさいてん industrial art and *bonsai* exhibition (工芸 p. 78)

新宿　しんじゅく place name; a section of Tokyo

野村ビル　のむら… name of a building

地下１階ホール　ちかいっかい… hall in the 1st floor basement

西口　にしぐち west entrance (p. 17)

下車　げしゃ getting off the train (p. 45)

～７分　ななふん a 7-minute walk from ～

日本工芸創作盆栽協会　にほんこうげいそうさくぼんさいきょうかい Japan Industrial Arts and Creative Bonsai Association (協会 p. 44)

主催　しゅさい auspices; sponsorship

メンバー　members

約2000点　やくにせんてん about 2,000 pieces

作品　さくひん a work (of art) (p. 74)

出品する　しゅっぴんする exhibit; show (p. 14)

入場無料　にゅうじょうむりょう free admission (無料 p. 30)

針金　はりがね wire (p. 30)

プラスチック　plastic

皮　かわ leather

和紙　わし Japanese paper

素材　そざい material

顔料　がんりょう color; paint; pigment

造型する　ぞうけいする create

黒松　くろまつ black pine

老木　ろうぼく old tree

制作する　せいさくする make (p. 74)

ショー　show

---

④

◇映画、国宝でつづる「絵巻」と歴史を語る「風俗画」7日（土）－29日（日）の毎週土、日曜、午後2時－3時。たばこと塩の博物館視聴覚ホール（渋谷駅下車歩8分、03・476・2041）。「絵巻」は貴族から武家への時代への流れにそった作品。「風俗画」は浮世絵の母胎になった近世風俗画の特徴や芸術性を示す作品。入館料一般100円、小中高生50円。

④

国宝でつづる「絵巻」　こくほうでつづる「えまき」 movie made of picture scrolls which are national treasures (国宝 p. 47)

歴史　れきし history (p. 271)

語る　かたる speak; narrate (p. 58)

「風俗画」　ふうぞくが genre painting (title of film) (風俗 p. 139)

塩　しお salt

博物館　はくぶつかん museum (p. 61)

視聴覚ホール　しちょうかく… audio-visual hall

渋谷駅　しぶやえき　Shibuya Station

貴族　きぞく　aristocrats (p. 256)

武家　ぶけ　warriors (p. 29)

流れ　ながれ　flow (p. 131)

そう　go along

浮世絵　うきよえ　*ukiyoe*; woodblock print

母胎　ぼたい　mother; origin

近世　きんせい　modern; modern times (p. 81)

特徴　とくちょう　special characteristics (p. 75)

芸術性　げいじゅつせい　artistic value (p. 72)

入館料　にゅうかんりょう　admission fee

---

⑤

◇難民写真展　6日（金）ー12日（金）、新宿マイ・シティ（ステーションビル）2番街Eギャラリー。午前10時ー午後9時。アジア福祉教育財団主催。インドシナ、キューバ、アフガニスタンの難民の状況を示す写真60点、世界の難民の実態を示す年表、地図を展示。入場無料。展示写真は、難民救援活動を行っている同財団が国連難民高等弁務官事務所、ユニセフ、写真家の協力で集めた。

⑤

難民　なんみん　refugees

写真　しゃしん　photographs (p. 291)

展　てん　exhibition

マイ・シティ　My City (name of a shopping center)

ステーションビル　Station Building

2番街　にばんがい　2nd Street

Eギャラリー　Gallery E

アジア　Asia

財団　ざいだん　foundation (p. 253)

インドシナ　Indochina

キューバ　Cuba

アフガニスタン　Afghanistan

状況　じょうきょう　condition; state (p. 146)

年表　ねんぴょう　chronological table

地図　ちず　maps (p. 18)

展示　てんじ　exhibit (p. 205)

救援　きゅうえん　relief; aid

活動　かつどう　activity (p. 66)

国連　こくれん　United Nations (p. 47)

高等弁務官　こうとうべんむかん　high commissioner (p. 68)

事務所　じむしょ　office (p. 34)

ユニセフ　UNICEF

写真家　しゃしんか　photographers

協力　きょうりょく　cooperation (p. 82)

集める　あつめる　collect (p. 62)

第七課

社説

身障者調査を政策に生かせ

　来年の国際障害者年を前にして、わが国の在宅身体障害者の実態調査の概要が一日、厚生省から発表された。この調査は昭和二十六年から約五年ごとに行われてきたが、前回の昭和五十年の調査では一部の反対にあい全国的な集計ができず、今回の調査結果は実に十年ぶりである。前回、調査ができなかった理由は、障害者側に調査されて施設に隔離されるのではないかという不安があったり、関係者と十分な意思の疎通を欠いていたためだった。

　身体障害者、とくに不幸な先天性の障害者に対して、これまで国や社会は「個々の家庭の問題」として見捨ててきた傾向がある。身体障害者やその家族が、不信の念から調査を拒否したのは十分理解できる。そこで今回は厚生省も障害者福祉政策の基本的資料のためのものであることを、関係者と十分打ち合わせのうえ、身障者側の理解と協力を得てまとめることができたという。

　五年前には調査を拒否し、社会に心を開きたがらなかった障害者とその家族の今回の協力は、非常に貴重な成果である。それだけに政府は、この調査結果を十分に生かして、障害者のための福祉政策を実施してもらいたい。

　今回の調査では、十八歳以上の身体障害者は百九十七万七千人（人口比二・四%）で、千人につき約二十四人。前回調査（四十五年）の百三十一万人（人口比一・八%）から、約五〇%も増えている。いままでの例では五年ごとに約二五%増えているので、十年間に五〇%増は、従来通りの増加ペースではある。それにしても、やはり高い増加率だ。

　増加の原因として、まず高齢化社会の進展を反映して六十歳以上の老人の身障者のふえていることがあげられる。脳卒中などの成人病や、いわゆる文明病による各種の病気を原因とする身障者が約六四%を占め、実数で百万人を超えるとみられる。注目すべき傾向である。医学の進歩によって、かつては死亡したであろう病気もなおすことができる。しかし、身障者になってしまう。

　また、この中には薬害、公害の犠牲者も含まれているが、とりわけ交通事故や労働災害による身障者が全体の二五%と多い。十年前とくらべ五割もふえている。こうした身障者の増加は、社会全体の責任であり、関心と努力の積みかさねによって、減らすことができるはずである。

　今回の調査結果は、現在いかに健康な人でも、このモータリゼーションの中で、いつ事故にあうかも知れず、そうでなくても高齢化社会の進行によって、成人病に倒れ、身体障害になる可能性の少なくないことを示している。身障者のうち、肢体不自由者が約六割近くいることがこれを裏付けている。つまり、いまの社会状況では、身体障害者は決して一部特定の現象でなく、一般化しつつあるということである。身障者も健康人も一つの社会を構成する同じ仲間であるという気持ちを持たなければならない。

　来年の国際障害者年の行動計画でも「国際障害者年は、障害者のためにだけあるのではない。障害者などを閉め出す社会は弱くもろい社会であり、健全者中心の社会は正常でない。能力不全を不利にならしめている社会条件をみつめなければならない」と述べている。

身障者の、社会への「完全参加と平等」というスローガンは単なる口頭禅でなく、実体として進めねばならない。米国では、国際障害者年の計画の中で、身障者に対する「社会の態度を変える活動」に重点の一つをおいている。わが国に必要なのも、まさにこの視点であろう。今回の調査結果で日常生活で何らか介助を要する身障者は六十五万人もおりなかでも一人で食事できない身障者が八万人もいることがわかった。

しかし、日本のホームヘルパーはスウェーデンの百分の一でわずか約一万二千人。身障者の大部分は家族が面倒をみている。高い料金を払って、家族以外の人の介助に頼っている人もいる。家族の苦労は大変であり、経済的負担も大きい。

鈴木内閣は財政再建のために、バラまき福祉の見直しを強調しているが、必要な福祉はさらに手厚くすべきだろう。今回の調査結果を尊重し、国際障害者年に向けて、経済大国として国際的に恥じない福祉政策を展開していかねばならない。

「毎日新聞」1980年8月3日付朝刊

単語表

社説	しゃせつ	editorial (p. 144)
身障者	しんしょうしゃ	the physically handicapped (p. 38)
政策	せいさく	policy (p. 67)
生かす	いかす	make the most of

1st paragraph

国際障害者年	こくさいしょうがいしゃねん	International Year of Disabled Persons; IYDP
～を前にして		in the face of ～; on the eve of ～
在宅身体障害者	ざいたくしんたいしょうがいしゃ	the handicapped who stay home
概要	がいよう	outline
集計	しゅうけい	totalization (p. 24)
障害者側	しょうがいしゃがわ	on the part of the handicapped (側 p. 142)
施設	しせつ	an institution (p. 191)
隔離する	かくりする	isolate; segregate (p. 219)
不安	ふあん	uneasiness; apprehensions (p. 48)

関係者　かんけいしゃ　the persons concerned (関係 p. 17)

意思の疎通を欠く　いしのそつうをかく　cannot fully communicate with each other

2nd par.

不幸な　ふこうな　unfortunate

先天性　せんてんせい　hereditary; inborn (p. 38)

個々　ここ　individual; each

見捨てる　みすてる　disregard; ignore

傾向　けいこう　tendency (p. 148)

不信の念　ふしんのねん　distrust

拒否する　きょひする　refuse (p. 234)

理解する　りかいする　understand (p. 52)

福祉　ふくし　welfare (p. 131)

基本的資料　きほんてきしりょう　basic data (基本 p. 58; 資料 p. 63)

打ち合わせ　うちあわせ　consultation; arrangement

協力　きょうりょく　cooperation (p. 82)

得る　える；うる　obtain (p. 241)

3rd par.

心を開く　こころをひらく　open one's heart (心 p. 65; 開く p. 70)

非常に　ひじょうに　very (p. 161)

貴重な　きちょうな　valuable; precious (p. 48)

成果　せいか　result; achievement (p. 183)

それだけに　since this is the case; all the more because of this

4th par.

人口比　じんこうひ　of the total population (比＝比率 ratio p. 150)

増える　ふえる　increase (p. 144)

例　れい　instances (p. 200)

従来通り　じゅうらいどおり　as before (p. 62)

増加ペース　ぞうか…　pace of increase; rate of increase (増加 p. 42)

5th par.

高齢化社会　こうれいかしゃかい　a society with many older people (社会 p. 44)

進展　しんてん　development (p. 130)

反映する　はんえいする　reflect (p. 34)

老人　ろうじん　old person (p. 218)

脳卒中　のうそっちゅう　cerebral apoplexy; a stroke (p. 27)

成人病　せいじんびょう　adult diseases; geriatric diseases (成人 p. 57)

文明病　ぶんめいびょう　diseases in civilized societies

各種の　かくしゅの　various kinds (p. 82)

原因　げんいん　cause (p. 139)

占める　しめる　occupy

実数　じっすう　the actual number (p. 49)

超える　こえる　exceed

注目すべき　ちゅうもくすべき　noteworthy (注目 p. 64)

医学　いがく　medical science (p. 37)

進歩　しんぽ　progress (p. 130)

死亡する　しぼうする　die; pass away (p. 148)

6th par.

薬害　やくがい　ill-effect caused by medicines

犠牲者　ぎせいしゃ　victim (p. 38)

とりわけ　in particular

交通事故　こうつうじこ　traffic accident (p. 62)

労働災害　ろうどうさいがい　accident at work (労働 p. 220; 災害 p. 148)

責任　せきにん　responsibility (責任者 p. 38)

関心　かんしん　concern (p. 17)

努力　どりょく　effort (p. 82)

積みかさね　つみかさね　lying on top of each other; a combination of

減らす　へらす　decrease (p. 150)

7th par.

健康な　けんこうな　healthy (p. 245)

モータリゼーション　motorization; automobile age

倒れる　たおれる　fall ill

可能性　かのうせい　possibility

少なくない　すくなくない　is not little; is quite large

示す　しめす　indicate (p. 200)

肢体不自由者　したいふじゆうしゃ　those who have trouble with limbs

裏付ける　うらづける　prove

一部特定の　いちぶとくていの　limited to a small section

現象　げんしょう　phenomenon (p. 46)

一般化しつつある　いっぱんかしつつある　is becoming general (一般 p. 13)

健康人　けんこうじん　a healthy person; a non-handicapped person

構成する　こうせいする　compose; make up (p. 277)

同じ仲間である　おなじなかまである　are in the same group; are fellow human beings

気持ち　きもち　feelings (p. 66)

持つ　もつ　have; cherish (p. 73)

8th par.

行動　こうどう　action; activities (p. 17)

計画　けいかく　plan; progam (p. 23)

閉め出す　しめだす　exclude

弱くもろい　よわくもろい　weak and fragile

健全者中心　けんぜんしゃちゅうしん　centered about healthy people; centered on the non-handicapped

正常　せいじょう　normal (p. 49)

能力不全　のうりょくふぜん　a partial incapacity

不利にならしめる　ふりにならしめる　make it disadvantageous (不利 p. 99)

社会条件　しゃかいじょうけん　social condition (条件 p. 150)

みつめる　think seriously about

9th par.

完全参加　かんぜんさんか　complete participation (完全 p. 80; 参加 p. 42)

平等　びょうどう　equality (p. 81)

スローガン　slogan; motto

単なる口頭禅　たんなるこうとうぜん　mere lip service

実体　じったい　reality

進める　すすめる　to advance; to carry out (p. 130)

態度　たいど　attitude (p. 50)

変える　かえる　change (p. 224)

活動　かつどう　activity (p. 66)

重点　じゅうてん　emphasis (p. 48)

視点　してん　viewpoint

何らか　なんらか　in some way

介助を要する　かいじょをようする　need help

10th par.

面倒をみる　めんどうをみる　take care of (p. 194)

払う　はらう　pay

頼る　たよる　depend; rely on

苦労　くろう　hardship (p. 219)

負担　ふたん　burden (p. 151)

11th par.

財政再建　ざいせいさいけん　reconstruction of finance (財政 p. 67)

バラまき福祉　ばらまきふくし　reckless welfare spending; lavish welfare spending (福祉 p. 131)

見直し　みなおし　check; reexamination (p. 222)

強調する　きょうちょうする　emphasize (p. 82)

手厚い　てあつい　generous; liberal; hospitable (p. 54)

尊重する　そんちょうする　respect; esteem highly (p. 222)

～に向けて　～にむけて　toward (向ける p. 165)

経済大国　けいざいたいこく　an economic power

国際的に　こくさいてきに　internationally; universally (p. 47)

恥じない　はじない　can be proud of ＜恥じる be ashamed of

展開する　てんかいする　develop (p. 70)

下旬に総合景気対策

首相、通産相、経企庁長官が一致

公共事業繰り上げなど

田中通産相は十二日、鈴木首相と河本経企庁長官を訪れ、早急に思い切った「総合景気対策」をとるよう主張、基本的な了承を得た。このため、関係省庁で今月下旬までに公共投資の繰り上げ完全執行や住宅建設の拡大、投資減税の実施――などを柱とした総合対策をつくることとなった。また公定歩合引き下げを中心とした金融政策の早期実施についても意見が一致した。政府はこれまで「物価最優先」策をとり、最近は「物価と景気両にらみ」政策へと転換しつつあるが、この日の協議ではさらに「物価は今後も落ち着く傾向にあるが、逆に景気動向は急速にカゲリが出ている」との基本認識で一致したといい、今後の経済運営は物価よりも景気に重点を置く方向へ大きく転換しはじめてきたといえそうである。

田中通産相は就任以来十二日までに鉄鋼、繊維、電力、中小企業など経済界十二団体と懇談を続けてきたが、これら一連の懇談で得た感触は「物価はほどほどに推移しているものの、景気についてはカゲリ現象が色濃く出始め、産業界は早急な総合的景気対策を求めている感じだった」としている。特に企業倒産は毎年三月がピークとなるにもかかわらず、ことしは五月千五百七十件（前年同月比一四・九%増）、六月千三百八十四件（同一〇・五%増）、七月千五百六件（同一八・三%増）と高水準にあり、危機ラインといわれる千五百件を超す状態のため、景気の先行きに対する深刻な見方が広がっている、との判断を示した。

この日、田中通産相が鈴木首相と河本経企庁長官を訪れたのは、こうした産業界との一連の懇談をほぼ終えたためで、鈴木首相には午後四時から約三十分にわたり景気情勢と総合景気対策の必要性を説明、同四時半から河本経企庁長官にも同様の主張を行った。これと前後して安倍自民党政調会長、渡辺蔵相とも電話で連絡、景気に対する基本的な考え方を示し了承を得たという。この結果、経企庁を中心に今月二十五日ごろまでに総合景気対策の原案をまとめ、最終的には来月早々に予定している経済関係閣僚会議で決定したい方針である。また公定歩合引き下げを中心とした金融政策については、総合対策とは別に早期に引き下げることが望ましいとの方向で一致した模様だ。

総合景気対策に盛り込まれる柱としては、これまでのところ①前年度に比べ五%減となっている公共事業上期の契約率目標五九・五%を今後、繰り上げ実施し、予算の年度内完全執行を目ざす②住宅建設戸数も拡大をはかり、融資ワクなどについても建設促進に向け便宜をはかる③プラント輸出増大などを目的とした経済協力費の拡大④電源立地促進などを目的とした総合エネルギー対策推進税（仮称）の新設と活用⑤省エネルギー、代替エネルギー、公害対策関係の設備投資に対する投資減税の推進――などがあがっているが、今後さらに関係省庁からアイデアを集めたいとしている。

「毎日新聞」1980年８月13日付朝刊

単語表

下旬　げじゅん　the last ten days of the month (p. 53)

総合景気対策　そうごうけいきたいさく　comprehensive measures for improving business

通産省　つうさんしょう　MITI (p. 62)

経企庁長官　けいきちょうちょうかん　Director-General of the Economic Planning Agency

一致する　いっちする　agree (p. 13)

公共事業　こうきょうじぎょう　public enterprise (公共 p. 68；事業 p. 34)

繰り上げ　くりあげ　advance；moving up

lead

河本　かわもと　personal name

訪れる　おとずれる　visit (p. 219)

早急に　さっきゅうに；そうきゅうに　immediately (p. 267)

思い切った　おもいきった　resolute；drastic

主張する　しゅちょうする　assert；declare (p. 59)

了承を得る　りょうしょうをうる；…をえる　obtain acceptance

投資　とうし　investment (p. 132)

完全執行　かんぜんしっこう　complete enforcement

住宅建設の拡大　じゅうたくけんせつのかくだい　increase in housing construction

投資減税　とうしげんぜい　tax-reduction for investment (減税 p. 150)

実施　じっし　implementation；enforcement (p. 49)

柱　はしら　main item (*lit.* pillar) (p. 268)

公定歩合　こうていぶあい　official bank rate (p. 10)

引き下げ　ひきさげ　reduction

～を中心とした　～をちゅうしんとした　with ～ as the center

金融政策　きんゆうせいさく　financial policy

早期　そうき　early period (p. 162)

「物価最優先」策　「ぶっかさいゆうせん」さく　measures placing priority on (stabilizing) commodity prices (物価 p. 61；優先 p. 38)

両にらみ　りょうにらみ　aiming at two things

転換しつつある　てんかんしつつある　be now shifting to (p. 138)

協議　きょうぎ　conference (p. 41)

落ち着く　おちつく　become stable

傾向　けいこう　tendency (p. 148)

逆に　ぎゃくに　conversely (p. 189)

景気動向　けいきどうこう　change in business conditions；direction of the change in business conditions

急速に　きゅうそくに　rapidly (p. 138)

カゲリ　shadow

カゲリが出ている　the situation has darkened；conditions have worsened

基本認識　きほんにんしき　basic recognition

経済運営　けいざいうんえい　economic management (経済 p. 141；運営 p. 84)

重点を置く　じゅうてんをおく　place the emphasis on (重点 p. 48)

1st paragraph

就任以来　しゅうにんいらい　since he was appointed

鉄鋼　てっこう　iron and steel (p. 159)

繊維　せんい　textile

電力　でんりょく　electric power (p. 29)

経済界十二団体　けいざいかいじゅうにだんたい　twelve economic groups

懇談　こんだん　intimate talk (p. 194)

一連の　いちれんの　series of (p. 78)

感触　かんしょく　impression; touch

ほどほどに　moderately

推移する　すいいする　change; shift

〜ものの　although

色濃く出始める　いろこくではじめる　start becoming darker

求める　もとめる　demand (p. 178)

倒産　とうさん　bankruptcy (p. 45)

〜件　〜けん　cases (p. 145)

前年同月比　ぜんねんどうげつひ　when compared with the same month of the previous year

〜増　〜ぞう　more; increase (p. 42)

高水準　こうすいじゅん　high level

危機ライン　きき…　critical line; critical point

超す　こす　exceed

状態　じょうたい　state; condition (p. 191)

先行き　さきゆき　the future; future prospects (p. 38)

深刻な見方　しんこくなみかた　serious view; pessimistic interpretation

判断　はんだん　judgment (p. 175)

2nd par.

終える　おえる　finish (p. 242)

景気情勢　けいきじょうせい　the condition of business (情勢 p. 130)

必要性　ひつようせい　necessity (必要 p. 48)

安倍自民党政調会長　あべじみんとうせいちょうかいちょう　Abe, Chairman of the Policy Affairs Research Council of the Liberal-Democratic Party (自民党 p. 40)

渡辺蔵相　わたなべぞうしょう　Minister of Finance Watanabe (蔵相 p. 70)

連絡する　れんらくする　contact; communicate with (p. 77)

原案　げんあん　original plan

最終的に　さいしゅうてきに　ultimately; in the end

来月早々　らいげつそうそう　early next month (来月 p. 35; 早々 p. 223)

閣僚　かくりょう　Cabinet members (p. 204)

方針　ほうしん　policy (p. 21)

望ましい　のぞましい　desirable (p. 252)

方向　ほうこう　direction (p. 19)

〜模様だ　〜もようだ　it seems that 〜; it looks like 〜

3rd par.

盛り込む　もりこむ　include

〜に比べ　〜にくらべ　when compared with (p. 145)

〜減　〜げん　less; decrease (p. 150)

上期　かみき　first half year

契約率　けいやくりつ　contract rate

目標　もくひょう　goal

予算　よさん　budget (p. 16)

目ざす　めざす　aim at

建設戸数　けんせつこすう　number of houses to be built (建設 p. 150 ; 戸数 p. 196)

融資ワク　ゆうし…　restrictions on the financing of loans

促進　そくしん　promotion (p. 130)

～に向け　～にむけ　for the sake of ; in order to (p. 165)

便宜をはかる　べんぎをはかる　do what one can (for some one)

プラント　(industrial) plant

輸出　ゆしゅつ　export (p. 14)

増大　ぞうだい　increase (p. 42)

電源　でんげん　power source

立地　りっち　location (p. 60)

推進　すいしん　promotion

～税　～ぜい　tax

仮称　かしょう　provisional name

新設　しんせつ　establishment (p. 37)

活用　かつよう　utilization (p. 66)

代替エネルギー　だいたい…　alternative energy (p. 21)

設備投資　せつびとうし　plant and equipment investment (設備 p. 191 ; 投資 p. 132)

INDEX TO WORDS AND PHRASES

● The number following each entry refers to the page where it する appears with its English equivalent.

● The words and phrases are listed in their short forms; the added to nouns to form verbs, as in 参加する, is left out, as are such endings as —な or —の.

● The words and phrases are given in three sections, namely those in *kanji,* those in *katakana* and those in *hiragana.*

● Words in *kanji* include those words that are written partly in *hiragana* or *katakana,* as けん銃 or プロ野球.

● Words and phrases in *kanji* are listed under their initial *kanji.* The initial *kanji* are listed according to the total number of strokes. The stroke numbers and the order of *kanji* with the same number of strokes are decided according to 外国人のための漢字辞典 (*Kanji Dictionary for Foreign Students*), 2nd edition, published in 1973 by the 文化庁 (Cultural Agency).

● Words and phrases in *katakana* include those that are written partly in *hiragana,* as シラける.

● Words and phrases written in *katakana* include (1) foreign names like イラン (2) loan words like テレビ, (3) onomatopoeic words like パチパチ, (4) words emphasized like あがらしてもらうゼ and (5) words originally written in uncommon *kanji* like ケチ.

● Words and phrases are given in the way they were actually printed in newspapers; therefore the same word or phrase may written differently, as in 着こむ and 着込む (the same word).

● The readings of words and phrases written in *kanji* are given in *hiragana.* Their order is according to the 五十音図, the fifty-sound table, as in most Japanese dictionaries published in Japan for the Japanese. This order is as follows:

あ (a)　い (i)　う (u)　え (e)　お (o)

か (ka)　が (ga)　き (ki)　ぎ (gi)　く (ku)　ぐ (gu)　け (ke)　げ (ge)　こ (ko)　ご (go)

さ (sa)　ざ (za)　し (shi)　じ (ji)　す (su)　ず (zu)　せ (se)　ぜ (ze)　そ (so)　ぞ (zo)

た (ta)　だ (da)　ち (chi)　ぢ (ji)　つ (tsu)　づ (zu)　て (te)　で (de)　と (to)　ど (do)

な (na)　に (ni)　ぬ (nu)　ね (ne)　の (no)

は (ha)　ば (ba)　ぱ (pa)　ひ (hi)　び (bi)　ぴ (pi)　ふ (fu)　ぶ (bu)　ぷ (pu)　へ (he)　べ (be)　ぺ (pe)　ほ (ho)　ぼ (bo)　ぽ (po)

ま (ma)　み (mi)　む (mu)　め (me)　も (mo)

や (ya)　ゆ (yu)　よ (yo)

ら (ra)　り (ri)　る (ru)　れ (re)　ろ (ro)

わ (wa)　を (o)

ん (n)

Words written with a small っ as in まっか or さっそく follow those with a regular つ as in まつ or さつ.

Small ゃ, ゅ, ょ as in きゃく, じゅう, or きょう, follow regular や, ゆ, よ as in きやく, じゆう or きよう.

I. Words and phrases in *kanji*

一画 (one stroke)

二画 (two strokes)

六画 (six strokes)

十画 (10 strokes)

十一画 (11 strokes)

十三画 (13 strokes)

十四画 (14 strokes)

十五画 (15 strokes)

十八画 (18 strokes)

十九画 (19 strokes)

二十画 (20 strokes)

二十二画 (22 strokes)

二十三画 (23 strokes)

II. Words in *katakana*

III. Words in *hiragana*